Course Book

Impuls Deutsch 1

Intercultural | Interdisciplinary | Interactive

Niko Tracksdorf
Nicole Coleman
Damon Rarick
Friedemann Weidauer

Ernst Klett Sprachen
Stuttgart

Herausgeber:	Niko Tracksdorf
Authors:	Niko Tracksdorf, Nicole Coleman, Damon Rarick, Friedemann Weidauer
Guest authors:	Steffen Kaupp, Maria Reger, Manuela Wagner (Chapter 1)
	Tessa Wegener (Chapter 7), Margrit Zinggeler (Kulturpunkt: Schweiz)
Consultants:	Michael Byram, Regine Criser, Katharina Häusler-Gross, Judith Keyler-Mayer (Grammar),
	Hartmut Rastalsky, Kristina Reardon, Mark Rectanus (Chapters 1-4), Amanda Sheffer (Chapter 7),
	Ruth Sondermann, Jenny Strakovsky (Chapter 1)

Redaktion:	Steffen Kaupp
Glossary editors:	Christiane Wirth, Torsten Lasse
Project manager:	Rebecca Mehne
Prepress:	Carolyn Merkel
Design/Layout:	Niko Tracksdorf
Cover design:	Andreas Drabarek
Typesetting:	Markus Dollenbacher, Satzkasten, Stuttgart
Manuscript reformatting:	Franziska Kautz, Luisa König, Kate Phillips

Authors and publisher would like to thank our consultants, the many colleagues (and students) who tested *Impuls Deutsch 1* in their classrooms, and our interns, who all offered invaluable suggestions and input during the development of the book. In addition to our official consultants named above, this includes (among others) Stine Eckert, Lea Forneck, Norbert Hedderich, Madeleine Höfer, Adrienne Merritt, and Shawna Rambur.

Authors and publisher would like to thank the students who shared their experiences abroad in our inaugural *„Blogs aus Deutschland"* posts: Allan Bakker, Renee Gordon, Simon Hoeps, Gregory Morgan, Maeve Story, and Nicholas Topor.

The audio and video material in this book can be downloaded and played by using the Klett Augmented app.

Install and open the free Klett Augmented app	Start „Bilderkennung" and scan the **pages** **with Audio and Video**	Download Audio and Video and play immediately or save for later

 Scan this page for further components belonging to this book.

Audio and video material for download at www.klett-usa.com/impuls
Code: ImDe!L1m

Visit us on the internet:
www.klett-usa.com/impuls

1. Auflage 1 ³ ² ¹ | 2022 21 20

© Ernst Klett Sprachen GmbH, Rotebühlstraße 77, 70178 Stuttgart, 2020

Printed in Germany by Elanders GmbH, Waiblingen

Course Book + Online Interactive Workbook:

ISBN 978-3-12-**605306**-8

9 783126 053068

Course Book:

ISBN 978-3-12-**605300**-6

9 783126 053006

Herzlich Willkommen! Welcome to *Impuls Deutsch: Intercultural – Interdisciplinary – Interactive*, an innovative textbook series for learning German in the college classroom. We are pleased to present you with a modern, theoretically sophisticated textbook that students will be eager to use and that teachers will find easy and enjoyable to implement in their classrooms. While the theories and methods that undergird this book are widely accepted and supported, *Impuls Deutsch* is unlike any other German textbook on the market. Its main distinguishing features include:

- **Multiple Perspectives:** *Impuls Deutsch* offers engaging content from multiple disciplines, designed specifically to appeal to our diverse student bodies.
- **Inclusiveness:** *Impuls Deutsch* sees its students and instructors as belonging to the German-speaking community. In this view, its interaction with and depiction of people is purposely sensitive to race, ethnicity, sexual orientation, gender, and dis/ability.
- **Structure:** *Impuls Deutsch* fully incorporates the flipped classroom approach into the three principal student components: LERNEN, MACHEN, and ZEIGEN. The success of the class depends on students coming to class prepared to engage with their fellow learners.
- **Flexibility:** *Vertiefungsstunden* are special units that do not introduce new grammar. They can be left out if you need flexibility in your syllabus, but you can use them to reinforce grammar while engaging with new material.
- **Attitude:** Learning German should be fun. *Impuls Deutsch* elevates its tone in line with the maturity level of college students and instructors. We take our students and the issues they face very seriously, but at the same time, our hope is that you will appreciate the elements of humor that we have built into *Impuls Deutsch*.

Organization of the Book: LERNEN → MACHEN → ZEIGEN

This book uses a flipped classroom concept, which puts students in the driver's seat and fosters learner autonomy. The workbook assignments in LERNEN will help students learn and practice new structures at their own pace prior to coming to class. Statistics, texts, and images in LERNEN provide students with background knowledge, freeing up time in the classroom for meaningful application. The MACHEN book, the German-only course book, emphasizes interaction, communication, and project-based learning. Every double page in MACHEN is an *Einheit*, conveniently designed for a 50-minute lesson. Finally in the ZEIGEN book, students demonstrate and critically reflect on what they have learned.

The Subtitle in Context: Intercultural

Intercultural Competence is the ability to understand and communicate with members of diverse groups of people. *Impuls Deutsch* aims to not only help students practice and develop the foundations of intercultural competence with respect to the German-speaking world, but also to define and evaluate their own cultural identities in juxtaposition to others. Students reflect on these issues, deconstruct stereotypes in *Kulturpunkten*, compare their own perspectives to others, and challenge their own beliefs about other cultures.

Impuls Deutsch embraces a pluralistic and diverse view of German-speaking countries: By representing German speakers of different origins and by including places and stories from different German-speaking countries, *Impuls Deutsch* acknowledges and attempts to reduce the exclusion of historically marginalized groups from the curriculum. The goal is to make all students feel included in today's contemporary German-speaking community.

The cultural diversity portrayed in this book includes not only different ethnic and religious groups, but also the LGBTQ+ community, diverse gender identities, and people with dis/ability. *Impuls Deutsch* uses the gender star (without causing confusion for beginning language learners). It introduces non-traditional families, and avoids ableist language and content to the greatest extent possible. This is not only an acknowledgement of the diversity within the German-speaking countries, but also an appreciation for our students, all of whom now become part of the heterogeneous, vibrant community of German speakers.

The Subtitle in Context: Interdisciplinary

In every chapter, we integrate multiple disciplinary perspectives. Students engage with relevant content from STEM, arts, and humanities, while building transferrable, real-world skills including collaboration, problem solving, time management, and global awareness. Every chapter leads to larger questions that have implications on all aspects of life. Starting with simple questions like „Wer bin ich?", students will begin to think about their lives in a global, interconnected environment. We take the students seriously as the competent adult learners they are and let them engage with meaningful content that is interesting and worthy of more in-depth discussion, with the vocabulary and grammar that is available to them even at these beginning stages. The topic of each chapter leads to broader questions. Where does my food come from? How much living space do I need? How can I be more efficient in my daily life? How does my way of living compare to how people in other parts of the world live? What technologies are there to solve problems we encounter? In a more general sense, every chapter in this book links everyday life situations to questions about technology, the arts, and our role in this world.

The Subtitle in Context: Interactive

Throughout *Impuls Deutsch*, students are presented with meaningful, content-based tasks that provide students multiple ways of putting what they have learned and practiced into action.

Impuls Deutsch provides three interactive online tools to save instructors and students time in preparing and managing coursework. Both the preparatory LERNEN and reinforcing ZEIGEN chapters are available with auto-graded activities in the Learning Management System BlinkLearning. Self-guided modules for vocabulary, content, and grammar have been specifically developed for *Impuls Deutsch* on Quizlet and Kahoot, which may be used both for preparation and in-class use.

Impuls Deutsch and Learning with the ACTFL Standards

Impuls Deutsch uses the 2017 NCSSFL-ACTFL Can-Do Statements, which are based on the ACTFL Proficiency Guidelines and the ACTFL Performance Descriptors for Language Learners. The sequencing of grammar, vocabulary, and cultural topics was designed according to ACTFL standards, aiming for Novice High (productive) and Intermediate Low (receptive) levels on the ACTFL proficiency scale by the end of this book.

At the beginning of every chapter in MACHEN, learners are presented with learning goals that state what they will have accomplished by the end of the chapter. At the end of each chapter in ZEIGEN, learners assess their own progress by working through the Can-Do statements covering their language and intercultural proficiencies. We encourage instructors and students to dedicate time to these lists, as tangible self-improvement is absolutely integral to the holistic experience of learning German with *Impuls Deutsch*.

We hope you enjoy your teaching and learning experience with *Impuls Deutsch*,

Niko Tracksdorf   Nicole Coleman   Damon Rarick   Friedemann Weidauer

KAPITEL 1:
Wer bin ich?:
Heute und in 10 Jahren

KAPITEL 2:
Was ziehe ich an?:
Wetter und Klimawandel

Interdisziplinär	Interkulturell	Strukturen
	Tageszeiten	
	Beliebte Vornamen	Personalpronomen
	Begrüßung	Präsens und das Verb heißen
	du/ihr vs Sie	Fragen und Antworten
Studienfächer	Berühmte Menschen	5 wichtige Verben
	Kulturpunkt: Vier Sprachen	Länder, Nationalitäten, Sprachen
		Das Alphabet
Musik-Ecke: MfG Symbole und Formeln	Gender-neutrale Pronomen	
Rechnen und Umrechnen Das metrische System	Komma vs Punkt bei Zahlen Autokennzeichen	Zahlen Verb: sein
	Einbürgerungstest	Negation mit nicht Wortstellung (Sätze und Fragen) Aussprache: Satzmelodie gern
	Gender und das Gendersternchen Distanzen ausdrücken	Artikel (bestimmt und unbestimmt)
	Verschiedene Familienkonstellationen Kulturpunkt: Freundschaft	Possessivadjektive
		Verb: haben Akkusativ (rezeptiv) Negation mit kein
	Migration Video-Ecke Blogs aus Deutschland	

Interdisziplinär	Interkulturell	Strukturen
	Kulturpunkt: Pünktlichkeit	Uhrzeit trennbare Verben
	Ein deutsches Kaufhaus kennenlernen Erdgeschoss und 1. Stock/Etage	Verben mit Vokalwechsel Akkusativ Adjektive ohne Endung
Celsius und Fahrenheit	Klimaanlagen in Deutschland	Temporale Adverbien
Künstlerkolonie Worpswede		
		Aussprache: Kurze und lange Vokale
Musik-Ecke: Max Mutzke Celsius und Fahrenheit	Kulturpunkt: Kleider machen Leute	Pronomen im Nominativ und Akkusativ
Eine Wetterkurve analysieren	interreligiöse und nicht-konfessionelle Feiertage, regionale Unterschiede	Temporale Präpositionen Ordinalzahlen
Planeten vergleichen	Durchschnittsgröße nach Ländern	Komparativ und Superlativ
endogene und exogene Prozesse	Naturkatastrophen Orten zuordnen	
Kunst bei COP23	Video-Ecke Blogs aus Deutschland	

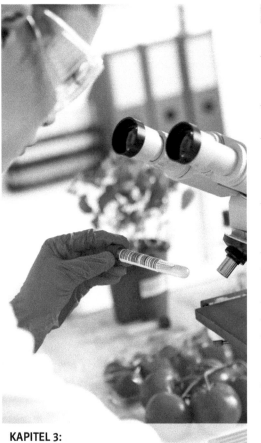

KAPITEL 3:
Was ist da drin?:
Lebensmittel unter der Lupe

KAPITEL 4:
Wie optimiere ich mein Leben?:
Schlanke Produktion für Haus & Alltag

Interdisziplinär	Interkulturell	Strukturen
	Internationale Speisen Text zu deutschen Essenspräferenzen	gern, lieber, am liebsten
5 Geschmacksqualitäten	Kulturpunkt: Gemüsesaison	es gibt Plural Modalverben (können, mögen, wollen)
	Essen in verschiedenen Ländern Weltweite Kalorienaufnahme	Redemittel: Über Essen sprechen
Bruch-Zahlen Gewicht berechnen	Verschiedene Läden	Redemittel: Verpackungen Wünsche mit möchte und hätte Aussprache: Das Ö Akkusativ-Präpositionen
Musik-Ecke: Supergeil Lebensmittelgruppen, Vitamine, Mineralstoffe, Kalorien		viel vs viele Modalverb: sollten warum und weil
	EU-Regeln	
	Trinkgeld Kulturpunkt: Essensvielfalt	Redemittel: Restaurant
		Imperativ
Chemie im Brot Grundbegriffe der Chemie Periodensystem Zucker	Deutsche Brot-Kultur Aussprache ähnlicher Wörter	
Bestandteile der Molekularküche		
Treibhauseffekt von Ernährungsweisen	Ernährung der Deutschen Video-Ecke Blogs aus Deutschland	

Interdisziplinär	Interkulturell	Strukturen
Statistiken beschreiben	Wohnen vs mieten Wohnungsanzeigen	Lokale Präposition in mit Dativ
		Wechselpräpositionen wo und wohin
		stehen, liegen, sitzen, hängen vs. stellen, legen, setzen, hängen
Architektur nach Epochen	Revolutionäre Kunst	Präteritum (rezeptiv)
Der Effekt von Farben Grundriss und Maßstab	Kulturpunkt: Alter Schwede	Konditionalsatz (wenn, falls)
Musik-Ecke: Das bisschen Haushalt	Geschlechterrollen im Haushalt Wohngemeinschaft	Reflexivpronomen im Akkusativ Aussprache: ch
	Kulturpunkt: Effizienz	Modalverben: müssen, dürfen Kausalsätze: denn, weil Satzbau
Muskelaufbau und Sport		dass-Sätze Wortbildung: Nomen
	Video-Ecke Blogs aus Deutschland	

KAPITEL 7:
Was gibt's da zu sehen?:
Sehenswürdigkeiten in Wien

KAPITEL 8:
Wie sieht die Zukunft aus?:
Erfindungen und Innovationen

ANHANG:

ADDITIONAL RESOURCES

 BlinkLearning is the Learning Management System (LMS) for all digital versions of *Impuls Deutsch*. The platform contains the online course book MACHEN with embedded audio and video as well as all homework assignments for the online interactive workbooks LERNEN (completed before class) and ZEIGEN (completed after class). If you've purchased the blended bundle, you can find your workbook access code inside the front cover of your print course book. To purchase an access code for an online version, please visit www.klett-usa.com/impuls.

 With the **Klett Augmented App**, you can play all media featured throughout *Impuls Deutsch 1*. Simply open the app on your smartphone or tablet, select your book, and click on the camera symbol to scan the desired page in your print course book or workbook. The program will automatically detect audio files, images, videos or links. You may then play them directly on the device, bookmark your favorites, and/or download them for offline use. The app also includes direct access to the PONS online dictionary.

 The ZEIGEN follow-up workbook includes „**Blogs aus Deutschland**," a series of blog posts from students who have studied abroad in Germany for a semester or a year. You will follow one (or more) of these students to learn about their experiences living in Germany. You can find their blog posts and related activities at www. klett-usa.com/blogs (or simply use Klett Augmented).

 *Impuls Deutsch 1* offers official vocabulary sets for **Quizlet** – a mobile and web-based learning application that helps you master vocabulary using flashcards, interactive games and tests. You can find the *Impuls Deutsch 1* Quizlet sets at www.klett-usa.com/impuls1resources. Or access Quizlet sets with Klett Augmented: use the app to scan vocabulary pages in LERNEN, or scan any page in MACHEN to access the corresponding vocabulary.

 **Kahoot!** games are a fun-based learning platform that help students learn vocabulary, grammar, and culture with games and offers a change from the usual classroom routine. It's easy to use, provides immediate feedback, and tests knowledge in a playful way. Find out more about Kahoot! at www.klett-usa.com/kahoot.

SYMBOLS

 Listen. *Impuls Deutsch 1* includes more than 150 audio files for practicing your listening and pronunciation skills. Access the files with the Klett Augmented app or visit www.klett-usa.com/impuls1resources

 Research. Whenever you see this symbol, you are asked to do online research on a given topic. We encourage you to use German versions of websites, such as wikipedia.**de** (not .com).

 Write. You will write reflective blog entries to share your thoughts and opinions about some of the topics featured in *Impuls Deutsch 1*. If you use the blended bundle, you will submit your reflections via BlinkLearning (check with your instructor in case another submission procedure is preferred.).

 Speak. In each chapter, you will record yourself speaking German. If you use the blended bundle, you will share your videos with your instructor using BlinkLearning (check with your instructor in case another submission procedure is preferred.).

Quelle: **Authentic Texts.** A short source is quoted under each authentic text. Full text sources and copyright information can be found at the back of the book on page N-3.

WER BIN ICH?:
HEUTE UND IN 10 JAHREN

In **chapter 1**, you'll learn …

- to understand and express basic formal and informal greetings in spontaneous spoken conversations.
- to introduce yourself using practiced or memorized words and phrases.
- to exchange preferences with others about likes and dislikes.
- to ask others about their age and height, and introduce them based on the information given.
- to name familiar people using practiced or memorized words and phrases.
- to speak about important people in your life (such as friends and family), and their relationships to you.
- to say numbers from 1 – 1000.
- to identify German car license plates and understand the information provided on them.
- to give short presentations based on information gathered in interpersonal interviews.
- about the metric system and its differences from the U.S. standard.

0: WILLKOMMEN!

Welcome to *Impuls Deutsch 1*, and congratulations on your decision to learn German as a foreign language!

Impuls Deutsch aims to go beyond just practicing grammatical structures (which is of course part of the book!). You will be encouraged to participate in meaningful conversations with others, you will learn about and discuss topics from other disciplines (while speaking German), and you will explore the cultures of German-speaking countries as well as your own culture. This will allow you to reflect on your own place in the world as part of a global, intercultural community. This makes learning German fun and engaging, and you get more out of this course than just your language skills.

Browsing through the **MACHEN** book, which is your course book for *Impuls Deutsch*, you will notice that English will not be used after this brief introduction, with the exception of some glosses. While this might seem overwhelming at first, you will get the hang of it very quickly. Using a German-only approach in the course book will help you immerse yourself in the language as early as the first day, and learn German very effectively. To ensure you are prepared for the German-only assignments, conversations, and texts in class, you will find a variety of preparatory activities and detailed grammar explanations in the **LERNEN** workbook, and many reinforcing activities and cultural insights in the **ZEIGEN** follow-up workbook. To balance out the German-only approach in the course book, both parts of the workbook start out with English-only explanations and instructions and increasingly move to German over the course of the semester.

Here are some words and phrases your instructor might use:

Stehen Sie bitte auf.	*Stand up, please.*	Öffnen Sie bitte das Buch.	*Open the book, please.*
Setzen Sie sich bitte.	*Sit down, please.*	Schließen Sie bitte das Buch.	*Close the book, please.*
Zeigen Sie bitte auf.	*Raise your hand, please.*	Ergänzen Sie bitte.	*Add something, please.*
Wiederholen Sie bitte.	*Repeat, please.*	Arbeiten Sie bitte zu zweit.	*Work in pairs, please.*
		Arbeiten Sie bitte alleine.	*Work alone, please.*
Hören Sie bitte zu.	*Listen, please.*	Geben Sie bitte ein Beispiel.	*Give an example, please.*
Lesen Sie bitte.	*Read, please.*	Schauen Sie sich bitte das Foto an.	*Look at the photo, please.*
Schreiben Sie bitte.	*Write, please.*		
Fragen Sie bitte.	*Ask, please.*	Finden Sie bitte die richtige Reihenfolge.	*Find the right order, please.*

And here are some phrases you might find useful:

Wie bitte?	*Pardon?*	Können Sie mir bitte helfen?	*Could you help me, please?*
Ich verstehe das nicht.	*I don't understand.*	Ich habe eine Frage.	*I have a question.*
		Auf welcher Seite, bitte?	*What page, please?*
Langsamer, bitte.	*Slower, please.*	Was bedeutet …?	*What does … mean?*
Noch einmal, bitte.	*One more time, please.*	Wie sagt man … auf Deutsch?	*How do you say … in German?*
Danke.	*Thanks.*	Was bedeutet … auf Englisch?	*What does … mean in English?*
Gern geschehen.	*You are welcome.*		

INFORMELL   Melanie: Hallo! Ich heiße Melanie. Wie heißt du?
Tom: Hi! Ich heiße Tom.

Grammatik

ich	heiß**e**
du	heiß**t**

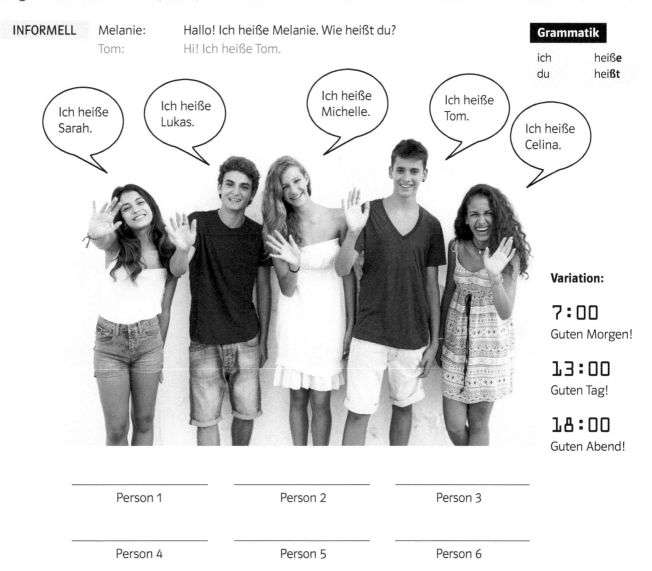

Ich heiße Sarah.

Ich heiße Lukas.

Ich heiße Michelle.

Ich heiße Tom.

Ich heiße Celina.

Variation:

7:00
Guten Morgen!

13:00
Guten Tag!

18:00
Guten Abend!

_____   _____   _____
Person 1   Person 2   Person 3

_____   _____   _____
Person 4   Person 5   Person 6

B   **Was ist das?**

_12_ ein Auto
_____ ein Boot
_____ ein Apfel
_____ ein Arm
_____ eine Kuh
_____ ein Omelett
_____ ein Baby
_____ ein Fuß
_____ ein Diamant
_____ ein Garten
_____ ein Buch
_____ ein Kaffee
_____ eine Katze
_____ eine Banane
_____ ein Eis

1 Begrüßen und Verabschieden in deutschsprachigen Ländern

Begrüßen und verabschieden Sie Personen im Kurs. Vergessen Sie das Händeschütteln nicht.

INFORMELL	Carsten:	Hi! Ich heiße Carsten. Und du? Wie heißt du?
	Sabine:	Hi! Ich heiße Sabine.
	Carsten:	Tschüss!
	Sabine:	Ciao!

Grüß Gott	Tschüss
Moin	Ciao
Servus	Auf Wiedersehen
Guten Morgen	Auf Wiederschauen
Hallo	Uf Wiederluege
Grüezi	

2 Fragen Sie: Wie heißen Sie? (Name, formell)

FORMELL	Herr Peters:	Hallo, wie heißen Sie?
	Frau Ball:	Ich heiße Frau Ball. Und Sie?
	Herr Peters:	Ich bin Herr Peters. Nett, Sie kennenzulernen.
	Frau Ball:	Ganz meinerseits.

Grammatik

ich	heiß**e**
du	heiß**t**
Sie	heiß**en**

Ich bin Herr Peters.

Ich heiße Frau Ball.

_____	_____	_____
Person 1	Person 2	Person 3

_____	_____	_____
Person 4	Person 5	Person 6

1) Welche Namen sind in Deutschland, Österreich <u>und</u> der Schweiz in den Top 10?
Welche Namen sind nur in einem Land (zwei Ländern) in den Top 10?

Beispiel: Lena ist in Deutschland, Österreich und der Schweiz beliebt/populär/in den Top 10.

Deutsche Schweiz, 2010 geboren		Deutschland, 2010 geboren		Österreich, 2010 geboren	
1. Lara	1. Noah	1. Sophie	1. Maximilian	1. Anna	1. Lukas
2. Lena	2. Luca	2. Marie	2. Alexander	2. Sophie	2. Alexander
3. Mia	3. Leon	3. Maria	3. Paul	3. Maria	3. David
4. Sara	4. Jonas	4. Sophia	4. Leon	4. Sarah	4. Maximilian
5. Emma	5. David	5. Mia	5. Lukas	5. Lena	5. Tobias
6. Laura	6. Nico	6. Anna	6. Luca	6. Emilia	6. Jonas
7. Lea	7. Levin	7. Lena	7. Elias	7. Elena	7. Elias
8. Anna	8. Jan	8. Emma	8. Louis	8. Julia	8. Simon
9. Julia	9. Leandro	9. Hannah	9. Jonas	9. Leonie	9. Jakob
10. Alina	10. Julian	10. Johanna	10. Felix	10. Laura	10. Niklas

2) Und in den USA? In Ihrem Heimatland?

3) Sie haben ein Baby. Was ist ein guter Name?

1) Was ist was?

_2_ Zeigen Sie bitte auf.

_____ Hören Sie bitte zu.

_____ Schreiben Sie bitte.

_____ Lesen Sie bitte.

_____ Ich habe eine Frage.

_____ Wie sagt man „*the car*" auf Deutsch?

_____ Langsamer, bitte.

_____ Auf welcher Seite, bitte?

2) Machen Sie, was Ihr°e Lehrer°in sagt. (Tipp: Vokabeln auf Seite 2)

2: WOHER KOMMST DU?

5 Fragen Sie: Woher kommst du? (Herkunft)/Wo wohnst du? (Wohnort)

Wie heißt die Person? Woher kommt die Person? Wo wohnt die Person? (Variieren Sie informell und formell.)

Celina:	Grüß Gott! Ich heiße Celina! Wie heißt du?
Lukas:	Moin! Ich heiße Lukas. Woher kommst du?
Celina:	Ich komme aus Tucson in Arizona. Und du? (Woher kommst du?)
Lukas:	Ich komme aus Boston in Massachusetts. Wo wohnst du?
Celina:	Ich wohne in Seattle in Washington. Und du? (Wo wohnst du?)
Lukas:	Ich wohne in Atlanta in Georgia.

Grammatik

ich	komme aus			ich	wohne in
du	kommst aus			du	wohnst in
er/es/sie	kommt aus			er/es/sie	wohnt in
Sie	kommen aus	Geburt ⟶ momentan		Sie	wohnen in

6 Berühmte Persönlichkeiten

1) Wie heißt die Person? Woher kommt die Person? Welche Sprache(n) spricht die Person?

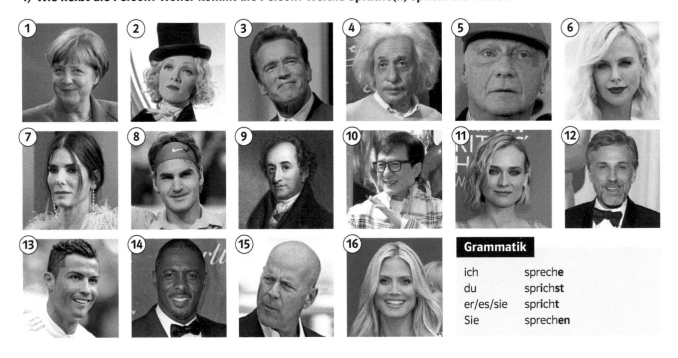

Grammatik

ich	spreche
du	sprichst
er/es/sie	spricht
Sie	sprechen

2) Welche anderen Personen aus Deutschland, Österreich oder der Schweiz kennen Sie?

7 Fragen Sie: Was studierst du? (Studiengang)

Ich studiere Informatik.

Tom: Was studierst du?
Mia: Ich studiere Medizin. Und du?
Tom: Ich studiere Mathematik.

Betriebswirtschaftslehre (BWL)   Maschinenbau
Biologie   Mathematik
Chemie(technik)   Musikwissenschaft
Informatik   Pädagogik
Internationale Beziehungen   Pharmazie
Krankenpflege[1]   Politikwissenschaft
Literatur   Wirtschaftswissenschaft

Grammatik	
ich	studier**e**
du	studier**st**
er/es/sie	studier**t**
Sie	studier**en**

[1] Krankenpflege studiert man in Deutschland nicht an der Universität.

8 Interviewen Sie 3 Personen. Schreiben Sie die Antworten auf.[1] Stellen Sie die Person vor.

Beispiel:
Wie heißt du?	→	Ich heiße Michelle.
Woher kommst du?	→	Ich komme aus Hamburg.
Wo wohnst du?	→	Ich wohne in Buxtehude.
Welche Sprachen sprichst du?	→	Ich spreche Deutsch und Französisch.
Was studierst du?	→	Ich studiere Maschinenbau.

	Beispiel	Person 1	Person 2	Person 3
Name:	Michelle			
Herkunft:	Hamburg			
Wohnort:	Buxtehude			
Sprache:	Deutsch, Französisch			
Studiengang:	Maschinenbau			

[1] auf·schreiben = to write s.th. down; to make a note of

9 Das Alphabet

Lesen Sie die Buchstaben laut im Kurs.

A	ah	H	hah	O	oh	V	fow	Ä	
B	beh[1]	I	ee	P	peh[1]	W	veh[1]	Ö	
C	tseh[1]	J	yot	Q	koo	X	iks	Ü	
D	deh[1]	K	ka	R	air	Y	üpsilon	AI/EI	eye
E	eh[1]	L	ell	S	ess	Z	tsett	IE	eeh
F	eff	M	emm	T	teh[1]	ß	ess tsett	AU	ow
G	geh[1]	N	enn	U	ooh			EU/ÄU	oy

[1] Denke an ein stereotypisches kanadisches „Eh!"

10 Musik-Ecke: „MfG"

DIE FANTASTISCHEN VIER
MfG (1999)

1) Suchen Sie im Internet das Lied „MfG" von den Fantastischen Vier. Suchen Sie auch den Liedtext online. Hören Sie das Lied an und lesen Sie den Text.

2) In dem Lied MFG gibt es sehr viele Abkürzungen. Recherchieren Sie online: Was bedeuten diese Abkürzungen.

MFG – _____

BRD – _____

DDR – _____

DRK – _____

ZDF – _____

HNO – _____

VHS – _____

11 Was hören Sie?

🔊 Hören Sie zu und nummerieren Sie:

2 Laute	1 Leute	Häuser	heiser	meine	Miene
Biene	Beine	Eule	Eile	Nein	neun
Liebe	Leibe	Biene	Bühne	so	Zoo
Haufen	häufen	liegen	lügen	zehn	sehen
voran	woran	wer ging	verfing	Seile	Zeile

12 Ich heiße A-L-E-X-A-N-D-E-R.

1) Buchstabieren Sie Ihren Namen.

Benjamin: Hallo! Ich heiße Benjamin. Wie heißt du?
Alexander: Ich heiße Alexander.
Benjamin: Ich habe das nicht verstanden. Wie schreibt man das?
Alexander: A-L-E-X-A-N-D-E-R

(Variieren Sie: A wie Anton, L wie Ludwig, E wie Emil . . .)

2) Buchstabensalat: Raten Sie den Namen.

Sandra: Mein Name hat die Buchstaben S-N-D-A-R-A. Wie heiße ich?
Michael: Du heißt Sandra.

1: S-N-D-A-R-A → Sandra   3: _____ → _____

2: _____ → _____   4: _____ → _____

13 Fragen Sie: Wie heißt sie?

1) Wie heißt die andere Person?

Benjamin: Wie heißt die Person?
Alexander: Moment. Ich frage sie.

Alexander: Wie heißt du?
Katharina: Ich heiße Katharina.
Alexander: Wie ist dein Pronomen?
Katharina: Mein Pronomen ist **sie**.
Alexander: Danke.

Alexander: **Sie** heißt Katharina.
Benjamin: Danke.

Grammatik	
ich	heiß**e**
du	heiß**t**
Sie	heiß**en**
er/es/sie	heiß**t**

2) Variieren Sie. Woher kommt die Person? Wo wohnt die Person? Was studiert die Person?

14 Symbole und Formeln

Ahmed: Wofür steht m?
Kiru: m steht für Meter.
Ahmed: Wofür steht l?
Kiru: l steht für Länge.

Internationales Einheitensystem – Sieben Grundgrößen (Basisgrößen oder Basiseinheiten)

Grundgröße	Formelzeichen	Grundeinheit	Einheitenzeichen
Länge	l	Meter	m
Zeit	t	Sekunde	s
Masse	m	Kilogramm	kg
El. Stromstärke	I	Ampere	A
Temperatur	T	Kelvin	K
Lichtstärke	I^v	Candela	cd
Stoffmenge	n	Mol	mol

Kevin: Wofür steht v?
Sven: Es steht für Geschwindigkeit.
Kevin: Und wie heißt die Einheit?
Sven: Sie heißt Meter pro Sekunde.

Abgeleitete Einheiten

Größe	Formelzeichen	Einheit	Symbol
Geschwindigkeit	v	Meter pro Sekunde	m/s
Volumeninhalt	V	Kubikmeter	m^3
Oberfläche	A	Quadratmeter	m^2
Beschleunigung	a	Meter pro Quadratsekunde	m/s^2
Volumetrische Masse	vol	Kilogramm pro Kubikmeter	kg/m^3
Molare Konzentration	c	Mol pro Kubikmeter	mol/m^3
Stoffmenge	n	Mol	mol

4: ZAHLEN

15 **Zahlen**

🔊 **1) Hören Sie die Zahlen. Dann zählen Sie bis 100. Benutzen Sie die Hände für die Zahlen 1 bis 10.**

1	**1**	eins	**11**	elf	**21**	einundzwanzig	**40**	vierzig
	2	zwei	**12**	zwölf	**22**	zweiundzwanzig	**50**	fünfzig
	3	drei	**13**	dreizehn	**23**	dreiundzwanzig	**60**	sechzig
	4	vier	**14**	vierzehn	**24**	vierundzwanzig	**70**	siebzig
	5	fünf	**15**	fünfzehn	**25**	fünfundzwanzig	**80**	achtzig
	6	sechs	**16**	sechzehn	**26**	sechsundzwanzig	**90**	neunzig
7	**7**	sieben	**17**	siebzehn	**27**	siebenundzwanzig	**100**	einhundert
	8	acht	**18**	achtzehn	**28**	achtundzwanzig	**1000**	eintausend
	9	neun	**19**	neunzehn	**29**	neunundzwanzig		
	10	zehn	**20**	zwanzig	**30**	dreißig	**0**	null

⬡ **Kulturpunkt**

Zählen mit den Fingern:
In Deutschland beginnt man
mit dem Daumen (*thumb*)
und in den USA mit dem
Zeigefinger (*index finger*).

2) Sagen Sie die Einmaleinsreihen in einer Gruppe auf.

Zweierreihe: zwei, vier, sechs, acht …
Dreierreihe: drei, sechs, neun, zwölf …
Viererreihe: vier, acht, zwölf, sechzehn …
Fünferreihe: fünf, zehn, fünfzehn, zwanzig …
…
Fünfzehnerreihe? Neunzehnerreihe?

3) Addieren Sie im Team. (Variationen: zwanzig minus sieben ist … | drei mal siebzehn ist … | zehn durch zwei ist …)

Marvin:	Drei plus sieben ist …
Nicole:	Zehn. Zehn plus neun ist …
Marvin:	Neunzehn. Neunzehn plus acht ist …
Nicole:	Siebenundzwanzig. Siebenundzwanzig …

🔊 **4) Welche Zahlen hören Sie? Schreiben Sie die Zahlen.**

1) _____	4) _____	7) _____	10) _____
2) _____	5) _____	6) _____	11) _____
3) _____	6) _____	9) _____	12) _____

16   Wie alt bist du?

Lesen Sie die Fragen und Antworten.

Grammatik			

Wie alt bist du?   →   Ich bin 17 Jahre alt.
Wie groß bist du?   →   Ich bin 1,93 m groß. (= eins dreiundneunzig)
Was ist deine Glückszahl?   →   Meine Glückszahl ist 99.
Wie ist deine Handynummer?   →   Meine Handynummer ist 0174 / 587 48 65.

ich	**bin**
du	**bist**
Sie	**sind**
er/es/sie	**ist**

Und Sie? Schreiben Sie die Antworten.

Wie alt sind Sie?   →   _____

Wie groß sind Sie?   →   _____

Was ist Ihre Glückszahl?   →   _____

Wie ist Ihre Handynummer?   →   _____

17   Drei Personen

Interviewen Sie drei Personen. Schreiben Sie die Antworten auf.

	Beispiel	Person 1	Person 2	Person 3	Tipp:
Alter:	*17 Jahre*	_____	_____	_____	4 ft 10 in = 1,47 m
					5 ft = 1,52 m
Größe:	*1,93 m*	_____	_____	_____	5 ft 2 in = 1,57 m
					5 ft 4 in = 1,63 m
					5 ft 6 in = 1,68 m
Glückszahl:	*99*	_____	_____	_____	5 ft 8 in = 1,73 m
					5 ft 10 in = 1,78 m
Nummer:	*0174 / 5874865*	_____	_____	_____	6 ft = 1,83 m
					6 ft 2 in = 1,88 m
					6 ft 4 in = 1,93 m

18   Woher kommt das Auto?

Britta: Das Nummernschild ist E-MQ-22. Woher kommt das Auto?
Viviane: Das Auto kommt aus Essen in Deutschland.

Tipp: Die Karte am Ende des Buches hilft!

19 **Vier Fakten**

Zu zweit: Eine Person sagt vier Fakten. Drei Fakten sind richtig (korrekt), ein Fakt ist falsch (nicht korrekt).
Die andere Person rät.

Benjamin:	Ich heiße Benjamin. Ich komme aus Atlanta.
	Ich studiere BWL. Ich bin 17 Jahre alt.
Stefanie:	Du kommst **nicht** aus Atlanta.
Benjamin:	Doch, ich komme aus Atlanta.
Stefanie:	Du studierst **nicht** BWL.
Benjamin:	Doch, ich studiere BWL.
Stefanie:	Du bist **nicht** 17 Jahre alt.
Benjamin.	Genau! Ich bin **nicht** 17 Jahre alt. Ich bin 18 Jahre alt.

20 **Kostümparty**

1) Lesen Sie die Informationen von Heiko. Beantworten Sie die Fragen.

 Hallo, ich heiße Heiko. Ich bin 19 Jahre alt, 1,90 m groß, schlank und komme aus Wolfsburg. Ich studiere Medizin und helfe gern anderen Menschen. Ich lache gern. Mein Hobby ist Fotografieren. Ich jogge gern, ich schwimme gern und ich spiele gern Basketball.

Fragen:

Wie heißt er?	Wie alt ist er?
Wie groß ist er?	Woher kommt er?
Was studiert er?	Was macht er gern?

2) Julia geht auf eine Kostümparty und trifft Heiko. Aber Heiko ist nicht Heiko! Er hat ein Kostüm und eine neue Identität für die Party!

Beispiel:	Heißt er Heiko?	Nein, er heißt nicht Heiko. Er heißt …
	Ist er 19 Jahre alt?	Nein, er ist nicht 19 Jahre alt. Er ist …

Realität	Kostümparty
Heiko	_____
19 Jahre alt	_____
1,90 m groß	_____
schlank	_____
aus Wolfsburg	_____
studiert Medizin	_____
freundlich	_____
humorvoll	_____
sportlich	_____

Infos: Person 1 auf Seite A-1, Person 2 auf Seite A-7

1) Lesen Sie die Hobbys und finden Sie das Foto.

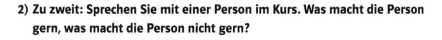

	Foto #	ICH ✓ ✗	PARTNER/IN ✓ ✗
fotografieren	3		
Handball spielen			
kochen			
tanzen			
singen			
Basketball spielen			
joggen			
schlafen[1]			
Schach spielen			
programmieren			
Videospiele spielen			
shoppen			

2) Zu zweit: Sprechen Sie mit einer Person im Kurs. Was macht die Person gern, was macht die Person nicht gern?

Benjamin: Singst du gern?
Stefanie: Ja, ich singe gern. Und du? Singst du gern?
Benjamin: Nein, ich singe nicht gern. Spielst du gern Fußball?
Stefanie: Nein, ich spiele nicht gern Fußball. Spielst du gern Fußball?
Benjamin.   Ja, ich spiele gern Fußball. Schläfst du gern? …

3) Schreiben Sie:

Was machen Sie gern? (2 Aktivitäten)

Ich _____

Was machen Sie nicht gern? (2 Aktivitäten)

_____

Was macht die andere Person gern? (2 Aktivitäten)

Er/Sie _____

Was macht die andere Person nicht gern? (2 Aktivitäten)

_____

[1]schlafen: ich schlafe, du schläfst, er/es/sie schläft

22 Berufe

1) Lesen Sie laut. Wie heißen die femininen und maskulinen Äquivalente?

der Verkäufer

die _____

die Maschinenbauingenieurin

der _____

der Friseur

die _____

der Polizist

die _____

die Anwältin

der _____

der Arzt

die _____

die Informatikerin

der _____

die Lehrerin

der _____

2) Welche anderen Berufe kennen Sie?

1) _____   2) _____   3) _____

3) Beantworten Sie die Fragen über die 8 Berufe mit einer anderen Person im Kurs.

Beispiel: Wer arbeitet gern mit Computern? → Die Informatikerin arbeitet gern mit Computern.

Wer arbeitet gern mit Menschen?   _____

Wer arbeitet gern mit Kindern?   _____

Wer arbeitet gern mit Maschinen?   _____

Wer programmiert gern?   _____

Wer ist gern kreativ?   _____

Wer muss lange studieren?   _____

23 **Was ist Mandy von Beruf?**

Zu zweit: Fragen Sie nach den fehlenden Informationen.

Name	Beruf
Christian	_____
Mandy	_____
Ahmed	_____
Julia	_____
Katharina	_____
Tobias	_____
Justin	_____
Jaqueline	_____
Felix	_____

Infos: Person 1 auf Seite A-1, Person 2 auf Seite A-7

Variieren Sie:

Alternative 1:
Was ist Julia von Beruf?
→ Julia ist Lehrerin.

Alternative 2:
Als was arbeitet Julia?
→ Julia arbeitet als Lehrerin.

24 **Ein typischer Arbeitsplatz**

Zu zweit: Fragen Sie „Was ist das?" und benutzen Sie den unbestimmten Artikel.

Beispiel: Was ist das? → Das ist ein Laptop.
           Was ist das? → Das ist eine Maus.

Grammatik

der	ein
das	ein
die	eine

Vokabeln:
das Diagramm
das Handy
das Papier
das Portemonnaie
das Tablet
das Mousepad

der Fotoapparat
der Kaffee
der Kopfhörer
der/das Laptop
der Notizzettel
der Stift
der Tacker
der Taschenrechner
das Klebeband

die Brille
die Lupe
die Maus
die Pflanze
die Tastatur

25 **Ihr typischer Arbeitsplatz im Job**

1) Was studieren Sie?

_____

2) Machen Sie eine Liste mit typischen Objekten an Ihrem Arbeitsplatz in einem typischen Job für Ihren Studiengang. Neue Wörter können Sie in einem Online-Wörterbuch finden.   Beispiel: ein Computer, eine Maus, ein Kran …

1) _____   3) _____   5) _____

2) _____   4) _____   6) _____

26 **Ausflug**

von	nach	km	Meilen

1) Sie planen einen Ausflug. Tragen Sie 4 „von"- Städte und 4 „nach"-Städte in die Tabelle ein.

Optionen:
von: Berlin, Hamburg, Darmstadt, Braunschweig, München, Köln, Stuttgart, Heidelberg, Düsseldorf
nach: Dortmund, Essen, Leipzig, Dresden, Nürnberg, Bochum, Münster, Chemnitz, Aachen, Bonn

2) Zu zweit: Fragen Sie nach den Distanzen. Benutzen Sie eine Navigationssoftware (z. B. Google Maps, Waze, Apple Maps). Zur Erinnerung: 1 Meile = 1,6 km. Tragen Sie die Distanzen in die Tabelle ein.

Ulz: Wie weit ist es von Berlin nach Dresden?
Mila: Es sind 193 km von Berlin nach Dresden. Das sind 120,6 Meilen.
Ulz: Wie weit ist es von Berlin nach Dortmund?
Mila: Es sind 500 km von Berlin nach Bern. Das sind 312,5 Meilen.

3) Was haben Sie gefunden? Vergleichen Sie im Kurs.

Größte Distanz: _____ km von _____ nach _____.

Kleinste Distanz: _____ km von _____ nach _____.

27 Der Kurs: Interviewen, Analysieren, Visualisieren, Präsentieren

1) Sie arbeiten in vier Gruppen: Eine Gruppe ist aktiv, interviewt und notiert die Antworten. Dann ist die nächste Gruppe aktiv.

    a)   Gruppe 1: Herkunft und Wohnort
    b)   Gruppe 2: Alter und Größe (in Meter)
    c)   Gruppe 3: Studiengang
    d)   Gruppe 4: Hobbys

2) Analysieren Sie die Daten aus 1) in einer Statistik.

    Beispiel: 4 Studierende kommen aus Missouri. Das sind 25 %.
                    2 Studierende kommen aus …

3) Visualisieren Sie die Resultate. (Tabelle? Diagramm? . . .)

4) Präsentieren Sie die Resultate im Kurs. Hören Sie zu. Notieren Sie die Informationen der anderen Gruppen.

5) Was haben Sie von den Präsentationen verstanden? Senden Sie eine Email mit allen Informationen (Herkunft, Wohnort Alter, Größe, Studiengang, Hobbys) an Ihren/Ihre Professor*in.

28 Small-Talk

1) Sammeln Sie alle Fragen, die Sie schon kennen: wie, woher, wo, was und Ja/Nein-Fragen. Machen Sie eine Liste:

_____

_____

_____

_____

_____

2) Treffen Sie sich später mit einer Person aus dem Kurs. Füllen Sie beim Treffen drei Minuten mit Smalltalk auf Deutsch.

29 **Wichtige Personen in Lauras Leben**

🔊 **Laura erzählt. Hören Sie zu. Welche Informationen fehlen?**

mein _Bruder_ Patrick (32)

mein Vater

meine _Mutter_ Beate (60)

mein Schwager _Michael_ (29)

Richard (57)

mein Stiefvater Thomas ( )

meine _Halbschwester_ Anna (13)

meine _nichte_ Sara (2)

LAURA (19)

mein _Freund_ Marcus (24)

meine beste Freundin

Sarah (21)

meine _Katze_ Kessie

mein Hund _bello_

meine Freunde Ruth ( ), Joyce ( ), Peter ( ),

Ben ( ), Kerstin ( ) und Keith ( ).

mein Mitbewohner Sven ( )

meine Mitbewohnerin _Uta_ (20)

der Vater	der Stiefvater	der Schwiegervater	der Opa	der Enkelsohn	🧍 ledig / alleinstehend
die Mutter	die Stiefmutter	die Schwiegermutter	die Oma	die Enkeltochter	👫 in einer Lebens-partnerschaft
der Sohn	der Stiefsohn	der Adoptivsohn	der Bruder	der (Ehe)mann	⊚ verheiratet
die Tochter	die Stieftochter	die Adoptivtochter	die Schwester	die (Ehe)frau	⊖ geschieden
der Onkel	der Neffe	der Cousin	der Halbbruder	der Partner	👫 verwitwet
die Tante	die Nichte	die Cousine	die Halbschwester	die Partnerin	👤 verstorben

30 Wer? Wie alt? Was? – Wortfragen über die wichtigen Personen in Lauras Leben

1) Wie heißen die Personen? Wie alt sind sie? Fragen Sie eine andere Person im Kurs.

Beispiele: Wie heißt ihr (Lauras) Freund?   Wie alt sind ihre Freunde?
                         → Ihr Freund heißt …   → Ihre Freunde sind …

2) Bonusfragen: Was machen Laura und Sarah gern?
                           Was studieren sie?
                           Was macht Marcus gern?
                           Wo arbeitet er?

Grammatik		
	ein(e)	a
ich	mein(e)	my
du	dein(e)	your
er/es	sein(e)	his
sie	ihr(e)	her
Sie	Ihr(e)	your

31 Ist er ihr Bruder?

Arbeiten Sie mit einer anderen Person und beantworten Sie die Fragen:

1.   Ist Sven Lauras bester Freund?   _Nein, Sven ist nicht ihr bester Freund. Er ist ihr Mitbewohner._

2.   Ist Kessie Lauras Hund?   _Nein, Kessie ist nicht ihr hund kessi. ni katze_

3.   Ist Michael Patricks Bruder?   _Ja._

4.   Ist Sarah Lauras beste Freundin? _____

5.   Ist Anna Richards Tochter? _____

6.   Ist Marcus Lauras Bruder? _____

7.   Ist Thomas Lauras Vater? _____

8.   Ist Richard Patricks Bruder? _____

9.   Ist Anna 19 Jahre alt? _____

10. Sind Richard und Beate verheiratet? _____

32 Mehr Fragen

Formulieren Sie die Fragen über Laura und Richard. Dann fragen Sie eine andere Person im Kurs.

LAURA

Peter = Freund?   _Ist Peter Lauras Freund?_ _____

Keith = Mitbewohner? _____

Sara = Neffe? _____

RICHARD

Laura = Tochter? _____

verheiratet? _____

60 Jahre? _____

9: FAMILIE

33 **Patricks Stammbaum**

1) Stellen Sie Fragen über Patricks Familie.

Beispiele:

Wie heißt sein Vater?	→	Sein Vater heißt Richard.
Wie alt ist seine Tochter?	→	Seine Tochter ist …
Woher kommt sein Opa?	→	Sein Opa kommt aus …

Hans (86)   Hildegard (83)   Barbara (76)

Thomas (62)   Beate (60)   Richard (57)   David (55)   Amy (53)

Anna (13)   Laura (19)   Patrick (32)   Michael (29)   Abigail (22)   Emily (22)   Justin (24)

Sara (2)   Liam (3 Monate)

2) Eine neue Perspektive. Wählen Sie eine Person und fragen Sie zu dieser Person.

Beispiele:

Beates Perspektive:	Wie heißt ihre Mutter?	→	Ihre Mutter heißt Hildegard. (Alternative: Sie heißt …)
Justins Perspektive:	Wie alt ist sein Sohn?	→	Sein Sohn ist … (Alternative: Er ist …)
Annas Perspektive:	Woher kommt ihre Mutter?	→	Ihre Mutter kommt aus … (Alternative: Sie kommt aus …)

34 Er hat ...

Erzählen Sie von Patricks Familie und schreiben Sie die Informationen auf.

Achtung!

Maskuline Nomen im Akkusativ: **einen**

Beispiel: Er hat eine Mutter. Sie heißt Beate.
Er hat einen Vater. Er heißt ...

35 Wichtige Personen in Ihrem Leben

1) Erstellen Sie Ihre Collage (Lauras Version) oder Ihren Stammbaum (Patricks Version).

2) Beschreiben Sie Personen in Ihrem Stammbaum oder Ihrer Collage. Wie heißen die Personen? Wie alt sind sie?

Beispiel: Ich habe eine Mutter und einen Stiefvater. Sie wohnen in Berlin. Meine Mutter heißt Uschi und mein Stiefvater heißt Thomas. Er ist 57 Jahre alt und sie ist ...

3) Präsentieren Sie Ihren Stammbaum oder Ihre Collage.

36 Nein, das ist kein Laptop.

Fragen Sie eine andere Person: Ist das ein(e) ...?

Grammatik

der	ein	**k**ein
das	ein	**k**ein
die	eine	**k**eine

Beispiel: Ist das eine Maus?   →   Nein, das ist keine Maus. Das ist ein Taschenrechner.

Ist das ein Tablet?   →   Nein, das ist kein Tablet. Das ist eine Lampe.

37 Unser Kursraum

1) Finden Sie 12 Objekte im Kursraum oder in Ihrer Tasche. Nutzen Sie die Wörter, die Sie kennen. Für neue Wörter benutzen Sie bitte ein Online-Wörterbuch. Schreiben Sie alle Vokabeln mit Artikel.

_____   _____   _____

_____   _____   _____

_____   _____   _____

_____   _____   _____

2) Zeigen Sie auf Objekte und fragen Sie eine andere Person: Ist das ein(e) ...?

Beispiel: Ist das eine Tafel?   →   Nein, das ist keine Tafel. Das ist ein Tisch.

Ist das ein Tisch?   →   Nein, das ist kein Tisch. Das ist ein Stift.

38 **Nein, ich bin kein Anwalt.**

Sie bekommen eine Karte mit Ihrem Beruf und drei Personen, die Sie finden müssen. Fragen Sie.

Beispiel: Patrick ist Lehrer. Er sucht einen/eine Ingenieur*in, einen/eine Friseur*in und einen/eine
                  Arzt/Ärztin.

Patrick: Anett, bist du Ärztin?
Anett: Nein, ich bin keine Ärztin. Ich bin Lehrerin.
Patrick: Hugo, arbeitest du als Ingenieur?
Hugo: Nein, ich bin kein Ingenieur. Ich bin Informatiker.
Patrick: Xavier, bist du Friseur?
Xavier: Ja, ich bin Friseur!

Du bist Lehrer*in
Du suchst einen/eine …

Ingenieur*in   _____

Friseur*in   *Xavier*

Arzt/Ärztin   _____

---

39 **Hat er einen Onkel?**

1) Stellen Sie Fragen mit _haben_ über Laura und Patricks Familie (S. 18 und S. 20).

Achtung!
Maskuline Nomen im Akkusativ: kein**en**

Beispiel:

Hat Laura eine Stiefmutter?
→ Nein, sie hat keine Stiefmutter.
    Sie hat …

Hat Patrick einen Bruder?
→ Nein, er hat keinen Bruder.
    Er hat …

2) Stellen Sie Fragen mit _haben_ über die Familie und Freunde einer anderen Person im Kurs.

Beispiel: Hast du eine Tante?
                  → Nein, ich habe keine Tante.

                  Hast du einen Onkel?
                  → Ja, ich habe einen Onkel. Er heißt Georg.

40 Tatjanas Familie

🔊 **1) Tatjana Petrow erzählt von ihrer Familie. Tragen Sie die fehlenden Informationen ein.**

Tatjana als Kind

Familie Petrow
aus Wiesbaden
Foto: 2003

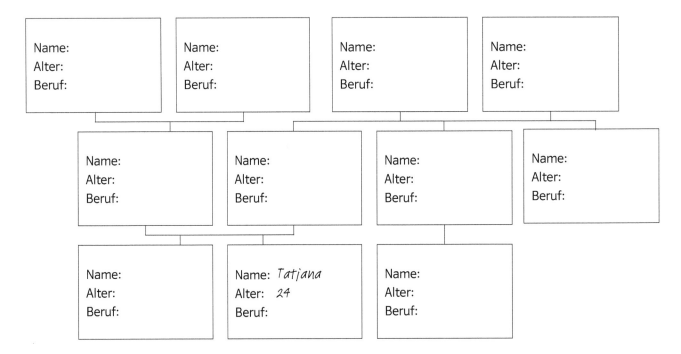

2) Welche Information kann nicht korrekt sein? Finden Sie die Person in Tatjanas Familie, die so nicht existieren kann!

3) Beantworten Sie mit einer Person aus dem Kurs die folgenden Fragen:

Tatjana:
Ist sie 27 Jahre alt?
Wie heißt Tatjanas Vater?
Als was arbeitet ihre Cousine?
Ist sie Lehrerin?
Wie heißt ihre Mutter?
Wie alt ist ihr Vater?

Tatjanas Vater:
Wie alt ist seine Frau?
Ist er Lehrer?
Ist sein Vater 64?
Wie heißt seine Mutter?
Wie alt ist sein Schwager?
…

Tatjanas Mutter:
Hat sie Geschwister?
Ist ihr Bruder Rentner?
Wie alt ist ihre Mutter?
…

4) Sehen Sie die Familie aus Annas Perspektive. Schreiben Sie 6 Fragen über Anna und ihre Familie. Geben Sie Ihr Buch mit den Fragen einer Person aus dem Kurs. (z. B.: Wie heißt ihre (= Annas) Mutter?)

1. _____ 4. _____

2. _____ 5. _____

3. _____ 6. _____

5) Die andere Person schreibt die Antworten:

1. _____ 4. _____

2. _____ 5. _____

3. _____ 6. _____

41   Ein Maldiktat

1) Zu zweit: Schauen Sie auf Ihren Stammbaum oder Ihre Collage auf Seite 21 (Aktivität 35) und erzählen Sie einer Person aus dem Kurs von Ihrer Familie/den wichtigen Personen in Ihrem Leben. Die andere Person hört zu und zeichnet:

2) Vergleichen Sie die beiden Versionen (Aktivität 41 und 35). Wie gut hat die andere Person zugehört?

3) Jetzt ist die andere Person dran mit sprechen und Sie zeichnen. Vergleichen Sie wieder.

42 Ja? Nein? Ihr? Sein? Kein?

Sandra

Alter:
Studium:
Herkunft:
Wohnort:
Hobbys:

Sprachen:

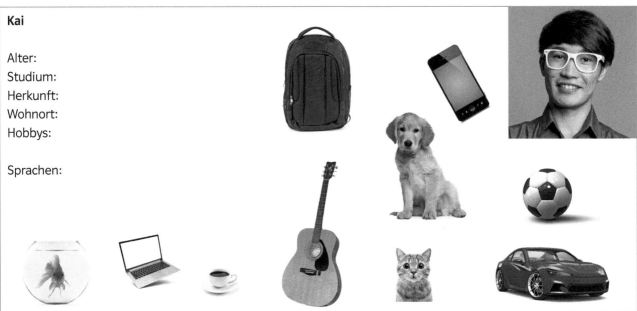

Kai

Alter:
Studium:
Herkunft:
Wohnort:
Hobbys:

Sprachen:

1) Finden Sie die Informationen über Sandra und Kai. Fragen Sie eine Person im Kurs. (Person 1: Seite A-1, Person 2: Seite A-7)

Wie alt ist Sandra?	→	Sie ist _____ Jahre alt.
Was studiert Kai?	→	Er studiert _____.

2) Stellen Sie Satzfragen (Ja/Nein-Fragen) über Sandra und Kai.

Ist Sandra 28 Jahre alt?	→	Nein, sie ist nicht 28 Jahre alt. Sie ist _____ Jahre alt.
Studiert Kai Medizin?	→	Nein, er studiert nicht Medizin. Er studiert _____.

3) Schreiben Sie die Namen der Objekte oben neben die Objekte. Ihr*e Professor*in buchstabiert und Sie schreiben.

4) Zeigen Sie auf ein Objekt und fragen Sie: Was ist das? Wie schreibt man das?

Was ist das?	→	Das ist ein Rucksack.
Wie schreibt man das?	→	Das schreibt man R-U-C-K-S-A-C-K.

5) Stellen Sie Satzfragen über die Objekte.

Ist das ein Rucksack?	→	Nein, das ist kein Rucksack. Das ist eine Tasche.
Ist das eine Tasche?	→	Nein, das ist keine Tasche. Das ist ein Rucksack.

6) Fragen Sie: Was hat er? Was hat sie?

Hat sie eine Tasche?	→	Ja, sie hat eine Tasche.
Hat er eine Tasche?	→	Nein, er hat keine Tasche. Er hat einen Rucksack. Sie hat eine Tasche.

7) Fragen Sie: Ist es ihr Objekt oder sein Objekt?

Ist das sein Rucksack?	→	Nein, das ist nicht sein Rucksack. Das ist ihr Rucksack.
Ist das ihre Tasche?	→	Ja, das ist ihre Tasche.

8) Fragen Sie jetzt über Objekte im Kurs. Kombinieren Sie alle Fragetypen.

---

(43) Video-Ecke: Wir lernen drei Geflüchtete kennen.

Heute lernen wir drei Personen kennen. Sie sind als Geflüchtete aus Afghanistan nach Stuttgart in Deutschland gekommen. In jedem Kapitel erzählen Sie in einem Video über ihr Leben in Stuttgart.

1) Hören Sie gut zu und machen Sie Notizen:

Wie heißt Person 1? *Ehsen*
Wie alt ist Person 1?
Woher kommt Person 1? *Afganistan*
Wie heißt Person 2? *Hassan*
Woher kommt Person 2? *Afganistan*
Wie alt ist Person 2?
Wie lange lebt Person 2 in Deutschland?
Wie heißt Person 3?
Wie alt ist Person 3?
Woher kommt Person 3?
Wie lange lebt Person 3 in Deutschland?

2) Schauen Sie das zweite Video. Sind die Statements richtig (R) oder falsch (F). Korrigieren Sie die falschen Statements.

Mahdi hat drei Schwestern.   R   X F
Korrektur: *Mahdi hat zwei schwestern und einen Bruder*

Mahdis Mutter ist die wichtigste Person im Leben.   X R   F
Korrektur: _____

Ehsan hat zwei Brüder und zwei Schwestern.   X R   F
Korrektur: _____

Hassan hat drei Schwestern und einen Bruder.   R   X F
Korrektur: *Hassan hat zwei brüder und zwei schwestern*

Hassans Familie wohnt jetzt in Afghanistan.   R   X F
Korrektur: *Hassans Familie wohnt im Iran*

44 **Die Situation**

Ein Rollenspiel mit Partner*in. Wählen Sie eine Rolle:

Rolle 1:
der Herausforderer/die Herausforderin

Sie befragen zwei Kandidaten/ Kandidatinnen.

Stellen Sie viele Fragen. Sie gewinnen 10.000 EUR, wenn Sie DREI falsche Antworten finden.

Rolle 2:
der/die Kandidat*in

Sind Sie „die allerbesten Freunde"? Sie können 10.000 EUR gewinnen.

Sie verlieren, wenn Sie DREI Antworten falsch beantworten.

Rolle 3: der/die Moderator*in (= Ihr*e Professor*in!)

Wortschatz		
das Rollenspiel	→	role play
der/die Kandidat*in	→	male/female contestant
der Herausforderer	→	male challenger
die Herausforderin	→	female challenger
der/die Moderator*in	→	male/female show host
verlieren	→	to lose
gewinnen	→	to win

45 **Die Vorbereitung**

1) Ergänzen Sie das fehlende Wort:

Haben – Sind – Was – Welche – Wie – Wo – Woher

1. Name _____ heißen Sie? … heißt Ihr*e Partner*in?
2. Alter _____ alt sind Sie? … alt ist Ihr*e Partner*in?
3. Herkunft _____ kommen Sie? …kommt Ihr* Partner*in?
4. Wohnort _____ wohnen Sie? … wohnt Ihr*e Partner*in?
5. Studium _____ studieren Sie? … studiert Ihr*e Partner*in?
6. Arbeit _____ arbeiten Sie? … arbeitet Ihr*e Partner*in?
7. Handynummer _____ ist Ihre Nummer? … ist die Nummer von X?
8. Größe _____ groß sind Sie? … groß ist Ihr*e Partner*in?
9. Hobbys _____ machen Sie gern? … macht Ihr*e Partner*in gern?
10. Glückszahl _____ ist Ihre Glückszahl? … ist die Glückszahl von X?
11. Familienstand _____ Sie verheiratet? Ist Ihr*e Partner*in verheiratet?
12. Haustiere _____ Sie Haustiere? Hat Ihr*e Partner*in Haustiere?
13. Kinder _____ Sie Kinder? Hat Ihr*e Partner*in Kinder?
14. Familie _____ Sie Geschwister? Hat Ihr*e Partner*in Geschwister? (Onkel? Tanten? Großmutter, …)

2) Partnerarbeit:
Trainieren Sie!

1: Wie heißen Sie?
2: Ich heiße Samuel.

1: Wie heißt Ihre Partnerin?
2: Sie heißt Jasmin.

1: Und woher kommt Jasmin?
2: Sie kommt **aus** Utah.

1: Woher kommen Sie?
2: Ich komme **aus** Kalifornien.

1: Wie groß sind Sie?
2: Ich bin 1 Meter 82 groß.

1: Wie groß ist Ihre Partnerin?
2: Sie ist 1 Meter 50 groß.

1: Hat Ihre Partnerin Haustiere?
2: Ja, sie hat eine Katze.

1: Wo arbeitet Ihre Partnerin?
2: Sie arbeitet **bei** Volkswagen.

3) Schreiben Sie die korrekten Informationen (Hausaufgabe – LERNEN 45c):

	Ich:	Mein*e Partner*in:
1.	Name	_____	_____
2.	Alter	_____	_____
3.	Herkunft	_____	_____
4.	Wohnort	_____	_____
5.	Studium	_____	_____
6.	Arbeit	_____	_____
7.	Handynummer	_____	_____
8.	Größe	_____	_____
9.	Hobbys	_____	_____
10.	Glückszahl	_____	_____
11.	Familienstand	_____	_____
12.	Haustiere	_____	_____
13.	Kinder	_____	_____
14.	Familie	_____	_____

46 **Die Show**

1) Die Klasse bildet zwei Gruppen. Die „besten Freunde"-Kandidaten sind nicht zusammen. Kandidat*in 1 ist in Gruppe 1, Kandidat*in 2 ist in Gruppe 2.

2) Ein Kandidaten-Paar beginnt. Alle anderen Personen in der Gruppe sind Herausforderer und Herausforderinnen.

Der/Die Kandidat*in gibt das Buch (mit den korrekten Informationen) der Gruppe.
Die Herausforderer und Herausforderinnen in Gruppe 1 fragen Kandidat*in 1,
Die Herausforderer und Herausforderinnen in Gruppe 2 fragen Kandidat*in 2.

47 **Gewonnen oder verloren?**

1) Der/Die Moderator*in fragt: Wie viele falsche Antworten haben die Herausforderer und Herausforderinnen in Gruppe 1 gefunden? Und in Gruppe 2?

3+ falsche Informationen gefunden: Die Herausforderer und Herausforderinnen gewinnen!
0 – 2 falsche Informationen gefunden: Die Kandidaten/Kandidatinnen gewinnen!

2) Wiederholen Sie Aktivität 46 und 47 mit neuen Kandidaten/Kandidatinnen.

14: PROJEKT 1 – EIN BLOGEINTRAG°

48 Ein Blogeintrag: Das bin ich heute und im Jahr 2030.

1) Sammeln Sie Informationen:

Ich
- Wie heißen Sie? Wie alt sind Sie?
- Woher kommen Sie? Wo wohnen Sie?
- Welche Sprachen sprechen Sie?

Mein Studium/Job
- Was studieren Sie?
- Haben Sie einen Job/Teilzeitjob? Wenn ja: Wo arbeiten Sie? Als was arbeiten Sie?
- Objekte an Ihrem typischen Arbeitsplatz (Mein typischer Arbeitsplatz hat …)

Hobbys
- Was machen Sie gern? Was machen Sie nicht gern?

Mein Umfeld
- Ihre Freunde und Familie (Ich habe …)
- Details: Name/Studium/Hobby/Was hat die Person?

2) Schreiben Sie einen Blogeintrag mit den Informationen. Sie können Ihre Collage oder Ihren Stammbaum aus Aktivität 35 zur Visualisierung kopieren.

Beispiel: Ich heiße Hans. Ich bin 18 Jahre alt und komme aus Bielefeld. Ich spreche …

3) Es ist das Jahr 2030. Fantasieren Sie:

- Wo wohnen Sie?
- Welche Sprachen sprechen Sie?
- Haben Sie eine Frau/einen Mann/ein Kind?
- Als was arbeiten Sie?
- Wie sieht Ihr typischer Arbeitsplatz 2030 aus?

4) Es ist 2030: Schreiben Sie einen Blogeintrag mit den neuen Informationen.

Beispiel: Es ist 2030. Ich wohne[1] nicht in Bielefeld. Ich wohne in Hamburg. Ich spreche jetzt Deutsch, Italienisch und …

[1] Im Deutschen kann man Präsens für Gegenwart und Zukunft benutzen.

WAS ZIEHE ICH AN?:
WETTER UND KLIMAWANDEL

In **chapter 2**, you'll learn …

- to read and interpret timetables for trains and other forms of transportation.
- to tell time both formally and informally and ask others about the current time.
- to talk about your daily routine and ask others what they do on a normal day.
- to identify and name pieces of clothing, and describe what you and others wear.
- to express likes and dislikes about clothing choices.
- to describe selected works of art in simple language.
- to use comparative and superlative forms to make comparisons about clothing, as well as meteorological trends.
- to observe your surroundings, take notes, and reflect on the way climate affects clothing choices.
- about the connections between art and climate change and how German activists bring the two together.
- about different holiday traditions in different geographical, cultural and religious contexts.
- about how to write a simple poem.
- about weather maps, the weather, and how to convert temperatures from F to C.

49 Offizielle Zeit: Ein Zugfahrplan

1) Sie sind in Braunschweig. Fragen Sie:
Wann fährt der Zug ab? Von welchem Gleis fährt der Zug ab?
Wohin fährt der Zug?

Beispiele:

Niko: Wann fährt der Zug nach Bielefeld ab?

Anett: Der Zug nach Bielefeld fährt um fünfzehn Uhr zwanzig ab.

Niko: Von welchem Gleis fährt er ab?

Anett: Er fährt von Gleis fünf ab.

Niko: Wohin fährt der Zug um fünfzehn Uhr vierundfünfzig?

Anett: Der Zug um fünfzehn Uhr vierundfünfzig fährt nach Hannover.

Niko: Von welchem Gleis fährt er ab?

Anett: Er fährt von Gleis vier ab.

Variation:
Mehr Städte und Zeiten finden Sie unter dem Link zu dieser
Übung auf www.klett-usa.com/Impuls1links

15:07	Abfahrt Braunschweig Hbf	DB
Zeit	**Nach**	**Gleis**
15:10 IC2049	Dresden Hbf	7
15:17 RB 40	Burg(Magdeburg)	8
15:19 RB 44	Salzgitter-Lebenstedt	3a
15:20 WFB RE70	Bielefeld Hbf	5
15:24 erx RB43	Goslar	1
15:24 erx RB42	Bad Harzburg	1
15:26 ENO RE50	Wolfsburg Hbf	7
15:35 ENO RE50	Hildesheim Hbf	6
15:38 erx RB47	Uelzen	1
15:49 RB40	Helmstedt	1
15:49 IC 2036	Norddeich Mole	6
15:51 RB 48	Salzgitter-Lebenstedt	3a
15:54 WFB RE70	Hannover Hbf	4

2) Hören Sie zu und finden Sie die Informationen.

	Zeit	Nach	Gleis
1.	7:38		7B
2.	13:15		2
3.	11:45		4
4.	19:27	Darm	1c
5.	15:19	Berlin Ostbahnhof	17

(handschriftliche Notizen: "to", "truck")

50 Offizielle Zeit und Umgangssprache

Spielen Sie in Teams. Team 1 schreibt eine Uhrzeit. Team 2 sagt beide Versionen. Es gibt Punkte.
Variation: Nach 5 Runden schließen Sie das Buch!

Team 1 schreibt: 17:50 Uhr

Team 1 fragt: Wie spät ist es? (Variation: Wie viel Uhr ist es?)

Team 2 sagt: Es ist siebzehn Uhr fünfzig (= Offizielle Zeit)
Es ist zehn vor sechs. (= Umgangssprache)

fünf vor		fünf nach
zehn vor		zehn nach
Viertel vor		Viertel nach
zwanzig vor		zwanzig nach
fünf nach halb	halb	fünf vor halb

51 Umgangssprache: Ein typischer Tag

1) Wann machen Sie was an einem typischen Tag?

Beispiel: | 7:00 | *aufstehen*

	_____		_____
	_____		_____
	_____		_____
	_____		

auf·wachen   Zähne putzen   auf·räumen   Hausaufgaben machen   aus·gehen
auf·stehen   frühstücken   ein·kaufen   Musik hören   ins Kino gehen
duschen   zu Mittag/Abend essen zur Uni gehen   Computerspiele spielen   ins Bett gehen

2) Sprechen Sie (in der Umgangssprache) mit einer anderen Person im Kurs über einen typischen Tag. Stellen Sie Fragen.

Marcel: Ich stehe um sieben Uhr auf. Wann stehst du auf?

Dennis: Ich stehe um halb acht auf.

            Ich frühstücke um Viertel nach acht. Wann frühstückst du?

Marcel: Ich frühstücke nicht. Ich schlafe immer zu lang.

            Ich gehe um 8 Uhr zur Uni. Wann gehst du zur Uni?

Dennis: Ich gehe auch um 8 Uhr zur Uni.

52 Svens Woche

Was macht Sven wann? Fragen Sie!

Beispiel: Was macht Sven am Montag um 8 Uhr.
                    → Am Montag um 8 Uhr hat er einen Statistik Kurs.

Montag	Dienstag	Mittwoch	Donnerstag	Freitag	Samstag	Sonntag
8:00 Uhr		8:00 Uhr				
10:00 Uhr	10:00 Uhr		10:00 Uhr	10:00 Uhr	11:00 Uhr	
12:00 Uhr	12:00 Uhr	12:00 Uhr		12:00 Uhr		
14:00 Uhr			14:00 Uhr			16:00 Uhr
	19:15 Uhr	20:30 Uhr	19:15 Uhr		22:00 Uhr	

Infos: Person A auf Seite A-2, Person B auf Seite A-8

53 **24 verschiedene Outfits**

1) Lesen Sie die neuen Vokabeln (Kleidungsstücke) im Kurs. Finden Sie die Kleidungsstücke in den Outfits.

das T-Shirt	die Jeans	der Anzug	die (Leder)schuhe (pl.)	die Mütze	die Jacke
das Tanktop	die Hose	das Sakko	die Sneakers (pl.)	die Kappe	die Strickjacke
die Bluse	die kurze Hose	das Hemd	die Stiefel (pl.)	das Kopftuch	der Mantel
das Langarmshirt	das Kleid	der Gürtel	die Socken (pl.)	der Turban	die Weste
der Pullover	der Rock	die Krawatte	die Handschuhe	der Schal	die Sonnenbrille

2) Was tragen die Personen?

Beispiel: Person 1 trägt ein Poloshirt, eine Jeans und Sneakers.
Person 2 trägt ein Hemd, einen Pullover, eine Jeans und Lederschuhe.

3) Hören Sie die Beschreibung und finden Sie die Person.

1. Person *8*   2. Person   3. Person   4. Person   5. Person   6. Person

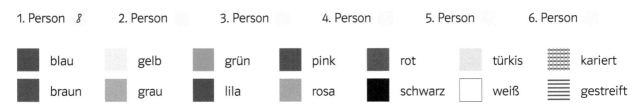

blau   gelb   grün   pink   rot   türkis   kariert

braun   grau   lila   rosa   schwarz   weiß   gestreift

4) Zu zweit: Welche Person beschreibe ich?

Hans: Welche Person beschreibe ich?
Die Person trägt ein Hemd, eine Kappe, eine Jeans und Sneakers.
Sein Hemd ist kariert. Es ist blau und grün. Seine Kappe ist grün. Seine Jeans ist grau und seine Sneakers sind schwarz.
Ruth: Das ist Person 11!

5) Zu zweit: Welches Kleidungsstück magst du? Welches Kleidungsstück magst du nicht?
Welche Farbe/welches Muster haben diese Kleidungsstücke?

Paul: Welches Kleidungsstück magst du?
Peter: Ich mag den Pullover von Outfit 2. Der Pullover ist blau.
Paul: Welches Kleidungsstück magst du nicht?
Peter: Ich mag das Tanktop von Outfit 7 nicht. Das Tanktop ist grün und gelb gestreift.

Name	Er/Sie mag:	Farbe/Muster:	Er/Sie mag nicht:	Farbe/Muster:
Peter	_den Pullover (Outfit 2)_	_blau_	_das Tanktop (Outfit 7)_	_grün, gelb, gestreift_

54 Outfits im Kurs

1) Was tragen Sie? Was trägt Ihr°e Partner°in? Welche Farben und Muster haben die Kleidungsstücke?

Ich trage _____

_____

_____

Mein*e Partner*in trägt _____

_____

_____

2) Welche Kleidungsstücke haben die Personen in Ihrem Kurs? Welche Farben haben die Kleidungsstücke?

Petra: Hast du einen Schal?
Monika: Ja, ich habe einen Schal. Mein Schal ist blau.
Hast du ein T-Shirt?
Petra: Ja, ich habe 10 T-Shirts. Meine T-Shirts sind blau, grün und rot.
Hast du einen Mantel?
Monika: Nein, ich habe keinen Mantel.

Ich trage esse lese
fahre spreche sehe
du trägst isst liest
fährst sprichst siehst
er/sie/es trägt isst liest
fährt spricht sieht
Wir tragen essen lesen
fahren sprechen sehen

55 Das Wetter in Deutschland

1) Lesen Sie die neuen Vokabeln (Wetter) im Kurs.

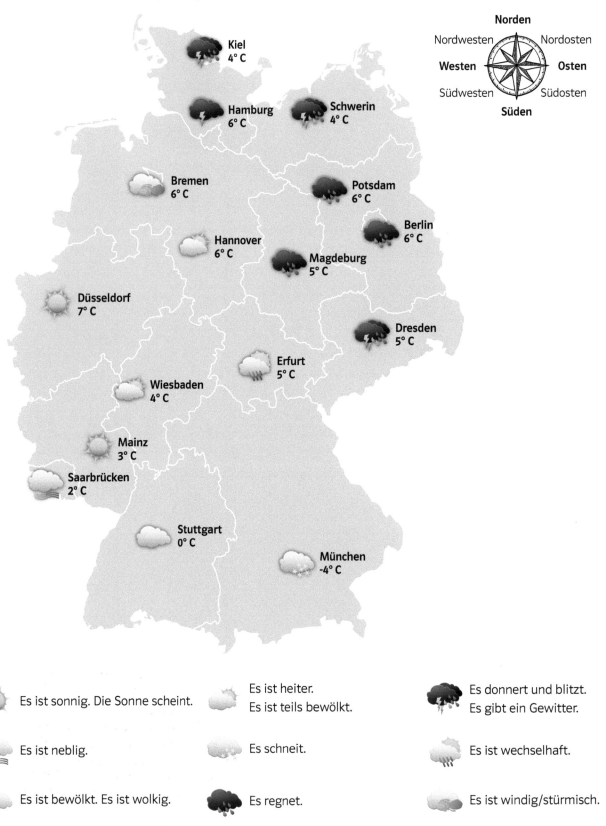

2) Fragen Sie: Wie ist das Wetter in ...

Nele:	Wie ist das Wetter in Berlin?
Udo:	Es sind 6 Grad in Berlin. Es regnet.
Nele:	Wie ist das Wetter in München?
Udo:	Es ist kalt in München. Es sind -4 Grad und es schneit.

56 Das Wetter in den USA

1) Und in Amerika? Finden Sie die Wetterinformationen, z. B. bei www.WetterOnline.de oder bei einer anderen Wetterseite.

Recherche

Person 1:

Seattle:	_____ °C	und	_____
Denver:	_____ °C	und	_____
Atlanta:	_____ °C	und	_____
Phoenix	_____ °C	und	_____
Boston:	_____ °C	und	_____

Person 2:

San Francisco:	17 °C	und	_____
Austin:	24 °C	und	sonnig
Minneapolis:	10 °C	und	Sonne
Anchorage:	2 °C	und	es ist heiter
Miami:	30 °C	und	Es ist warm

2) Fragen Sie eine Person im Kurs nach den anderen Städten: Wie ist das Wetter? (Wie viel Grad sind es?)

57 Das Wetter in Österreich und der Schweiz

🔊 **Hören Sie zu. Welche Informationen sind richtig?**

	Wien	Innsbruck	Basel	St. Gallen
X	12 Grad	20 Grad	15 Grad	14 Grad
	10 Grad	13 Grad	13 Grad	12 Grad
	sonnig	verschneit	nebelig	wechselhaft
	regnerisch	sonnig	heiter	windig

58 Das Wetter in meiner Stadt

1) Woher kommen Sie? Wie ist dort das Wetter im Frühling, Sommer, Herbst und Winter oft/selten/etc.?

Beispiel: Ich komme aus Essen. Im Winter schneit es selten. Es regnet manchmal und es ist oft bewölkt. Im Frühling ist es fast immer wechselhaft. Im Sommer scheint meistens die Sonne. Es regnet im Sommer manchmal.

_____

_____

_____

_____

59 Künstlerkolonie Worpswede

Das Dorf Worpswede liegt im Norden von Deutschland, in Niedersachsen. Es liegt 18 km nordöstlich von Bremen im Teufelsmoor.[1] 1884 besucht Fritz Mackensen Worpswede und ist fasziniert. Zusammen mit anderen Künstlern gründet er eine Künstlerkolonie. Viele Künstler wohnen und arbeiten in Worpswede. Sie sind inspiriert vom Moor und malen die Landschaft.[2] Es gibt Künstler vom Impressionismus und Expressionismus in Worpswede. Auch heute wohnen noch Künstler im Dorf. Man kann das Dorf besuchen und die Kunst in vier Museen sehen.

Markieren Sie richtig oder falsch und sagen Sie, was richtig ist.

Worpswede ist eine große Stadt.   richtig   falsch: _____

Worpswede liegt in Norddeutschland.   richtig   falsch: _____

Künstler wohnen in Worpswede.   richtig   falsch: _____

Worpswede liegt 14 Meilen von Bremen.   richtig   falsch: _____

[1] das Moor – *bog*   [2] die Landschaft – *landscape*

60 Bildbeschreibung

Recherchieren Sie ein Bild, beschreiben Sie es und präsentieren Sie es im Kurs.

Recherche

Gruppe 1:   Hans am Ende „Worpsweder Kirche mit Weyerberg"
Gruppe 2:   Otto Modersohn „Sommerlicher Moorgraben"
Gruppe 3:   Fritz Overbeck „Im Moor"
Gruppe 4:   Paula Modersohn-Becker „Graue Landschaft mit Moorkanal"
Gruppe 5:   Lisel Oppel „Kinder mit Laternen"
Gruppe 6:   Carl Vinnen „Landschaft mit Windmühle"

Bei der Beschreibung helfen diese Fragen:

Wie heißt das Bild? Wie heißt der Künstler oder die Künstlerin? Was sehen Sie? Wie ist das Wetter? Welche Jahreszeit ist es? Welche Farben sehen Sie? Ist das Bild fröhlich, traurig, hell, düster, etc.?

Modell:

Der Künstler heißt Hans am Ende. Das Bild heißt „Winter in Worpswede". Das Bild ist impressionistisch. Ich sehe eine Landschaft. Es ist Worpswede. Es ist Winter. Ich sehe Schnee. Es ist Abend. Die Sonne ist rot. Es ist teils bewölkt. Ich sehe nicht viele Farben: nur weiß, braun, rot und grün. Weiß ist dominant. Die Stimmung ist ruhig und friedlich.

61 Paula Modersohn-Becker

Paula Becker kommt aus Dresden. Ihre Familie wohnt später in Bremen. Paula Becker kommt zu einem Kunstkurs bei Fritz Mackensen nach Worpswede. Sie reist auch nach Paris und lernt mehr über Kunst. Sie ist eine expressionistische Künstlerin. 1901 heiratet sie Otto Modersohn in Worpswede. 1907 bekommt sie eine Tochter, Mathilde.
Paula Modersohn-Becker stirbt kurz nach der Geburt. Sie wird nur 31 Jahre alt.

Hier ist ihr Bild: „Rotes Haus mit Birke"

Vokabeln:
das Haus
rotes Haus
das rote Haus

die Birke

der Baum
die Bäume

die Landschaft

der Himmel

die Wolken

das Gras

62 Ein Gedicht schreiben

Lassen Sie sich von „Rotes Haus mit Birke" inspirieren und schreiben Sie ein Gedicht. Folgen Sie dem Schema unten.

1. Zeile = 1 Wort   _____
(auch Artikel sind Wörter!)

2. Zeile = 2 Wörter   _____   _____

3. Zeile = 3 Wörter   _____   _____   _____

4. Zeile = 4 Wörter   _____   _____   _____   _____

5. Zeile = 1 Wort   _____

Option: Sie können auch ein Gedicht zu Ihrem Gemälde von Aktivität 60 schreiben.

63 Gespräch mit Partner*in

1) Finden Sie eine Person im Kurs, die Sie nicht gut kennen. Finden Sie viele neue Informationen über die Person heraus. Stellen Sie mindestens fünf Fragen. Schreiben Sie einen kurzen Text über die Person.

_____

_____

_____

_____

_____

_____

2) Die Person erzählt von ihrem Stundenplan. Hören Sie zu. Stellen Sie Fragen. Machen Sie Notizen (keine kompletten Sätze).

_____

_____

_____

_____

_____

3) Was ist ein idealer Wochentag? Was ist ein idealer Samstag/Sonntag? Schreiben Sie zusammen einen idealen Stundenplan. Seien Sie kreativ!

Montag	Dienstag	Mittwoch	Donnerstag	Freitag	Samstag	Sonntag

64   Immer, oft, manchmal, selten, nie …

1) Was machen Sie immer? Was machen Sie nie? Sortieren Sie.   *(Tipp: Die Aktivität 51 hilft)*

Was machen Sie immer?:   *schlafen,* _____

Was machen Sie oft?:   _____

Was machen Sie manchmal?:   *einkaufen,* _____

Was machen Sie selten?:   _____

Was machen Sie nie?:   _____

2) Sprechen Sie mit einer anderen Person im Kurs.

Ben: Was machst du immer?
Anna: Ich schlafe immer.
Ben: Was machst du manchmal?
Anna: Ich gehe manchmal einkaufen.

65   Ich packe meinen Koffer

1) Spielen Sie „Ich packe meinen Koffer".

Bernd: Ich packe meinen Koffer und nehme eine Hose mit.
Uschi: Ich packe meinen Koffer und nehme eine Hose und einen Regenschirm mit.
Mazhar: Ich packe meinen Koffer und nehme eine Hose, einen Regenschirm und einen Laptop mit.
Maria: Ich packe meinen Koffer und nehme eine Hose, einen Regenschirm, einen Laptop und ein Handy mit.
   …

2) Packen Sie fünf Objekte in Ihren Koffer und fragen Sie: Was ist im Koffer?

Maria: Ich packe meinen Koffer und nehme meinen Schal, meine Hose, mein Hemd, meine Stiefel und meinen Mantel mit. Was ist im Koffer?
Lisa: Im Koffer sind dein Schal, deine Hose, dein Hemd, deine Stiefel und dein Mantel. Ich packe meinen Koffer und nehme …

66 Musik-Ecke: „Sommerregen"

Max Mutzke

Sommerregen (2012)

Max Mutzke heißt mit vollem Namen Maximilian Nepomuk Mutzke. Er wurde am 21. Mai 1981 geboren. Er kommt aus Waldshut-Tiengen in Deutschland und ist Sänger, Songwriter und Musiker. Er singt auf Deutsch und Englisch. Entertainer Stefan Raab hat ihn 2004 in seiner Show entdeckt und ihn mit dem Song „Can't wait until tonight" zum Eurovision Song Contest geschickt. Dort belegte er Platz Nummer 8. Der Song „Sommerregen" ist ein Jazz-Cover. Der Original-Song ist von den Fantastischen Vier, einer deutschen Hip-Hop Gruppe.

Lesen Sie die Wörter. Dann hören Sie die Musik und kreuzen Sie an, welche Wörter Sie im Song finden:

1. Sonnenschein	7. Regen	13. Regenschirm	19. Baby
2. Tag	8. Schnee	14. Chance	20. Sturm
3. Abend	9. Angst	15. wechselhaft	21. Wind
4. Gewitter	10. heute	16. Sonnenlicht	22. Tornado
5. Donner	11. Celcius	17. Sonnenbrille	23. Nebel
6. Luft	12. Leben	18. Wolken	24. Sonne

Wie oft sagt Max Mutzke das Wort „Regen?". Heben Sie schnell die Hand, wenn Sie das Wort hören.

67 Eine Umrechnungstabelle

Rechnen Sie die Temperaturen um und entscheiden Sie zu zweit: Ist es eiskalt, kalt, mild, warm oder heiß?

-10 °C = ___ °F _eiskalt_____

-5 °C = ___ °F _____

___ °C = 32 °F _____

5 °C = ___ °F _____

15 °C = ___ °F _____

25 °C = ___ °F _____

___ °C = 85 °F _____

___ °C = 95 °F _____

1) Beantworten Sie die Fragen.

Es sind -17 °C und Sie machen eine City-Tour in Berlin.

Ist der Rock kurz oder lang? Ziehen Sie den Rock an? Was ziehen Sie an?

Er ist kurz. Nein, ich ziehe ihn nicht an. Ich ziehe eine Jeans, einen Pullover,

eine Winterjacke und Lederschuhe an.

Es sind 27 °C und Sie sind an der Nordsee.

Ist die Jacke zu warm oder zu kalt? Ziehen Sie die Jacke an? Was ziehen Sie an?

_____

_____

Es schneit und Sie gehen einkaufen.

Ist das Tanktop schwarz oder weiß? Ziehen Sie das Tanktop an? Was ziehen Sie an?

_____

_____

Es sind 15 °C und Sie spielen Basketball.

Ist die Mütze schick? Setzen Sie die Mütze auf? Was ziehen Sie an?

_____

_____

Es sind 21 °C, es regnet und Sie laufen zur Universität.

Sind die Flip-Flops orange? Ziehen Sie die Flip-Flops an? Falls nicht, was ziehen Sie an?

_____

_____

2) Sprechen Sie mit einer anderen Person im Kurs. Was zieht die Person in den Situationen an?

Ben: Es sind 2 °C und ich mache eine City-Tour in Berlin. Ich ziehe eine Jeans, einen Pullover, eine
         Winterjacke und Lederschuhe an. Und du?

Anna: Ich ziehe …

69 **Geburtstage und Feiertage**

1) Fragen Sie 5 Personen im Kurs, wann sie Geburtstag haben.

Claudia: Wann hast du Geburtstag?
Daniela: Ich habe am 13. August Geburtstag. Ich bin 25 Jahre alt.

Name: Geburtstag: Alter:

_____ _____ _____

_____ _____ _____

_____ _____ _____

_____ _____ _____

_____ _____ _____

Frühling: März, April, Mai
Sommer: Juni, Juli, August
Herbst: September, Oktober, November
Winter: Dezember, Januar, Februar

2) Wann sind die Feiertage? Suchen Sie die Daten zu Ihren Feiertagen.

Recherche

Person 1:

Chanukka: _____

Halloween: _____

Muttertag: _____

Ostern: _____

Ramadan: _____

Person 2:

Silvester: _____

Thanksgiving: _____

Vatertag: _____

Weihnachten: _____

Pessach: _____

3) Jetzt fragen Sie die andere Person, wann die anderen Feiertage sind.

Claudia: Wann ist Weihnachten?
Daniela: Weihnachten ist am 25. und 26. Dezember.

4) Welche der 10 Feiertage sind im Frühling/Sommer/Herbst/Winter?

5) Welche (anderen) Tage feiern Sie?

Was?   Wann?

_____ _____

_____ _____

◉ Kulturpunkt

In Deutschland werden normalerweise die Weihnachtsgeschenke am 24. Dezember ausgepackt. Der erste und zweite Weihnachtsfeiertag, 25. und 26. Dezember, sind für Familienbesuche reserviert.

◉ Kulturpunkt

Suchen Sie die Daten für Muttertag, Mother's Day, Vatertag und Father's Day. Was ist interessant?

1) Fragen Sie nach der Temperatur für einen spezifischen Monat in Deutschland.

Anna: Wie warm ist es im Juni?
Ben: Im Juni sind es zwischen 10,5 und 20 Grad.
Anna: Wie kalt ist es im Januar?
Ben: Im Januar sind es zwischen -2,8 und 2,1 Grad.

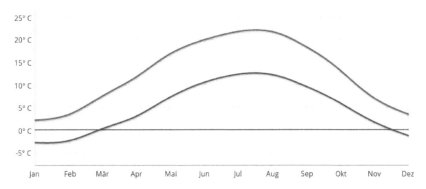

mittleres Temperaturmaximum (°C)

Jan	Feb	Mär	Apr	Mai	Jun	Jul	Aug	Sep	Okt	Nov	Dez	Jahr
2,1	3,5	7,4	11,7	16,8	20	21,8	21,7	18,3	13,2	7	3,4	12,2

mittleres Temperaturminimum (°C)

Jan	Feb	Mär	Apr	Mai	Jun	Jul	Aug	Sep	Okt	Nov	Dez	Jahr
-2,8	-2,4	0,2	3	7,2	10,5	12,3	12,2	9,6	5,9	1,7	-1,3	4,7

2) Sie bekommen ein Land zugewiesen und schauen sich die Temperaturen an (Sie finden die Länder 1 bis 3 auf Seite A-2 und die Länder 4 bis 6 auf Seite A-8). Ihr°e Partner°in fragt nach der Temperatur und errät das Land.

	Jan	Feb	Mär	Apr	Mai	Jun	Jul	Aug	Sep	Okt	Nov	Dez
MAX												
MIN												

Ist das Land Griechenland, Irland, Australien, die USA, die Antarktis oder Kenia?

71 **Neun Freunde**

Sophie
Alter: 19
Geburtstag: 5. Juli
Größe: 1,71 m

Jan
Alter: 18 Jahre
Geburtstag: 13. Mai
Größe: 1,92 m

Michael
Alter: 19 Jahre
Geburtstag: 21. April
Größe: 1,94 m

Jakob
Alter: 20 Jahre
Geburtstag: 2. Oktober
Größe: 1,85 m

Nora
Alter: 19 Jahre
Geburtstag: 17. Januar
Größe: 1,77 m

Jule
Alter: 20 Jahre
Geburtstag: 5. September
Größe: 1,74 m

Kevin
Alter: 19 Jahre
Geburtstag: 1. März
Größe: 1,82 m

Alina
Alter: 19 Jahre
Geburtstag: 17. Januar
Größe: 1,71 m

Antonia
Alter: 18 Jahre
Geburtstag: 28. November
Größe: 1,65 m

1) Zu zweit: Stellen Sie Fragen. Wer ist älter? Wer ist jünger? Wer ist größer? Wer ist kleiner?

Lasse:	Wer ist älter, Jule oder Alina?
Tobias:	Jule ist 20 Jahre alt und Alina ist 19 Jahre alt. Jule ist älter.
Lasse:	Wer ist größer, Kevin oder Jakob?
Tobias:	Kevin ist 1,82 m groß und Jakob ist 1,85 m groß. Jakob ist größer.
Lasse:	Wer ist älter, Nora oder Alina?
Tobias:	Nora und Alina sind 19 Jahre alt und beide haben am 17. Januar Geburtstag. Nora ist so alt wie Alina.

2) Und wer ist am größten? Wer ist am kleinsten? Wer ist am ältesten? Wer ist am jüngsten? Was ist die Durchschnittsgröße der 9 Freunde?

3) Und im Kurs? Vergleichen Sie jeweils zwei oder drei Personen.

4) Fragen Sie Personen im Kurs:

Wann hast du Geburtstag?
Wie alt bist du?
Wie groß bist du?
Hast du Geschwister?
Sind deine Geschwister älter oder jünger?
Sind deine Geschwister größer oder kleiner?
Wer ist am größten/kleinsten/jüngsten/ältesten?

1) Sie bekommen die Daten der durchschnittlichen Jahrestemperatur einer Stadt von 1900 bis 2017. Stellen Sie Fragen über die Temperaturen in einem Jahr. Dann vergleichen Sie.

Jahr	Temperatur in °C		Jahr	Temperatur in °C		Jahr	Temperatur in °C	
		BERLIN Daten auf Seite A-3			**WIEN** Daten auf Seite A-9			**BASEL** Daten auf Seite A-12
1900	8,8		1900	9,4		1900	9,5	
1901	8,5		1901	9,0		1901	8,3	
1902	7,3		1902	8,0		1902	8,5	
1903	8,9		1903	9,3		1903	8,9	
1904	8,9		1904	9,4		1904	9,4	
1905	8,6		1905	9,2		1905	8,7	

Jannik: Im Jahr 1903 waren es in Berlin 8,9 Grad. Wie warm war es in Wien und Basel?

Irina: In Wien waren es 9,3 Grad.

Julia: In Basel waren es 8,9 Grad.

Jannik: Ah! Im Jahr 1903 war es in Basel so warm wie in Berlin. In Wien war es wärmer als in Basel und in Berlin.

Irina: Im Jahr 1951 waren es in Wien 10,3 Grad. Wie warm war es in Berlin und Basel?

Jannik: In Berlin waren es 9,7 Grad.

Julia: In Basel waren es 9,6 Grad.

Irina: Ah! Im Jahr 1951 war es in Berlin wärmer als in Basel und in Wien (war es) wärmer als in Berlin. Es war in Wien am wärmsten. In Basel war es am kältesten.

Grammatik

es   war   (sing.)
es   waren   (pl.)

2) Was waren die 10 wärmsten und 10 kältesten Jahre in Ihrer Stadt (Berlin, Wien oder Basel)? Was fällt Ihnen auf? Welche Trends gibt es?

Recherche

Stadt: _____

am wärmsten:

1. _____
2. _____
3. _____
4. _____
5. _____
6. _____
7. _____
8. _____
9. _____
10. _____

am kältesten:

1. _____
2. _____
3. _____
4. _____
5. _____
6. _____
7. _____
8. _____
9. _____
10. _____

23: SKIFAHREN ODER SCHWIMMEN?°

73 Oberallgäu

Lesen Sie den Text über Hasan im Oberallgäu.

Grüß Gott, mein Name ist Hasan Ümcek. Ich bin 26 Jahre alt und komme aus Izmir in der Türkei. Seit Januar 2017 wohne ich in Sonthofen im Oberallgäu und arbeite dort als Architekt. Das Oberallgäu liegt in Süddeutschland und grenzt an Österreich. Das Leben und das Klima im Oberallgäu sind sehr neu für mich. In Izmir gibt es auch im Winter ein mildes Klima, aber in Sonthofen ist der Winter kälter und es gibt sehr viel Schnee, durchschnittlich 26 cm. Ich fahre dann Ski in den Allgäuer Alpen. Im Winter trage ich eine lange Hose, eine Winterjacke und Stiefel.

Im April kommt dann der Frühling und die Wiesen werden grün. Dann sind es circa 20 Grad Celsius. Im Frühling und im Herbst ist das Klima sehr angenehm. Es ist nicht heiß und es ist nicht kalt. Ich gehe gern in den Bergen wandern. Ich trage dann eine kurze Hose, ein Hemd und Sneakers. Im Sommer scheint die Sonne und im August ist es am wärmsten, circa 35 Grad Celsius. Wenn die Sonne scheint und es sehr warm ist, gehen meine Freunde und ich im See baden. Der See ist auch im Sommer relativ kalt, durchschnittlich circa 19 Grad Celsius.

Oberallgäu

1) Was ist richtig (korrekt), was ist falsch (nicht korrekt)? Korrigieren Sie die falschen Statements!

richtig	falsch	
X		1. Hasan Ümcek kommt aus Izmir und wohnt seit Januar 2017 in Sonthofen.
		2. Das Oberallgäu liegt im Süden Deutschlands und grenzt an Österreich.
		3. Die Durchschnittstemperatur im Allgäu ist im Winter 26 Grad Celsius.
		4. Hasan trägt im Sommer eine Badehose, ein Hemd und Stiefel.
		5. Im Sommer ist es im Oberallgäu am wärmsten.
		6. Bei Kälte gehen Hasan und seine Freunde gern im Badesee baden.

2) Beantworten Sie die Fragen zum Text.

1. Ist es im Oberallgäu im Frühling oder im Winter wärmer?

   _____

2. Wie hoch ist die Durchschnittstemperatur des Badesees im Sommer?

   _____

3. Ist das Klima im Winter in Izmir oder in Sonthofen milder?

   _____

1) Diskutieren Sie in einer Gruppe diese Fragen:

Badetag:
Wie ist das Wetter an einem Badetag?
Was macht man?

2) Rechnen Sie den Durchschnitt der Badetage für 1900 – 1950 und 1950 – 2010 aus.

ø Badetage 1900 – 1950: _____

ø Badetage 1950 – 2010: _____

3) Was ist anders?

4) Sprechen Sie in einer Gruppe.

Schneetag:
Wie ist das Wetter an einem Schneetag?
Was macht man?

5) Rechnen Sie den Durchschnitt der Schneehöhe für 1900 – 1950 und 1950 – 2010 aus.

ø Schneehöhe 1900 – 1950: _____
ø Schneehöhe 1950 – 2010: _____

6) Was ist anders?

7) Spekulieren und diskutieren Sie.

Was sagen die Prognosen für 2000 – 2100?

Wann kommen momentan mehr Touristen, im Sommer oder Winter?
Wie ist die Situation im Jahr 2100?

Was machen Touristen momentan im Oberallgäu?
Was machen Touristen im Oberallgäu im Jahr 2100?

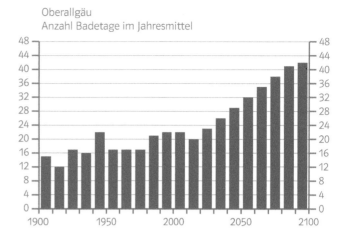

Oberallgäu
Anzahl Badetage im Jahresmittel

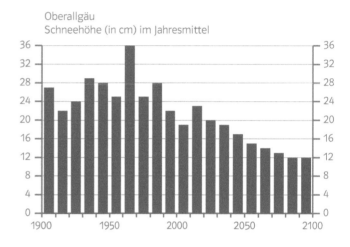

Oberallgäu
Schneehöhe (in cm) im Jahresmittel

75 Naturkatastrophen

Kombinieren Sie.

1. der Schneesturm
2. das Glatteis
3. die Hitzewelle
4. der Frost

5. der Sandsturm
6. der Hagel
7. der Orkan
8. das Erdbeben

9. der Erdrutsch
10. der Vulkanausbruch
11. der Tornado
12. der Waldbrand

13. die Dürre
14. die Lawine
15. das Hochwasser
16. der Tsunami

76 Endogen oder exogen?

Endogene Prozesse sind Kräfte, die vom Erdinnern auf die Erdoberfläche wirken. Beispiele: Erdbeben und Vulkanismus. Exogene Prozesse sind Kräfte, die von außen auf die Erdoberfläche wirken. Beispiele: Wasser, Eis, Wind, usw.

Endogen

das Erdbeben

_____

_____

Exogen

der Schneesturm

_____

_____

_____

_____

_____

Exogene Prozesse

Endogene Prozesse

77 Gruppenarbeit: Was brauchen Sie, um bessere Chancen während einer Naturkatastrophe zu haben?

1) Sie arbeiten in einer Gruppe. Unten finden Sie 10 Naturkatastrophen. Ihr*e Lehrer*in sucht 4 bis 5 für Ihre Gruppe aus. Schreiben Sie die Zahlen der Gegenstände, die in diesen Naturkatastrophen praktisch sind.

Jede Gruppe muss einen Konsens bilden.

eine Dürre

_____ _____ _____ _____ _____

ein Erdbeben

_____ _____ _____ _____ _____

ein Hochwasser

_____ _____ _____ _____ _____

eine Lawine

_____ _____ _____ _____ _____

ein Orkan

_____ _____ _____ _____ _____

ein Sandsturm

_____ _____ _____ _____ _____

ein Schneesturm

_____ _____ _____ _____ _____

ein Tsunami

_____ _____ _____ _____ _____

ein Vulkanausbruch

_____ _____ _____ _____ _____

ein Waldbrand

_____ _____ _____ _____ _____

eine	Abdeckplane	one tarp	1
zwei Flaschen	Alkohol	two bottles of alcohol	2
eine Flasche	antibiotische Salbe	a bottle of antibiotic ointment	3
zwanzig	Äpfel	twenty apples	4
50 m	Alufolie	fifty meters of aluminum foil	5
zehn	Batterien	ten batteries	6
20 Blatt	Briefpapier	twenty sheets of paper	7
eine	Decke	a blanket	8
einen	Dosenöffner	a can opener	9
einen	Eimer	a bucket	10
einen	Fernseher	a television set	11
einen	Feuerlöscher	a fire extinguisher	12
einen	Feuerstein	a flint	13
ein	Feuerzeug	a lighter	14
zwei	Gummistiefel	two rubber boots	15
zwanzig Dosen	Fleisch	twenty cans of canned meat	16
zwei	Handschuhe	two gloves	17
ein	Handy	a cell phone	18
einen	Hammer	a hammer	19
fünf Packungen	Heftpflaster	five packages of bandages	20
eine	Hundepfeife	a dog whistle	21
zwei	Isomatten	two roll mats, ground pads	22
eine Packung	Spielkarten	a packet of playing cards	23
zwei	Kerzen	two candles	24
ein	Kissen	a pillow	25
einen	Kompass	a compass	26
ein	Kopftuch	a headscarf	27
einen	Korb	a basket	28
zwei	Kreditkarten	two credit cards	29
einen	Kugelschreiber	a pen	30
eine	Laterne	a lantern	31
einen	Mantel	a coat	32
zwei	Messer	two knives	33
20 Schuss	Munition	twenty rounds of ammunition	34
100	Nägel	one hundred nails	35
200 Gramm	Pfeffer	200 grams of black pepper	36
eine	Pistole	a pistol	37
fünf	Plastiktüten	five plastic bags	38
einen	Poncho	a poncho	39
ein	Radio	a radio	40
einen	Regenschirm	an umbrella	41
eine	Säge	a saw	42
200 Gramm	Salz	200 grams of salt	43
drei	Sauerstoffflaschen	three oxygen tanks	44
eine	Schaufel	a shovel	45
einen	Schlafsack	a sleeping bag	46
ein	Schlauchboot	a rubber dinghy	47
eine	Schwimmweste	a swim vest	48
zwei	Seile	two ropes	49
eine	Signalpfeife	a signaling whistle	50
zehn	Signalraketen	ten signal flares	51
eine	Sonnenbrille	a pair of sunglasses	52
einen	Sonnenschirm	a sun umbrella	53
zwei	Spiegel	two mirrors	54
eine	Staubschutzmaske	a dust mask	55
eine Packung	Streichhölzer	a packet of matches	56
zwanzig Dosen	Suppe	20 cans of soup	57
zwei	Taschenlampen	two flashlights	58
ein	Thermometer	a thermometer	59
drei Rollen	Toilettenpapier	three rolls of toilet paper	60
einen	Topf	a cooking pot	61
100 Liter	Wasser	100 liters of water	62
100 Tabletten	Wasserreinigungstabletten	100 water purification tablets	63
zwei Flaschen	Wasserstoffperoxid	two bottles of hydrogen peroxide	64
ein	Zelt	a tent	65

2) Stellen Sie mit Ihrer Gruppe einen „Flucht-Rucksack" mit wichtigen Utensilien zusammen, die praktisch für viele Naturkatastrophen sind.

78   **Review: Das Tipi in der Rheinaue**

1) COP23 – Lesen Sie den Text.

2017 findet in Bonn die Weltklimakonferenz der UN statt. Bonn liegt im Westen von Deutschland am Rhein. Auch Kunst ist dabei. Sie zeigt Probleme. Eine Botschaft ist: Klima ist ein globales Phänomen und alle müssen zusammenarbeiten. Wie bei dem Tipi in der Rheinaue. Das Tipi besteht aus 100 Quadraten, die Menschen aus aller Welt gehäkelt (*crocheted*) haben.

2) Erinnern Sie sich an die Farben und beschriften Sie das Tipi.

gelb

3) Vergleichen Sie Farben miteinander (zum Beispiel: warm, kalt, freundlich, hell, dunkel, fröhlich, traurig, aggressiv, ruhig).

1. _Rot ist wärmer als blau. Rot ist ..._____

2. _____

3. _____

4. _____

5. _____

4) Denken Sie an die Kleidungsstücke, die Sie schon kennen und kleiden Sie die Personen ein! (Welche Kleidung, welche Farben und Muster)

1. Der/die Künstler*in trägt _____

_____

2. Der/die Besucher*in in der Rheinaue trägt _____

_____

3. Der/die Politiker*in beim Weltklimagipfel trägt _____

_____

79 **Andere Kunstwerke**

Recherchieren Sie andere Kunstwerke von COP23.
Aus welchem Land kommt das Kunstwerk? Was sehen Sie?
Wie finden Sie das Kunstwerk [(nicht) schön, (nicht) interessant, super …]? Was sagt das Kunstwerk?

Recherche

80 **Große Kunst**

1) Gruppenarbeit: Sie planen ein Kunstwerk zum Klimawandel.

Welches Thema hat Ihr Kunstwerk? _____

Welche Farben nehmen Sie für das Kunstwerk? _____

Was sieht man im Kunstwerk? _____

_____

Was möchten Sie mit dem Kunstwerk sagen? _____

_____

2) Machen Sie eine Skizze des Kunstwerks mit Farben und Mustern.

81 **Video-Ecke: Hassan, Ehsan und Mahdi erzählen von ihrem Leben in Stuttgart.**

Die drei erzählen von einem normalen Tag in ihrem Leben. Hören Sie gut zu.

1) Was macht Mahdi an einem normalen Tag? Machen Sie Notizen.

_____

_____

_____

2) Mahdi spricht über das Wetter in Afghanistan und Stuttgart.
Entscheiden Sie: Sind die Statements richtig (R) oder falsch (F)

In Afghanistan gibt es nur Sommer.	R	F
In Stuttgart regnet es viel und es schneit im Winter.	R	F
In Stuttgart weiß man immer, wie das Wetter ist.	R	F

3) Was macht Ehsan an einem normalen Tag? Machen Sie Notizen:

Um wie viel Uhr steht Ehsan auf? _____

Wie viele Tage pro Woche muss Ehsan zur Schule? _____

Wie lange muss Ehsan an drei Tagen arbeiten? _____

4) Hassan spricht über seinen Tag. Sind die Statements richtig (R) oder falsch (F)

Hassan steht um 7 Uhr auf.	R	F
Er fährt mit dem Bus und der S-Bahn zur Arbeit.	R	F
Hassan arbeitet jeden Tag bis 16 Uhr.	R	F
Hassan findet Opernmusik interessant.	R	F

26: Projekt 2: Eine Mini-Ethnographie°

82 Mini-Ethnographie: Wetter und Kleidung auf dem Campus

1) Informationen sammeln

Für eine Woche sind Sie Ethnograph*in. Ihre Frage: Wie ändert sich der Kleidungsstil auf dem Campus mit dem Wetter? Machen Sie jeden Tag Notizen in einem Notizbuch.

- Was ist das Datum?
- Wie ist das Wetter? Schreiben Sie viele Details.
- Was tragen die Menschen auf dem Campus (Student*innen und Fakultät)? Beschreiben Sie konkrete Outfits.
- Wie ändern sich Outfits mit dem Wetter. (z. B.: Heute ist es kälter als gestern. Die Leute tragen langärmelige Shirts.)

2) Reflektieren

Jetzt sollen Sie reflektieren. Was denken Sie über Ihre Resultate?

- Lesen Sie Ihre Notizen.
- Was sind Ihre Resultate?
- Was finden Sie am interessantesten?
- Was ist überraschend (*surprising*)?

3) Präsentation

Präsentieren Sie Ihre ethnographischen Resultate im Kurs.

- Seien Sie kreativ!
- Sie können einen Video-Report machen oder ein Poster oder vielleicht ein Comic.
- Ihre Präsentation soll interessant sein und die Resultate von Ihrer ethnographischen Studie gut zeigen.

WAS IST DA DRIN?:
LEBENSMITTEL UNTER DER LUPE

In **chapter 3**, you'll learn …

- to talk about different types of diets and acquire the vocabulary to adequately distinguish between those diets.
- to order food in restaurants and cafés.
- to compile grocery lists based on recipes.
- to shop for groceries, produce, vegetables, etc. in different types of stores.
- to interact with store clerks when you need help finding something.
- to follow directions from a recipe, as well as give others directions based on a recipe.
- to read food labels in German.
- about dishes from international cuisines, to get a better idea of how food culture is representative of culture at large.
- about local food options in German-speaking cities through websites like Yelp.
- about where people in German-speaking countries buy their groceries.
- about policies and laws in the European Union that regulate the labeling of food items.
- about health effects certain foods have and what a mindful diet is.
- about the accepted norms and practices of food consumption in your own country.
- about basic chemical processes that are crucial for food production.
- about basic principles of molecular cuisine and which avenues it opens up for cooking in the future.

83 Lieblingsessen

1) Was essen Sie (gern)? Erstellen Sie eine Top Ten-Liste:

afrikanisch	karibisch	orientalisch
asiatisch	mediterran	persisch

afghanisch	indisch	niederländisch
ägyptisch	indonesisch	österreichisch
amerikanisch	italienisch	pakistanisch
argentinisch	japanisch	portugiesisch
australisch	koreanisch	russisch
brasilianisch	kroatisch	schweizerisch
chinesisch	kubanisch	spanisch
deutsch	libanesisch	thailändisch
französisch	marokkanisch	türkisch
griechisch	mexikanisch	vietnamesisch

halal	vegan	vegetarisch
koscher		

_____   _____   _____

2) Was isst Ihr*e Partner*in gern? Was isst Ihr*e Partner*in lieber? Und was nicht so gern? Fragen Sie viele Personen!

Lasse: Was isst du gern?
Tobias: Ich esse gern chinesisch, mediterran,
         thailändisch und griechisch.
Lasse: Was isst du lieber? Chinesisch oder
         thailändisch?
Tobias: Ich esse lieber thailändisch.
Lasse: Und was isst du am liebsten?
Tobias: Ich esse am liebsten mediterran.
Lasse: Was isst du nicht gern?
Tobias: Ich esse nicht gern mexikanisch. Und du?
         Was isst du gern?
Lasse: …

3) Welches Essen ist im Kurs besonders beliebt? Welches Essen ist nicht so beliebt?
   Erstellen Sie als Kurs eine Statistik.

84 **Welches Gericht gehört zu welcher Küche?**

1) Ordnen Sie die Gerichte den Küchen verschiedener Länder zu

a) argentinisch	*f* Gelato	Paella
b) griechisch	Empanadas	Churros
c) türkisch	Mango-Lassi	Ratatouille
d) spanisch	Raclette	Kaiserschmarren
e) indisch	Brezel	Tsatziki
f) italienisch	Spaghetti mit Hackbällchen	Guacamole
g) japanisch	Schokoladenmousse	Naan
h) mexikanisch	Wiener Schnitzel	Fondue
i) schweizerisch	Rösti	Tiramisu
j) deutsch	Currywurst	Gyros
k) österreichisch	Döner	Sushi
l) französisch	Muffin	Pizza
m) amerikanisch	Käsespätzle	Baklava

2) Vergleichen Sie mit einer anderen Person im Kurs.

Katja: Ist Gelato indisch?
Bob: Nein, Gelato ist nicht indisch. Es ist italienisch. Ist Schokoladenmousse spanisch oder französisch?
Katja: Schokoladenmousse ist französisch.

3) Isst man die Gerichte aus Teil 1) auch in anderen Ländern?

85 **Lieblingsrestaurants in deutschsprachigen Ländern**

1) Wählen Sie eine Stadt. Der Link unter www.klett-usa.com/impuls1links kann Ihnen dabei helfen. Welche Restaurants finden Sie in der Stadt? Was sind die Top 10-Restaurants? Welches Essen gibt es besonders oft?

Recherche

Paar 1:	Zürich		Paar 6:	Rostock
Paar 2:	Berlin		Paar 7:	Wien
Paar 3:	Frankfurt a. O.		Paar 8:	Hamburg
Paar 4:	Salzburg		Paar 9:	Erfurt
Paar 5:	Bochum		Paar 10:	Bern

2) Präsentieren Sie die Resultate im Kurs.

86 Welche Lebensmittel gibt es auf diesem Wochenmarkt?

1) Hören Sie zu und kreuzen Sie an (✗), was Sie hören.

2) Fragen Sie: Was gibt es auf dem Wochenmarkt und was gibt es nicht?

Otto:	Gibt es Ananas auf dem Wochenmarkt?
Linda:	Ja, es gibt Ananas auf dem Wochenmarkt.
Otto:	Gibt es auf dem Wochenmarkt Melonen?
Linda:	Nein, es gibt auf dem Wochenmarkt keine Melonen.

3) Sortieren Sie: Was ist Obst? Was ist Gemüse?
Welches andere Obst und Gemüse kennen Sie? Ergänzen Sie!

Obst: _____ _____ _____ _____ _____

_____ _____ _____ _____ _____

Gemüse: _____ _____ _____ _____ _____

_____ _____ _____ _____ _____

4) Welches Obst und Gemüse mögen Sie? Welches mögen Sie nicht? Fragen Sie andere Personen im Kurs.

Obst und Gemüse beschreiben

Welche Adjektive passen?

a) süß	f) oval	k) gelb	*h, i, k, a*	Bananen	Kiwis	Melonen
b) sauer	g) rund	l) grün		Äpfel	Gurken	Zwiebeln
c) saftig	h) krumm	m) rot		Peperonis	Grapefruits	Erdbeeren
d) bitter	i) weich	n) orange		Paprikas	Mais	Ingwer
e) scharf	j) hart			Zitronen	Orangen	Pflaumen

88   Finde das Obst oder Gemüse!

Stellen Sie Fragen: An welches Obst oder Gemüse denkt Ihr*e Partner*in?

Linda:	Ich denke an Obst.
Otto:	Ist das Obst sauer?
Linda:	Nein, es ist nicht sauer.
Otto:	Ist es süß?
Linda:	Ja, es ist süß.
Otto:	Ist es rot?
Linda:	Ja, es ist ist rot.
Otto:	Denkst du an Erdbeeren?
Linda:	Ja, ich denke an Erdbeeren!

89   Lesen: Auf dem Markt

Die Freunde Amelie, Nina und Tim gehen auf den Wochenmarkt. Sie planen eine Party. Lesen Sie den Text und beantworten Sie die Fragen:

Amelie:	Wir brauchen Brot, am besten Baguette, Würstchen und Gemüse.
Nina:	Ich bin Vegetarierin. Können wir auch Käse kaufen?
Tim:	Ja, es kommen viele Vegetarier und Laurenz ist Veganer. Für ihn brauchen wir Salat.
Nina:	Nudelsalat ist super.
Amelie:	Anne kann keinen Nudelsalat essen, sie hat Zöliakie.
Nina:	Was ist das?
Amelie:	Sie kann kein Gluten essen.
Tim:	Dann vielleicht Kartoffelsalat? Aber ohne Mayo für Laurenz.
Nina:	Super. Dann gibt es für alle etwas!

Wer im Dialog ist Veganer?

_____

Möchte Amelie Käse kaufen?

_____

Warum können die Freunde keinen Nudelsalat machen?

_____

90 Unsere Lieblingsrestaurants

Führen Sie Interviews. Fragen Sie:

Wie heißt du?	→	Ich heiße Niko.
Wie heißt dein Lieblingsrestaurant?	→	Mein Lieblingsrestaurant heißt Miran.
In welcher Stadt ist dein Lieblingsrestaurant?	→	Mein Lieblingsrestaurant ist in Essen.
Welches Essen gibt es in deinem Lieblingsrestaurant?	→	Das Essen ist türkisch.

Name:	Restaurant:	Stadt:	Essen:
Niko	*Miran*	*Essen*	*türkisch*

Bonusfrage: Was ist der Unterschied zwischen Essen und Essen? _____

91 Fast Food International

1) **Welche Fast-Food-Ketten sind populär in den USA? Machen Sie eine Liste und berichten Sie in der Klasse.**

2) **Existieren die Fast-Food-Ketten auch in Deutschland, Österreich und der Schweiz? Suchen Sie online!**

Recherche

3) **Öffnen Sie die drei Links, die Sie für diese Übung unter www.klett-usa.com/impuls1links finden. Schauen Sie sich die drei Menüs von McDonald's an. Welches ist aus Deutschland? Österreich? Der Schweiz? Woran können Sie das erkennen? Was sind die Unterschiede?**

4) **Vergleichen Sie die Menüs von McDonald's in Deutschland, Österreich und der Schweiz mit den USA. Was ist international? Was ist regional?**

Peter Menzel ist ein amerikanischer Fotograf aus Connecticut in den USA. Er hat für National Geographic, Forbes, Wired, Geo, Stern und andere internationale Magazine fotografiert. Er ist bekannt für sein Projekt „So isst der Mensch. Familien in aller Welt zeigen, was sie ernährt." Für das Buch hat er Familien in 24 Ländern interviewt und fotografiert, was die Familien in einer typischen Woche essen.

1) Unter www.klett-usa.com/impuls1links finden Sie den Link zu dieser Übung. Suchen Sie die Familie Fernandez aus Texas. Was sehen Sie? Was kauft die Familie für eine Woche ein?

_____

_____

_____

_____

_____

2) Sehen Sie sich nun die restlichen Bilder an.

Recherche

Vergleichen Sie und finden Sie Gemeinsamkeiten (z. B. globale Produkte) und Unterschiede (Differenzen).
Was essen und trinken Menschen in vielen Ländern?
Wo isst man mehr Brot/Reis/Nudeln?
Wo isst man viel Gemüse und Obst?
Wo isst man „industriell verarbeitete Lebensmittel" (processed food)?

3) Repräsentieren die Fotos aus den USA Ihre Familie? Was isst Ihre Familie in einer Woche?

Wie sieht ein Foto mit allen Lebensmitteln für Ihre Familie aus?
Welche Produkte sind individuell, regional, national, international?

_____

_____

_____

_____

_____

4) Finden Sie Stereotype in den Fotos. Sind Stereotype hier ein Problem?

5) Was essen Sie (auf dem Campus oder mit der Familie) in einer typischen Woche?

_____

_____

_____

_____

_____

6) Fragen Sie andere Personen im Kurs und vergleichen Sie.

93 Supermarkt? Metzgerei? Bäckerei?

Fragen Sie eine andere Person: Was gibt es wo? Wo gibt es was?

Beispiel:

Anna: Wo gibt es Bananen?

Bernd: Bananen gibt es im Supermarkt und auf einem Markt.

in einer Metzgerei

in einer Bäckerei

Lebensmittel:

Bananen	Brot	Nutella
Hackfleisch	Muffins	Hähnchenbrust
Tomaten	Spaghetti	Brezeln
Chilis	Mangos	Gurken

auf einem (Wochen)Markt

im Supermarkt

94 Ahmed kauft ein.

Ahmed möchte ein Mittagessen für seine Freundin Annika kochen. Er möchte Spaghetti Bolognese kochen und einen Kuchen backen. Aber zuerst muss er einkaufen. Hören Sie zu und beantworten Sie die Fragen:

Wie viel kauft Ahmed von den Produkten?

_____ Hackfleisch

_____ Knoblauch

_____ Tomaten

_____ Möhren

_____ Staudensellerie

_____ Petersilie

_____ Nudeln

Wie viel kosten die Möhren? _____ EUR

Was sagt Ahmed? Kreuzen Sie an.

☐ Ich möchte Spaghetti Bolognese kochen.

☐ Ich habe Hunger.

☐ Ein Pfund Rinderhack, bitte.

☐ Stimmt so.

☐ Das war's, danke.

☐ Ich brauche 300 g Möhren.

☐ Einen Sack Petersilie, bitte.

☐ Ein Bund Petersilie, bitte.

☐ Tschüss!

☐ Ciao!

95 Einkaufslisten schreiben

1) Planen Sie ein gemeinsames Abendessen mit einer anderen Person. Suchen Sie Rezepte für eine Vorspeise, ein Hauptgericht und einen Nachtisch auf einer Rezepte-Webseite, wie zum Beispiel www.chefkoch.de.

2) Was können Sie in einer Metzgerei, in einer Bäckerei oder auf einem Wochenmarkt kaufen? Was nur im Supermarkt? Schreiben Sie Einkaufslisten.

in einer Metzgerei	in einer Bäckerei	auf einem Wochenmarkt	im Supermarkt
_____	_____	_____	_____
_____	_____	_____	_____
_____	_____	_____	_____
_____	_____	_____	_____
_____	_____	_____	_____
_____	_____	_____	_____
_____	_____	_____	_____

96 Einkaufen: Rollenspiel

Kaufen Sie die Zutaten aus Aufgabe 95 ein.
Nutzen Sie die Redemittel und begrüßen und verabschieden Sie die andere Person.

Rollen:
Kunde/Kundin
Mitarbeiter*in in einer Metzgerei.
Mitarbeiter*in in einer Bäckerei.
Mitarbeiter*in auf einem Wochenmarkt.

Redemittel Kunde/Kundin:

Ich möchte (eine Suppe) kochen.

Haben Sie (Tomaten)?

Ich brauche (300 g Tomaten).

Ich hätte gern (300 g Tomaten).

Wie viel kosten (die Tomaten)?

Einen (Sack Reis), bitte.

Das war's, danke.

Was macht das?

Redemittel Verkäufer*in:

Ja, wir haben (Tomaten).

(Tomaten) haben wir leider nicht (mehr).

Wie viel (Tomaten) hätten Sie gern?

Sind (300 g Tomaten) ok?

(300 g Tomaten), bitte schön.

(3,99) EUR pro (Kilo).

Noch etwas?

Das macht (2,87) EUR.

97 **Musik-Ecke: „Supergeil"**

Der Tourist ft. Friedrich Liechtenstein
Supergeil – Edeka Version (2014)

Hans-Holger Friedrich ist ein deutscher Musiker und Schauspieler. Er arbeitet als Theaterregisseur in Berlin und viele seiner Stücke sind sehr populär. 2003 kreierte er die fiktive Person Friedrich Liechtenstein. Als Friedrich Liechtenstein macht er eine zweite Karriere als Elektro-Pop-Musiker und Entertainer. Sein Musikvideo „Supergeil" für den Supermarkt Edeka war in Deutschland viral in allen sozialen Medien und machte ihn sehr bekannt.

1) **Was bedeutet der Titel „Supergeil?"**

2) **Hören Sie das Lied und füllen Sie die Lücken.**

3) **Welche Lebensmittel sehen Sie im Video?**

4) **Was ist für Sie „supergeil?"**

Super _____, super sexy, super easy, supergeil!
Super Leute, super lieb, super Love, supergeil!
Super Uschi, super Muschi, super _____, supergeil!
Super heftig, super _____, super lässig, supergeil!
Super _____, super fresh, super Lifestyle, supergeil!
Super Power, super stark, super _____, supergeil!

Refrain:
Es ist supergeil, supergeil. Richtig supergeil, supergeil.
Ich find's supergeil, supergeil. Denn du bist supergeil. Super Knister, super Knusper, super _____, supergeil!

Super _____, super spritzig, super Party, supergeil!
Super Optik, super chillig, super _____, supergeil!
Super _____, super _____, super lazy, supergeil!
Super crunchy, super tasty, super crazy, supergeil!
Super fruchtig, super _____, super smooth.

Sehr, sehr geile Sachen hier! Bio ist auch sehr, sehr geil.
Sehr geile _____, toll!

Guck mal hier! Sehr, sehr geile _____, super!
Sehr geiler Dorsch übrigens, sehr geil!
Oh hier, _____! Oh, das ist aber weich. Sehr, sehr geil. Super!

98 **Lebensmittel-Labels**

1) **Diskutieren Sie: Was hat mehr Fett, Kohlenhydrate, Zucker, Eiweiß und Salz?**

ein Schokoriegel   ein Müsliriegel   eine Portion Studentenfutter   eine Banane

2) **Was ist was? Ordnen Sie die vier Snacks den vier Labelszu. Vergrößern Sie die Tabellen mit Klett Augmented:**

Durchschnittliche Nährwerte			
Pro	**100g**	**Portion (25g)**	**RM°**
Portion			
Brennwert	2092 kJ		
501 kcal	523 kJ		6%
125 kcal			
Fett	29 g	7,4 g	11%
– davon gesättigte Fettsäuren	4,5 g	1,1 g	6%
Kohlenhydrate	47 g	12 g	4%
– davon Zucker	32 g	8,0 g	9%
Eiweiß	10,0 g	2,5 g	5%
Salz	0,02 g	<0,01 g	<1%

Nährwert-Informationen	100g	1 Riegel (25g)
Energie	1910 kJ	
455 kcal	479 kJ	
114 kcal		
Fett	17,6 g	4,4 g
– davon gesättigte Fettsäuren	10,5 g	2,6 g
Kohlenhydrate	65,8 g	16,5 g
– davon Zucker	34,0 g	8,5 g
Eiweiß	6,8 g	1,7 g
Salz	0,50 g	<0,13 g

Nährwertinformationen	/ 100g	(%*)
Energie	2018 kJ	
481 kcal	1009 kJ	(12%)
241 kcal (12%)		
Fett	22,5 g	11,3 g (16%)
– davon gesättigte Fettsäuren	7,9 g	4,0 g (20%)
Kohlenhydrate	60,5 g	30,3 g (11%)
– davon Zucker	51,8 g	25,9 g (29%)
Eiweiß	8,6 g	4,3 g (9%)
Salz	0,63 g	0,31 g (5%)
*Referenzmenge für einen durchschnittlichen Erwachsenen (8400 KJ/2000 kcal)		

	Pro 100 Gramm	1 Banane (120 Gramm)
Brennwert:	96,0 kcal / 402,0 kJ	115,2 kcal / 482,4 kJ
Eiweiß:	1,0 g	1,2 g
Kohlenhydrate:	22,0 g	26,4 g
– davon Zucker:	17,2 g	20,6 g
Fett:	0,2 g	0,2 g
Ballaststoffe:	2,0 g	2,4 g
Broteinheiten:	1,8 g	2,2 g

3) **Stellen Sie anderen Personen Fragen zu den Labels. Fragen Sie nach spezifischen Informationen oder einem Vergleich:**

Renate: Wie viel Gramm Fett hat der Müsliriegel?

Carmen: Der Müsliriegel hat _____ g Fett. Das sind _____ g pro 100 g.

4) Schauen Sie dieses Label eines deutschen Orangensafts an. Suchen Sie online nach einem amerikanischen Orangensaft und vergleichen Sie die Labels. Was sind Gemeinsamkeiten und Unterschiede? Vergrößern Sie die Tabelle mit Klett Augmented:

Recherche

Angaben pro 100ml:		
Brennwert:	**183 kJ / 43 kcal**	
Fett	< 0,5 g	11,3 g (16 %)
– davon gesättigte Fettsäuren	< 0,1 g	4,0 g (20 %)
Kohlenhydrate	8,8 g	30,3 g (11 %)
– davon Zucker*	8,8 g	25,9 g (29 %)
Ballaststoffe:	< 1,0 g	2,4 g
Eiweiß	< 1,0 g	4,3 g (9 %)
Salz	< 0,003 g	0,31 g (5 %)
Vitamin C	35 mg**	1,2 g

* Gemäß Gesetz ist in 100 % Früchtsäften nur der natürliche Fruchtzucker der gepressten Früchte.
** 44 % NRV = Nährstoffsbezugswert für die tägliche Zufuhr.

99 **Vitamin- und Mineralstofftabelle**

1) Beschreiben Sie die Grafik.

Beispiel: Vitamin C ist gut für die Abwehrkräfte. Es ist in Paprika, Brokkoli und Zitrusfrüchten.

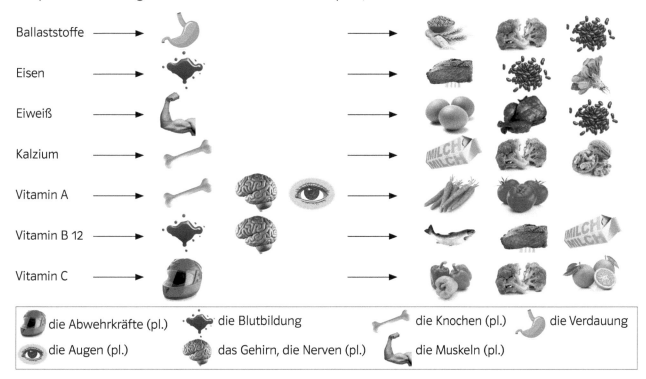

Ballaststoffe

Eisen

Eiweiß

Kalzium

Vitamin A

Vitamin B 12

Vitamin C

die Abwehrkräfte (pl.)   die Blutbildung   die Knochen (pl.)   die Verdauung

die Augen (pl.)   das Gehirn, die Nerven (pl.)   die Muskeln (pl.)

2) Diese Menschen haben ein Problem. Was sollten sie essen?

Johanna ist müde. Sie sollte _____ essen,

weil sie Eisen braucht.

Rudi möchte mehr Muskeln haben. Er sollte _____, weil

er _____ braucht.

Zara hat Probleme mit der Verdauung. Sie _____,

weil _____.

Ingo hat Osteoporose (schlechte Knochen). _____,

_____.

Grammatik

weil-clause:
Verb moves to the end.

3) Und jetzt Sie! Geben Sie einer anderen Person im Kurs Ratschläge.

Was möchtest du? Hast du ein Problem? → Dann solltest du _____ essen.

32: LEBENSMITTEL-AMPEL°

100 **EU-Parlament stoppt Lebensmittel-Ampel.**

1) Setzen Sie ein: Was ist gesund?

| Vitamine | Fett[1] | Zucker | Ballaststoffe | Salz |

Wenig _____ , _____ und _____ . Viele _____ und _____ .

[1] Aber wir brauchen auch Fett und es gibt ‚gute' Fette.

2) Eine Ampel ist rot, gelb oder grün. Was bedeutet Ampel?

3) Überlegen Sie: Eine Lebensmittel-Ampel zeigt, welches Essen und welche Getränke gesund und ungesund sind. Welche Produkte können bei der Ampel grün, gelb oder rot sein?

Ich glaube, _____ ist grün/gelb/rot, weil _____ .

Beispiel: Ich glaube Zucker ist „rot", weil er dick macht.

4) Lesen Sie den Text. Sie müssen nicht alles verstehen! Sie können mit einer anderen Person im Kurs die Lesestrategien aus Aufgabe 100a im LERNEN benutzen.

Diese Wörter helfen Ihnen beim Lesen:
Verbraucherschützer – Menschen, die Gutes für die Kunden möchten
ablehnen – nein sagen
Anteil – Prozent
verständlich – man kann es verstehen
stimmen für/gegen – ja/nein sagen
ausgewogen – in Balance

5) Diskutieren Sie die Fragen zum Text.

Welche Gruppen sind für die Lebensmittel-Ampel?
Welche Gruppen sind gegen die Lebensmittel-Ampel?
Warum findet Renate Sommer die Lebensmittel-Ampel schlecht?
Gibt es jetzt in Europa eine Lebensmittel-Ampel?

6) Diskutieren Sie im Kurs: Ist die Lebensmittel-Ampel eine gute Idee? Warum (nicht)?

Ich finde die Lebensmittel-Ampel gut/nicht gut, weil _____ .

Das finde ich auch.   Aber _____ .

Da stimme ich (nicht) zu.   Ich finde das nicht. Ich denke sie ist gut/nicht gut, weil _____ .

Kennzeichnung für Verbraucher

EU-Parlament stoppt Lebensmittel-Ampel

Rot, gelb, grün: Die Ampel-Kennzeichnung sollte Verbrauchern auf einen Blick zeigen, wie gesund Lebensmittel sind. Doch das EU-Parlament hat die bunten Punkte jetzt abgelehnt – ein Sieg für die Industrie.

Straßburg – Pizza, Cornflakes oder Cola: Was ist gut oder nicht so gut für die Gesundheit? Viele Kunden sind sich beim Einkaufen nicht sicher, Verbraucherschützer und Ärzte wollen deshalb seit langem eine Ampel-Kennzeichnung für Lebensmittel. Doch die hat das Europaparlament jetzt abgelehnt.

Die Lebensmittelindustrie muss ihre Fertigprodukte nicht mit roten, gelben oder grünen Symbolen markieren. Die Symbole sollten zeigen, wie hoch der Anteil an Zucker, Fett oder Salz ist. Aber auf den Packungen soll man jetzt die Kalorien sehen. Und Hersteller müssen klare Angaben über Inhaltsstoffe wie Fett, Salz, Zucker, Eiweiß oder ungesättigte Fettsäuren machen.

Die deutsche und europäische Politik diskutiert seit Jahren, wie Kunden beim Kauf schnell und klar vor Dickmachern gewarnt werden können. Vor allem Verbraucherschützer favorisieren eine Nährwert-Ampel. Sie denken, dass die Ampel sehr praktisch ist, denn man kann sie leicht verstehen. Mit der Ampel kann man auch gut Produkte vergleichen. Doch nun hat die Lebensmittelindustrie gewonnen. Die Lobbyvertreter der Branche sind seit gut zwei Jahren aktiv, um die EU-Parlamentarier zu überzeugen.

Grüne und Linke stimmten für die Ampel

Die Konservativen im EU-Parlament stimmten gegen die Lebensmittel-Ampel. Diese Art der Kennzeichnung sei zu simpel, sagte Renate Sommer (CDU). „Gesund essen" kann man nicht auf einzelnen Lebensmitteln reduzieren. „Gesund essen" ist ein holistisches Konzept.

Andere Parteien, vor allem Grüne und Linke, stimmten für die Ampel. Die bunte Grafik hätte sofort über die Menge an Fett, gesättigten Fettsäuren, Zucker und Salz informiert – und zwar immer auf 100 Gramm oder 100 Milliliter bezogen. Die Werte sind farblich hinterlegt. Eine rote Ampel bedeutet, es gibt sehr viel Fett, gesättigte Fettsäuren, Zucker und Salz. Das Essen ist gefährlich. Ist die Ampel gelb, gibt es ein mittleres Risiko. Grün bedeutet, man kann das Essen ohne Angst um die Gesundheit essen.

Im Rat gibt es allerdings keine einheitliche Position. Ohnehin hat aber das Europaparlament in der Frage ein Mitentscheidungsrecht. Parlament und Rat müssen sich somit auf einen wie auch immer gearteten Kompromiss einigen. lgr/AFP/dpa

Quelle: SPIEGEL ONLINE (vereinfacht)

101 **Imbisswagen oder schickes Restaurant?**

🔊 **1) Sie hören drei Situationen in einem Restaurant/Imbiss. Identifizieren Sie, wo die Person i(s)st:**

der Imbisswagen

Situation:

das Fast-Food-Restaurant

Situation:

das schicke Restaurant

Situation:

🔊 **2) Hören Sie noch einmal. Was essen die Personen?**

Trattoria Portofino

Flotter Johannes

Hamburgerei

_____

_____

_____

_____

_____

_____

102 **Dein Restaurant/Imbiss in Berlin**

Planen Sie in einer Gruppe ein kreatives internationales Restaurant oder einen Imbiss in Berlin.

1) Ihr Restaurant/Imbiss ist in Deutschland. Kennen Sie deutsche Speisen?
Ordnen Sie die typisch deutschen Speisen zu:

Matjesfilet mit Bratkartoffeln

Rinderroulade mit Rotkohl
und Knödeln

Rostbratwurst mit Sauerkraut

Germknödel mit Vanillesoße

Schweinshaxe mit Kartoffeln

Gänsebraten

Sauerbraten mit Knödeln

Käsespätzle mit Zwiebeln

Currywurst mit Pommes und
Mayo

Nordseekrabben im Brötchen

Erbsensuppe

Schnitzel mit Kartoffelsalat

2) Pizzas sind in Deutschland populär! Kreieren Sie interessante Pizzas. Was ist auf den Pizzas? Wie heißen sie? Wie viel kosten sie? Seien Sie kreativ!

Name	Zutaten	Preis
_____	_____	_____
_____	_____	_____
_____	_____	_____
_____	_____	_____
_____	_____	_____
_____	_____	_____

3) Ihr Restaurant oder Imbiss: Was ist Ihr Konzept? Wie soll es/er sein? Beantworten Sie in der Gruppe die Fragen:

Ist es ein schickes Restaurant oder ein Imbiss?
Ist es/er teuer oder günstig?
Ist es/er groß oder klein?
Gibt es Selbstbedienung oder Personal?
Wer besucht das Restaurant/den Imbiss
(z. B. Familien, Student*innen, Hipster)?
Welche Speisen sind auf der Speisekarte?
Gibt es auch Speisen aus Deutschland (Teil 1)?
Gibt es Pizzas (Teil 2)?
Wie heißt das Restaurant/der Imbiss?

4) Präsentieren Sie Ihr Restaurant oder Ihren Imbiss im Kurs.

103   Im Restaurant: Rollenspiel

Essen Sie in den Restaurants der anderen Gruppen.

Redemittel Gast:

Ist hier noch frei?
Wir möchten gern bestellen.
Ich hätte gern (eine Pizza)
Ein (Glas Wasser), bitte.
Ja, bitte./Nein, danke.
Danke, es war (lecker/ausgezeichnet).
Ich möchte bitte bezahlen.
Zusammen, bitte.
(15) bitte.
Das stimmt so!

Redemittel Bedienung:

Was bekommen Sie?
Und was möchten Sie trinken/essen?
Was darf ich Ihnen bringen?
Möchten Sie (einen Salat) dazu?
Kommt sofort!
Noch etwas?
Hat es Ihnen geschmeckt?
Möchten Sie (einen Nachtisch)?
Zusammen oder getrennt?
Das macht (15) Euro.

104 Zutaten

Was bedeutet Zutaten? Welche Zutaten sind typisch beim Backen?

Eier	Curry	Milch	Ananas
Zwiebeln *(onions)*	Schokolade	Avocados	Butter
Karotten	Stifte	Joghurt	Hackfleisch *(ground meat)*
Zucker	Backpulver	Mehl *(flour)*	_____
Zucchini	Knoblauch *(garlic)*	Margarine	_____

105 Muffins

1) Welche Zutaten braucht man für amerikanische Muffins?

2) Lesen Sie das Muffin-Rezept aus Österreich. Was ist gleich? Was ist anders?

Muffin Grundrezept
Ein schnelles Dessert!

Schlagen Sie die Eier schaumig. Geben Sie den Zucker, Vanillezucker und die Butter (in kleinen Stücken) hinzu.
Rühren Sie danach die Milch mit dem Mehl und dem Backpulver abwechselnd ein. Füllen Sie den Teig in die Muffinform, aber nur bis zur Hälfte.
Backen Sie die Muffins bei 180 Grad im vorgeheizten Backofen bei Ober- und Unterhitze ca. 30 – 40 Minuten.

Quelle: GuteKueche.at

Zutaten für 12 Portionen

80	g	Butter
200	g	Mehl
1	Pk	Vanillezucker
0,5	Pk	Backpulver
3	Stk	Eier
140	g	Zucker
140	ml	Milch

1) **Alleine: Sie bekommen ein Rezept für einen Kartofffelsalat. Das Rezept ist in der Sie-Form geschrieben. Lesen Sie das Rezept und markieren Sie die Imperativ-Formen.**

2) **Schreiben Sie die Imperative in die Du-Form um:**

_____

_____

_____

_____

_____

_____

_____

_____

_____

_____

_____

_____

3) **Finden Sie eine Person im Kurs, die ein anderes Kartoffelsalat-Rezept hat. Diktieren Sie der anderen Person ihr Rezept (in der Du-Form). Die andere Person soll schreiben.**

_____

_____

_____

_____

_____

_____

_____

_____

_____

_____

4) **Vergleichen Sie die Rezepte. Was ist anders? Was ist gleich? Welche Kartoffelsalate kennen Sie?**

107 Brot

1) **Die Deutschen essen viel Brot und Brötchen. Täglich essen sie durchschnittlich ein Brötchen und vier Scheiben Brot. Es gibt in Deutschland viele verschiedene Brote und Brötchen: Etwa 300! Welche kennen Sie? Ordnen Sie die Bilder zu:**

die Brezel (ein Laugenbrötchen mit Salz)

das Baguette (ein französisches Stangenbrot)

das Brötchen (ein reguläres Brötchen)

das Mohnbrötchen (ein Brötchen mit blauem Mohn)

das Sesambrötchen (ein Brötchen mit weißem Sesam)

das Mehrkornbrötchen (ein Brötchen mit Körnern)

das Roggenbrötchen (ein dunkles Brötchen mit Roggen)

das Graubrot (ein reguläres Brot)

das Schwarzbrot (ein dunkles Brot mit Vollkorn)

das Toastbrot (ein weißes Brot für den Toaster)

108 Chemie im Brot

Sie finden im Internet einen Text über die Tricks mit Brot und Brötchen. (Rechts finden Sie einen Screenshot.) Lesen Sie den Text und beantworten Sie die Fragen. Sie müssen nicht alles verstehen!

1) **Markieren Sie alle Wörter, die Sie kennen. Sie sollen auch Kognate markieren. Arbeiten Sie mit einer Person im Kurs.**

2) **Sind diese Aussagen richtig (R) oder falsch (F)?**

	R	F
Man findet in Supermärkten Brot mit einer sehr knusprigen Kruste.		
Eine knusprige Kruste bedeutet immer gute, natürliche Qualität.		
Man kann mit Enzymen Lebensmittel (Essen) stark manipulieren.		
Mit Enzymen bleibt Brot länger weich.		

3) **Diskutieren Sie mit einer anderen Person:**

Warum denken viele Menschen, dunkles Brot ist immer gesünder als helles? Was ist die Realität?
Wo sind in Getreidekörnern die meisten Vitamine und Mineralien?
Wo soll man sein Vollkornbrot kaufen?

4) **Kennen Sie andere schlechte, ungesunde Produkte, wo viele Menschen denken, die Produkte sind sehr gesund? Machen Sie eine Liste. Sagen Sie, warum die Produkte ungesund sind.**

Die Wahrheit über das Geschäft[1] mit dem gedopten Brot – Die Tricks mit Brot und Brötchen!

Bei Aldi, Lidl & Co. kann man „frisch gebackenes" Brot aus dem Automaten holen. Ist ein abgepacktes[2] Brot im Supermarktregal ein gesundes Brot? *In den Supermärkten, Tankstellen und Backshops liegen Backwaren, deren Kruste besonders knusprig ist. Warum? Es gibt viele Enzyme und andere Zusatzstoffe in diesen Produkten.* Was machen die Enzyme in Brot? Wenn das Produkt länger weich bleiben soll, dann gibt es ein spezielles Enzym. Wenn die Kruste besonders knusprig bleiben soll, dann gibt es auch ein Enzym. Man kann mit Enzymen alles manipulieren. Es gibt aber noch einen anderen problematischen Aspekt: Enzyme sind zwar natürlich, aber viele sind gentechnisch verändert.

Viele Menschen glauben, dass dunkles[3] Brot gesund ist und helles[4] Brot nicht. Diese Menschen denken, dass dunkles Brot Vollkornbrot ist. Aber nicht alle dunklen Brötchen sind gesund. Viele Brothersteller[5] färben ihr Brot mit Malz oder auch mit Zuckercouleur. In diesen Broten ist kein volles Korn. Höchstens an der Kruste befinden sich ein paar Körner. Zusammen mit der dunklen Farbe denkt der Kunde, dass es tatsächlich ein gesundes Vollkornbrot ist. Einige Brotproduzenten trennen, um Geld zu sparen, die äußere Schicht[6] der Getreidekörner ab. Das ist besonders in den Broten der Fall, die im Supermarkt verkauft werden. Aber in dieser äußeren Schicht ist das, was ein Vollkornbrot so gesund macht. Wie beim Apfel sind in dieser Schale die meisten Vitamine, Mineralien und Ballaststoffe[7] enthalten. Man soll also sein Vollkornbrot bei einem Bäcker kaufen.

Quelle: netzfrauen.org (vereinfacht)

---

[1]das Geschäft – *business* [4]hell – *light* [6]die Schicht – *layer*
[2]abgepackt – *packaged* [5]der Hersteller – *manufacturer* [7]die Ballaststoffe (*pl.*) – *dietary fiber*
[3]dunkel – *dark*

36: LEBENSMITTELCHEMIE°

109 **Chemie – Grundbegriffe**

Chemische Elemente stehen im **Periodensystem**. Viele Elemente haben lateinische oder griechische Namen;
Sie können sie schnell identifizieren. Aber die vier wichtigsten Elemente haben deutsche Namen:

H ist Wasserstoff,
O ist Sauerstoff,
C ist Kohlenstoff und
N ist Stickstoff.

Eine Molekülformel sagt, wie viele **Atome** in einem **Molekül** sind. Zum Beispiel hat Wasser die Molekülformel H_2O
(H zwei O), weil Wasser (H_2O) zwei Wasserstoffatome und ein Sauerstoffatom hat.

Beschreiben Sie die folgenden Moleküle:

Kohlendioxid (CO_2) hat _____

Methan (CH_4) hat _____

Ammoniak (NH_3) hat _____

Moleküle gibt es in drei **Aggregatzuständen**:
fest, flüssig oder **gasförmig**.
Was bedeutet fest? Flüssig? Gasförmig?
Welchen Aggregatzustand haben die drei
Moleküle bei Raumtemperatur?

_____.

110 **Chemie – Aussprache**

🔊 **Viele Wörter sind im Englischen und Deutschen ähnlich, aber die Aussprache ist anders. Markieren Sie den
Wortakzent (´) für die englischen Wörter:**

element   molecule   molecular   atom   vitamin   protein

Englische Wörter haben den Wortakzent oft auf der   ersten,   zweiten oder   letzten Silbe.

🔊 **Jetzt hören Sie die deutschen Wörter. Markieren Sie lange (–) und kurze (·) Vokale und den Wortakzent (´):**

Element   Molekül   molekular   Atom   Vitamin   Protein

Lehnwörter im Deutschen haben den Wortakzent oft auf der   ersten,   zweiten oder   letzten Silbe.

16: Kleidung

kleidung - clothes
pullover - sweatshirt
Hose - pants
kurze hose - shorts
rock - skirt
kleid - dress
Schuh - shoe
stiefel - boot
handsschuh - glove
Mantel - coat
Anzug - suit
mütze - beanie
Muster - pattern

Verschieden - different
Mögen / mag - to like
Tragen - to wear / carry
Farbe - color

Schwarz - black
Weiß - white
rot - red
grün - green
hellgrün - light green
dunkelgrün - dark green
gelb - yellow
blau - blue
grau - gray
braun - brown

kleidung - clothes
pullover - sweatshirt
hose - pants
korze hose - shorts
rock - skirt
kleid - dress
Schuh - shoe
Stiefel - boot
Mantel - Coat

kleidung ~~clothes~~ clothes
hose - pants
korze hose - shorts
rock - skirt
kleid - dress
schuh - shoe
stiefel - boot
Mantel - coat

Skirt - rock
Skirt - rock
rock - skirt
kleid - dress
dress - klied   rock - skirt
kleid dress
kleid dress
dress - kleid
Mantel - coat
coat - Mantel
Mantel - coat   (coat - Mantel)

Lebensmittel bestehen aus **Kohlenhydraten**, **Proteinen (Eiweiß)** und **Fett**. Zucker besteht zu 100 Prozent aus Kohlenhydraten und hat 400 Kalorien pro 100 g. Weißer und brauner Zucker, Fruchtzucker (Fruktose) und Traubenzucker (Glukose) haben die gleichen Kalorien. Ihre Molekularstruktur ist aber unterschiedlich. Es gibt **Monosaccharide** (Einfachzucker), **Disaccharide** (Zweifachzucker), Oligosaccharide und Polysaccharide.

1) Beschreiben Sie die Struktur von Glukose und Saccharose (Haushaltszucker):

Glukose ($C_6H_{12}O_6$) ist ein Monosaccharid und hat sechs _____ Atome,

zwölf _____ und sechs _____ .

Saccharose ($C_{12}H_{22}O_{11}$) ist ein Disaccharid und hat ein Glukose- und ein Fruktose-Molekül. Es hat _____

_____ .

2) Identifizieren Sie die Moleküle:

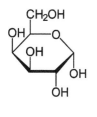

_____   _____ + _____ = _____

3) Wie kommt der Zucker in das Gemüse und Obst? Pflanzen produzieren Zucker in der Photosynthese.

Erklären Sie die Reaktion: $6\,CO_2 + 6\,H_2O \rightarrow C_6H_{12}O_6 + 6\,O_2$

Die Pflanze macht aus _____ und _____ _____ und _____ .

Wasser	Sauerstoff
Glukose	Kohlendioxid

Sehen Sie das Experiment und schreiben Sie das Versuchsprotokoll:

Material: Für das Experiment braucht man _____ .

Versuchsablauf: Zuerst _____ (Becher nehmen).

                   Dann _____ (Natron einfüllen).

                   Danach _____ (Essig in Becher gießen).

Beobachtung: Zuerst _____ (schäumen).

                   Dann _____ (klare Flüssigkeit sein).

Chemische Formel: $NaHCO_3$ (Natriumhydrogencarbonat) + CH_3COOH (Essigsäure)
                   $\rightarrow CH_3COONa$ (Natriumacetat) + $H_2O + CO_2$.

Erklärung: _____ und _____ reagieren miteinander. Es entstehen

                   ein Salz, _____ und Wasser. Das Gas, _____ ,

                   schäumt und entweicht.

113 Was ist traditionell, was ist neu?

Sie haben für heute den Text „Molekularküche" gelesen. Ordnen Sie mit einem/einer Partner*in:

	Traditionell	Molekular	Beides
Kochen	☐	☐	☐
Braten	☐	☐	☐
Biochemische Prozesse	☐	☐	☐
Texturen manipulieren	☐	☐	☐
Neue Rezepte erfinden	☐	☐	☐
Töpfe	☐	☐	☐
Zentrifugen	☐	☐	☐
Es schmeckt gut.	☐	☐	☐
Vieles dauert länger.	☐	☐	☐
Kaviar	☐	☐	☐
Melonenkaviar	☐	☐	☐

	Traditionell	Molekular	Beides
Soufflés	☐	☐	☐
Zucker	☐	☐	☐
Algen	☐	☐	☐
Isomalt	☐	☐	☐

114 Ein Rezept aus der Molekularküche

1) Lesen Sie das Rezept für Melonenkaviar mit einer anderen Person im Kurs.

Melonenkaviar

Pürier die Melone fein und lass den Saft durch ein Passiertuch abtropfen. Miss von dem Saft 250 g ab und mix 1/3 davon mit Algin. Gib die Mixtur zu dem Rest. Lass es durch ein Sieb. Dann lass alles bei Zimmertemperatur 30 Minuten stehen. Lös das Calcit im Wasser auf und tropf den Melonensaft mit einer Spritze in die Lösung. Koch es darin für 1 Minute. Zum Schluss spül es mit Mineralwasser ab.

Quelle: Chefkoch.de

Zutaten für 1 Portion

500	g	Melone
2	g	Natriumalginat
500	ml	Wasser
3	g	Calciumchlorid
		Mineralwasser

2) Was ist traditionell? Was ist neu?

3) Sie erzählen einer anderen Person von dem Rezept. Benutzen Sie „man" → „Man püriert die Melone fein und lässt ..."

4) Finden Sie auf einer Rezepte-Webseite wie z. B. www.chefkoch.de andere Rezepte der Molekularküche.

Ein Anfänger braucht:

- 5 Beutel Agar-Agar (10 g)
- 5 Beutel Kalziumlactat (25 g)
- 5 Beutel Natriumalginat (10 g)
- 5 Beutel Sojalecithin (10 g)
- Eine Lebensmittelspritze

- Zwei Silikonröhrchen
- Drei Pipetten
- Einen Sieblöffel
- Einen Dosierlöffel 15 ml
- Eine Form für 9 Halbsphären

1) Zu zweit: Recherchieren Sie und beantworten Sie die Fragen:

Recherche

Natriumalginat nimmt man   normalerweise für: _____

in der Molekularküche für: _____

Kalziumlactat findet man   normalerweise in: _____

in der Molekularküche in: _____

Sojalecithin nimmt   die Molekularküche für: _____

2) Ordnen Sie die Instrumente zu:

Pipetten

Silikonröhrchen

(Lebensmittel-)Spritze

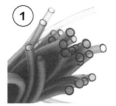

(1)

(2)

(3)

Wasser: < 0 °C fest (Eis)   0° C – 99 °C flüssig   > 99 °C gasförmig
Stickstoff: < -196 °C flüssig   > -196 °C gasförmig

Wortfamilie: Risiko (Risiken), riskant, riskieren

Die Molekularküche bringt Risiken. Wie riskant ist der Stickstoff? Viele Köche kennen das Risiko nicht. Aber die Chemiker warnen! So kann flüssiger Stickstoff in Sekunden Eis und Sorbets machen. Der Stickstoff ist zu Beginn flüssig und dann gasförmig. Die Temperatur sinkt in weniger als einer Sekunde von Zimmertemperatur (20°) auf -196 Grad Celsius. Die Meister der Molekularküche experimentieren gerne mit Stickstoff, aber die meisten Köche kennen die Risiken nicht: Was passiert mit der Haut (skin) bei -196 Grad Celsius? Fett mit +200 Grad Celsius bringt das gleiche Risiko. Wollen Sie das riskieren?

Richtig oder Falsch?   R   F   R   F

Das Risiko in der Molekularküche kommt von Fett.   Die Köche kennen das Risiko von Stickstoff.

Stickstoff macht in weniger als einer Sekunde Eis.   Der Stickstoff ist erst gasförmig und dann flüssig.

Chemiker riskieren ihre Haut.   Molekularköche nehmen Stickstoff für Sorbets.

Die Zimmertemperatur ist 20 °Celsius.

117 Allergien (Was kann jemand essen/nicht essen?)

Was können die Personen mit Allergien essen/nicht essen? Welche anderen Allergien kennen Sie noch? Kennen Sie Personen mit Allergien? Im Kurs?

	Laktose intolerant	Gluten intolerant	_____
Das kann die Person essen:			
Das kann die Person nicht essen:			
Welche Personen mit den Allergien kennen Sie?			

118 Ernährungsweisen (Was will jemand essen/nicht essen?)

1) Finden Sie mit einer anderen Person Informationen zu den Ernährungsweisen:

Recherche

	Was wollen die Personen nicht essen?
vegetarisch	
Fett reduziert	
vegan	
frutarisch	
Kohlenhydrat reduziert	
Rohkost	
Paleo	
Allesesser	
Pescetarier	

2) Wie finden Sie die Ernährungsweisen? Welche Vorteile/Nachteile haben sie?

Allesesser? Vegan? Vegetarier? Pescetarier?

1) Beschreiben Sie das Essen auf den Fotos. Was sehen Sie?

2) Für welche Allergien und Ernährungsweisen aus den Aufgaben 117 und 118 ist das Essen gut/nicht so gut? Warum?

120 **Video-Ecke: Mahdi, Ehsan und Hassan sprechen über Essen aus Deutschland und ihrer Heimat.**

Heute erzählen Hassan, Ehsan und Mahdi über deutsches Essen und Gerichte aus ihrer Heimat. Beantworten Sie die Fragen.

1) Welche Gerichte sind typisch für Deutschland und die Region Stuttgart?

_____

_____

2) Ehsan sagt, dass Menschen in Stuttgart viel Spätzle essen. Was gehört zum afghanischen Essen? Nennen Sie zwei Dinge.

_____

3) Hassan erklärt Ihnen, wie man das Gericht Ashak kocht und auch wie man Maultaschen macht. Ordnen Sie die Schritte richtig (1, 2, 3).

Maultaschen:

    Man kocht die Teigtasche.

    Man nimmt eine Teigtasche.

    Man füllt die Teigtasche mit Gemüse oder Fleisch.

Ashak:

    Man füllt den Teig mit Hackfleisch, Lauch und Zwiebeln.

    Man isst Ashak mit einer Tomatensoße.

    Man macht einen Teig.

121 **Umfrage zu Ernährungsweisen**

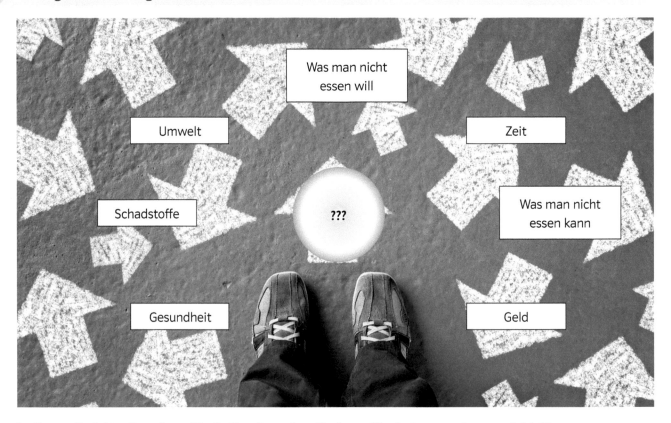

In diesem Projekt präsentieren Sie die Resultate einer Umfrage: Wer isst was und warum (nicht)?

1) Formulieren Sie Interviewfragen zu diesen Themen:

- Individuelle Präferenzen: Sind Sie Veganer*in, Vegetarier*in, … ?

- Probleme: Was denken Sie über Herbizide, Pestizide, Genmanipulation, … ?

- Allergien/Intoleranz: Können Sie Lebensmittel mit Laktose, Gluten, … essen?

- Geld: Wie viel Geld können/wollen Sie für Lebensmittel ausgeben?

- Wie viel Zeit haben Sie? Kochen Sie oft, selten, … ?

- Wege: Wo ist der nächste Aldi, … ?

2) Nehmen Sie die fünf Fragen, die Sie speziell interessieren.

3) Wen wollen Sie fragen? (Mindestens vier Personen)

4) Beginnen Sie jetzt die Interviews.

- Sagen Sie zuerst wer Sie sind (Name, Herkunft, Wohnort, Studium, Deutschkurs bei Professor*in …)
- Dann stellen Sie die Interviewfragen.
- Schreiben Sie Notizen. (Keine kompletten Sätze)

5) Wie wollen Sie Ihre Ergebnisse darstellen (präsentieren)? Als Diagramm, als Text, als Poster, … ?

WIE OPTIMIERE ICH MEIN LEBEN?:
SCHLANKE PRODUKTION FÜR HAUS UND ALLTAG

In **chapter 4**, you'll learn …

- to read statistics about housing preferences in Europe and the U.S.
- to describe the location of objects in different rooms of a house, using two-way prepositions in the dative.
- to explain where you put objects in order to optimize their storage, using two-way prepositions in the accusative.
- to talk about potential dangers in your house, and how to avoid them.
- to describe your daily routine using reflexive verbs, and ask others of theirs.
- to talk about a normal day in college , using subordinate clauses with weil.
- to express conditional scenarios using wenn and falls.
- to express preferences about your ideal housing situation.
- to express ideas of how to optimize your daily routine.
- about different types of housing in Germany.
- about German floor plans at different scales, and you learn how calculate the real measurements when given a scaled floor plan.
- about different schools of architecture and their main characteristics.
- about the benefits of a regular workout routine.
- about core aspects of lean production.
- about German and US perspectives on such matters as work and leisure.
- about how to take a dispassionate point of view about what many Americans assume to be 'obviously correct' values and ways of acting.
- About origins of your ways of thinking about work and leisure.

122 Wohnungstypen

1) Ordnen Sie zu:

_6_ ein Einfamilienhaus

____ ein Doppelhaus

____ ein Mehrfamilienhaus

____ ein Hochhaus

____ ein Fachwerkhaus

____ ein Schloss

____ ein Bauernhaus

____ eine Berghütte

____ ein Hausboot

____ ein Wohnmobil

____ ein Studenten-
wohnheim

Grammatik

ein Haus ⊙
in **einem** Haus
in **dem** Haus

eine Wohnung
in **einer** Wohnung
in **der** Wohnung

2) In welchen dieser Häuser gibt es Wohnungen? _____

Beispiel: In einem Einfamilienhaus gibt es keine Wohnungen. In einem Hochhaus gibt es Wohnungen.

3) Sprechen Sie zu zweit über die Fotos.

Wo gibt es diese Häuser/Wohnungen (in deinem Land)?   Beispiel: Es gibt Hochhäuser in Frankfurt.
Welches Haus/welche Wohnung magst du?   Beispiel: Ich mag das Wohnmobil.
Welches Haus/welche Wohnung magst du nicht?   Beispiel: Ich mag das Wohnmobil nicht.

4) Sprechen Sie zu zweit über Ihre Wohnung/Ihr Haus oder über ein Haus/eine Wohnung in Ihrer Familie oder bei Freunden.

Wo wohnst du (wohnt die Person)? (In einem Einfamilienhaus, in einem Doppelhaus, in einem Studentenwohnheim, …)
Wo ist das Haus/die Wohnung? (In einer Stadt? In einem Vorort? Auf dem Land? In den Bergen?)
Wie viele Zimmer hat es/sie?

123 Wohnung oder Haus? – Eine Statistik

1) Unten sehen Sie eine Statistik über Wohnungen und Häuser. Stellen Sie einer anderen Person im Kurs Fragen.

Beispiele:	Wie viel Prozent wohnen …	in Deutschland …	in einem Doppelhaus?
		in den USA …	in einem Einfamilienhaus?
			…
	Etwa _____ Prozent wohnen …	in Deutschland …	in einem Doppelhaus.
		in den USA …	in einem Einfamilienhaus.

2) Vergleichen Sie die USA mit Deutschland, Österreich, der Schweiz und zwei Nachbarländern. Schreiben Sie die Sätze.

Beispiele: In den USA wohnen prozentual mehr Menschen in einem Einfamilienhaus (60,3 %) als in der Schweiz (20,4 %). In Deutschland wohnen prozentual weniger Menschen in einem Doppelhaus (15,8 %) als …

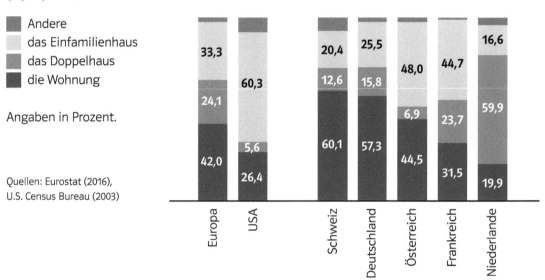

Andere
das Einfamilienhaus
das Doppelhaus
die Wohnung

Angaben in Prozent.

Quellen: Eurostat (2016),
U.S. Census Bureau (2003)

124 Wo möchtest du gern wohnen?

1) Wo möchten Sie gerne wohnen? Seien Sie kreativ und füllen Sie die erste Zeile (Sie:) aus:

	Person	Wohnungstyp	Wo	m²	# Zimmer
	Ellie Muster	*in einem Hochhaus*	*in der Stadt*	*85m²*	*3 1/2*
Sie:					
1:					
2:					
3:					
4:					

2) Interviewen Sie 4 Personen im Kurs und tragen Sie die Informationen über das Traumhaus/die Traumwohnung ein.

Fragen: Wo möchtest du gern wohnen? Wie groß ist das Haus/die Wohnung? Wie viele Zimmer hat es/sie?

41: CHAOS IN DER KÜCHE

125 **Kaffee kochen**

1) Sie möchten einen Kaffee kochen und suchen die Zutaten und Geräte. Fragen Sie eine andere Person, wo die Objekte sind. Person 1 findet Informationen auf Seite A-4, Person 2 findet Informationen auf Seite A-10.

Person 1: Wo sind die Kaffeelöffel?
Person 2: Die Kaffeelöffel sind in der Schublade unter dem Toaster.

a:	die Kaffeelöffel (*pl.*)	d:	die Steckdose	g:	die Kaffeetassen (*pl.*)
b:	der Wasserhahn	e:	der Kaffeefilter	h:	die Kaffeekanne
c:	der Wasserkocher	f:	die Kaffeebohnen	i:	die Kaffeemühle

2) Elif erzählt, wie man guten Kaffee kocht. Hören Sie zu. Was braucht man zuerst? Was braucht man zuletzt? Sortieren Sie die Objekte:

1: Objekt _____   6: Objekt _____

2: Objekt _____   7: Objekt _____

3: Objekt _____   8: Objekt _____

4: Objekt _____   9: Objekt _____

5: Objekt _____

3) Verbinden Sie jetzt die Objekte (im Bild) in der genannten Reihenfolge. Ist das optimal? Warum (nicht)?

1) Schauen Sie sich die Küche an. Was ist wo?

der Kühlschrank
der Gefrierschrank
die Mikrowelle
die Spüle
der Wasserhahn
der Ofen
der Herd
der Kaffee
die Blume
(der Dunstabzug)

Person 1:　　Wo ist die Mikrowelle?
Person 2:　　Die Mikrowelle ist über dem Wasserhahn.

2) Finden Sie den optimalen Schrank für diese Objekte und sagen Sie, wohin Sie die Objekte räumen.

das Besteck	die Gläser (*pl.*)	die Töpfe (*pl.*)
die Teller (*pl.*)	die Tassen (*pl.*)	die Pfannen (*pl.*)
das Öl	die Putzmittel (*pl.*)	die Waage
die Backformen (*pl.*)	das Salz	

Grammatik

	→	⊙
der	den	dem
das	das	dem
die	die	der
ein	einen	einem
ein	ein	einem
eine	eine	einer

Ich räume die Gläser über die Spüle.

_____

_____

_____

_____

_____

_____

_____

_____

_____

_____

127 **Wechselpräpositionen-Gymnastik**

1) **Kopieren Sie, was die Mechanikerinnen rechts machen und üben Sie so die Bedeutung der Wechselpräpositionen.**

2) **Ihr*e Professor*in spricht und macht vor. Sie kopieren die Bewegungen. Ihr*e Professor*in wird schneller und schneller.**

3) **Ein*e Student*in macht vor, Sie machen nach.**

4) **Ihr*e Professor*in versucht, Sie zu irritieren. Er/Sie zeigt eine Präposition, sagt aber eine andere. (z. B.: Er/Sie zeigt „zwischen" und sagt „an".) Machen Sie, was er/sie sagt, nicht was er/sie macht!**

neben   zwischen   an

in   vor   hinter

auf   über   unter

128 **Welches Wohnzimmer ist es?**

Zu zweit: Das verrückte Haus hat sechs fast identische Wohnzimmer. Suchen Sie ein Wohnzimmer aus, aber sagen Sie die Nummer nicht. Die andere Person muss raten.

Timo:	Steht der Fernseher auf dem Tisch?
Joshua:	Ja.
Timo:	Hängt der Stuhl an der Decke?
Joshua:	Nein.
Timo:	Steht die Pflanze neben der Couch?
Joshua:	Ja.
Timo:	Ist es Wohnzimmer 5?
Joshua:	Ja, es ist Wohnzimmer 5.

1
2
3

4
5
6

129 **Es spukt im verrückten Haus.**

Im verrückten Haus wandern Gegenstände über Nacht von Raum zu Raum. Ihr*e Partner*in wählt einen Gegenstand und Sie beschreiben, wie der Geist den Gegenstand von Raum zu Raum bringt. Jeder Gegenstand ist zuerst in der Küche und wandert durch alle 3 Räume. Am Ende ist er wieder in der Küche. Benutzen Sie das Beispiel als Modell:

Das Auto steht ...
Der Geist stellt das Auto in ...
Jetzt steht das Auto ...
Der Geist stellt das Auto in ...

Grammatik

Richtung (→) = Akkusativ
Ort   (⊙) = Dativ

Die andere Person passt auf und stoppt Sie, wenn Sie einen Fehler machen. Dann müssen Sie neu beginnen.

Gegenstände:
das Auto, der Toaster, die Lampe, das Buch, der Tisch, die Couch, der Fernseher, das Handy, die Kaffeetasse

der Garten

die Küche

das Wohnzimmer

---

130 **Ist das immer/oft so?**

1) Lesen Sie die Sätze über das verrückte Haus von Dennis. Was ist oft/immer so und was nicht?

a)   Die Couch steht im Badezimmer.

b)   Das Bild von Tina liegt auf dem Boden.

c)   Die Tassen hängen an der Decke.

d)   Der Laptop liegt in der Spüle.

e)   Die Stühle stehen auf dem Tisch.

f)   Die Katze sitzt in der Mikrowelle.

g)   Der Kühlschrank steht in der Küche.

h)   Seine Oma sitzt auf dem Sessel.

i)   Die Unterwäsche liegt im Kühlschrank.

j)   Der Toaster steht auf dem Bett.

Silke: Die Couch steht im Badezimmer. Ist das immer so?
Martin: Nein, das ist nicht immer so. Normalerweise steht die Couch im Wohnzimmer.

2) Geben Sie Dennis 6 Tipps!

Beispiel: Stell die Couch ins (= in das) Wohnzimmer.

_____   _____

_____   _____

_____   _____

131 **Architektur in den deutschsprachigen Ländern**

Ordnen Sie zu:

Stift Melk

die Porta Nigra, Trier

das Bauhaus Dessau

der Kölner Dom

die Neue Staatsgalerie, Stuttgart

die Stalinallee, Berlin

Schloss Mirabell, Salzburg

die Semperoper, Dresden

das Vitra Design Museum, Weil am Rhein

das Grossmünster, Zürich

Station Karlsplatz, Wien

das Reichsparteitagsgelände, Nürnberg

die Antike ____   die Romanik ____   die Gotik ____   die Renaissance ____

der Barock ____   der Klassizismus ____   der Neoklassizismus ____   der sozialistische Klassizismus ____

der Jugendstil ____   der Funktionalismus __3__   die Postmoderne ____   der Dekonstruktivismus ____

132 **Was finden Sie schön?**

**Sagen Sie, welches Gebäude Sie schön/interessant/
langweilig ... finden und warum.**

Beispiel: Ich finde den Kölner Dom schön, weil ich Kirchen mag.

Grammatik

weil beginnt einen Nebensatz:
Das Verb steht auf der letzten Position!

133 **Architektur beschreiben**

Nehmen Sie Bild 3 von 131 oben und kreuzen Sie an.

Das Haus ist	modern	altmodisch
Es ist	bunt	grau und weiß
Es hat	viele Dekorationen	klare Linien
Es hat	viele Fenster und ist hell	wenige Fenster und ist dunkel

134 Walter Gropius

🔊 **1) Hören Sie zu und ergänzen Sie die fehlenden Informationen:**

Walter Gropius ist am _____ in _____ geboren. Er studierte

_____ in München, aber beendete das Studium nicht. Er arbeitete beim

Deutschen Werkbund und im Deutschen _____ für Kunst und Handel. Dort

organisierte er Ausstellungen. Seine erste architektonische Arbeit war das

_____ in Alfeld an der Leine. 1919 wurde er Direktor an einer Kunstschule

und nannte sie „Staatliches _____ in Weimar". Er war erst Direktor in

Weimar und dann in _____. Er konzipierte Wohnungsprojekte und baute

Wohnsiedlungen. Die _____ in Berlin (1929/1930) ist sehr berühmt.

1934 emigrierte Gropius erst nach _____ und dann in die _____.

Er starb am _____ in _____.

2) Markieren Sie die Vergangenheitsformen (narrative past tense) im Text.

135 Bauhaus: Design für die Zukunft

Lesen Sie den Text über das Design und die Architektur im Bauhaus-Stil.

In einem Manifest beschreibt Gropius 1919 das primäre Ziel seiner Schule: Architektur, Bildhauerei[1] und Malerei sollen zusammen das Gebäude der Zukunft[2] gestalten. Gropius sieht dabei keinen Unterschied zwischen dem Künstler und dem Handwerker[3]. Gute Beispiele sind das Schulgebäude und die Meisterhäuser des Bauhauses in Dessau, die Gropius 1926 plant und baut.
Die Schüler bauen Prototypen zahlreicher Möbel und Dinge, die mit der Gründung[4] der „Bauhaus GmbH" 1925 auch in die industrielle Massenproduktion gehen können. Es sollen Gegenstände für alle Menschen und die Zukunft produziert werden. In ihrer schlichten, einfachen Form sind die Produkte des Bauhauses eine künstlerische Revolution. Die Form ordnet sich komplett der Funktionalität unter oder anders: „form follows function." Die radikalen Ideen der Bauhaus-Künstler sind kontrovers. Konservative sind gegen die linken und internationalistischen Bauhaus-Mitglieder. 1933 schließen[5] die Nationalsozialisten das Bauhaus. Viele der bekannten Künstler emigrieren nach Frankreich, Großbritannien, in die Schweiz oder die USA. Laszlo Moholy-Nagy gründet 1937 in Chicago das „New Bauhaus," das 1938 die „School of Design" wird. Diese Schule orientiert sich noch an dem ganzheitlichen Prinzip des Bauhauses, konzentriert sich aber auf die Fotografie. Architekten wie Walter Gropius oder Ludwig Mies van der Rohe machen sich in den USA und international einen Namen. Sie planen Bauwerke, die bis heute Beispiele der modernen Architektur sind.   Quelle: planet-wissen.de (gekürzt und vereinfacht)

[1]die Bildhauerei – *sculpture* [2]die Zukunft – *future* [3]der Handwerker – *craftsman* [4]die Gründung – *foundation* [5]schließen – *to close*

Richtig oder falsch

Das Bauhaus ist eine Kunstschule.	R	F	Bauhaus-Möbel sind funktional.	R	F
Bauhaus-Künstler sind alle Architekten.	R	F	Die Nationalsozialisten sind gegen das Bauhaus.	R	F
Priorität ist der Bau der Zukunft.	R	F	Das Bauhaus ist heute unbekannt.	R	F

136 Bauhaus-Möbel

Sehen Sie sich Beispiele von Bauhaus-Möbeln online an. Den Link zu der Webseite finden Sie hier: http://klett-usa.com/impuls1links. Wählen Sie als „Stilepoche" das „Bauhaus".

Recherche

Welche Möbel gibt es?   Gibt es sie heute noch?
Warum sind sie funktional?   Haben Sie selbst Bauhaus-Möbel?

137   Ein modernes Traumhaus planen

1) Wo ist Ihr Traumhaus? Sammeln Sie Argumente für jeden Ort:

Land: *Wenn man auf dem Land wohnt, kann man laut sein und viele Haustiere haben.*

Großstadt: *Wenn man …*

Kleinstadt: _____

Vorort: _____

Welche Option finden Sie am besten?

2) Stellen Sie sich vor: Sie wohnen mit einer Person aus dem Kurs zusammen als Wohngemeinschaft in einem großen Haus. Welche Räume hat das Haus?

Erdgeschoss:

_____

_____

_____

_____

_____

_____

1. Stockwerk:

_____

_____

_____

_____

_____

_____

3) Welche Möbel hat Ihr Haus? Nutzen Sie den Link zu dieser Aktivität unter www.klett-usa.com/impuls1links. Schreiben Sie unten mindestens 6 Produktnamen und Preise in die Liste, die Sie im Internet gefunden haben. Die anderen Möbel können Sie improvisieren.

Erdgeschoss:

_____ _____

_____ _____

_____ _____

_____ _____

_____ _____

1. Stockwerk:

_____ _____

_____ _____

_____ _____

_____ _____

_____ _____

4) Wie viel kosten die Möbel zusammen? _____

138 Tapetenwechsel

1) Welchen Effekt hat es, wenn ein Raum rot, blau, grün, etc. ist? Schreiben Sie für 5 Farben. Nutzen Sie die Liste aus LERNEN (Aktivität 132a).

Wenn ein Raum rot ist, werden manche Leute aggressiv.

_____

_____

_____

_____

2) Diskutieren Sie mit Ihrem/Ihrer Partner*in und schreiben Sie auf: Welchen Raum in Ihrem Haus möchten Sie in welcher Farbe streichen?

_____

_____

_____

_____

_____

139 Das Smarthome

Ihr Haus ist ein Smarthome. Beschreiben Sie was passiert, wenn Sie in das Haus/ein Zimmer kommen.

Wenn man in das Wohnzimmer geht, spielt laute Musik.

Wenn man in die Küche geht ...

Ideen: der Toaster toastet, das Licht geht an/aus, es wird wärmer/kälter, der Fernseher geht an/aus, laute Musik spielt, …

140 Präsentation

Präsentieren Sie Ihr Haus im Kurs.

Wie viele Leute/Tiere wohnen in dem Haus?
Welche Zimmer hat es?
Wie groß sind die Zimmer (m²)?
Welche Möbel sind wo?

Welche Farben haben sie?
Wie smart ist Ihr Haus?
Was kann/hat Ihr Haus noch?

Am Ende:

Welches Haus ist Ihr Lieblingshaus? Warum?

(141) Musik-Ecke: „Das bisschen Haushalt"

Johanna von Koczian
Das bisschen Haushalt, sagt mein Mann (1977)

Johanna von Koczian ist 1933 in Berlin geboren. Sie ist Sängerin und Schauspielerin. In den 1950er Jahren spielte sie in vielen Musicals. Sie war auch Synchronsprecherin, zum Beispiel für Elizabeth Taylor. Als Sängerin hatte sie in den 1970er Jahren den größten Erfolg. Später schrieb sie auch Kinder- und Jugendliteratur. Man kann sie heute immer noch manchmal in Berlin im Theater sehen.

1) Was macht die Frau im Lied jeden Tag und was macht der Mann jeden Tag?

2) Arbeitet die Frau?
der Mann denkt: ja/nein
die Frau denkt: ja/nein

„Das bisschen Haushalt macht sich von allein." – Sagt mein Mann.
„Das bisschen Haushalt kann so schlimm nicht sein." – Sagt mein Mann.
„Wie eine Frau sich überhaupt beklagen kann, ist unbegreiflich." – Sagt mein Mann.
„Das bisschen Kochen ist doch halb so wild." – Sagt mein Mann.
„Was für den Abwasch ganz genauso gilt." – Sagt mein Mann.
Wie eine Frau von heut' darüber stöhnen kann, ist ihm ein Rätsel. – Sagt mein Mann.
Und was mein Mann sagt, stimmt haargenau. Ich muss das wissen, ich bin ja seine Frau.
„Das bisschen Wäsche ist doch kein Problem." – Sagt mein Mann.
„Und auch das Bügeln schafft man ganz bequem." – Sagt mein Mann.
„Wie eine Frau von heut' da gleich verzweifeln kann, ist nicht zu fassen." – Sagt mein Mann.
Und was mein Mann sagt, stimmt haargenau. Ich muss das wissen, ich bin ja seine Frau.

„Das bisschen Garten, oh, wie wohl das tut." – Sagt mein Mann.
„Das Rasenschneiden ist für den Kreislauf gut." – Sagt mein Mann.
„Wie eine Frau von heut' das nicht begreifen kann, ist unverständlich." – Sagt mein Mann.

„Er muss zur Firma geh'n, tagein tagaus." – Sagt mein Mann.
„Die Frau Gemahlin ruht sich aus zuhaus'." – Sagt mein Mann.
„Dass ich auf Knien meinem Schöpfer danken kann,
Wie gut ich's habe." – Sagt mein Mann.
„Dass ich auf Knien meinem Schöpfer danken kann,
Wie gut ich's habe." – Sagt mein Mann.

142 Gefahren im Haushalt

1) Ordnen Sie zu:

_____ Der Herd ist heiß.

_____ Der Schrank mit Putzmitteln ist offen.

_____ Der Fön ist neben der Badewanne.

_____ Die Decke liegt vor dem Kamin.

_____ Das Spielzeug liegt auf der Treppe.

_____ Der Wasserkocher ist kaputt.

_____ Die Steckdosen haben zu viele Kabel.

_____ Das Messer liegt auf der Arbeitsplatte.

2) Zu zweit: Was kann in den Situationen 1-8 passieren?

Beispiel: Die Person kann ausrutschen und sich verletzen.

Nützliche Vokabeln: aus·rutschen sich verletzen brennen sich verbrennen

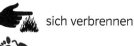 sich schneiden  sich vergiften einen Stromschlag bekommen sterben, stirbt

3) Zu zweit: Geben Sie Ratschläge. Was sollten die Personen in den Situationen 1-8 tun?

Beispiel: Die Person sollte das Spielzeug in das Kinderzimmer bringen.

4) Welche generellen Tipps haben Sie? Was kann man für ein sicheres Haus für alle Menschen tun? Denken Sie auch an Kinder, Rollstuhlfahrer, alte Menschen etc.

Grammatik	
ich	mich
du	dich
er/es/sie	sich
wir	uns
ihr	euch
sie	sich
Sie	sich

143 Unfälle

Lesen Sie den Text und beantworten Sie die Fragen:

Die häufigsten Unfälle im Haushalt

Die meisten Unfälle im Haushalt passieren, weil Menschen sich zu Hause sicher fühlen und nicht mehr richtig aufpassen.

Die Unfallursache[1] Nummer 1 sind Stürze: Leute stellen sich auf den Rand der Badewanne oder balancieren auf einem Stuhl und putzen Fenster und schon ist es passiert: Sie fallen! Um solche Unfälle zu vermeiden, benutzen Sie immer eine stabile Leiter, die fest auf dem Boden steht.

An nächster Stelle stehen Schnittwunden[2]: Beim Gemüseschneiden kann das Messer schnell abrutschen. Benutzen Sie daher lieber ein Messer mit Zacken[3]. Außerdem schneiden sich viele Menschen, wenn sie zerbrochenes Glas mit den Händen aufsammeln. Tragen Sie hierzu auf jeden Fall Handschuhe.

Knapp hinter Schnittverletzungen folgen Verbrennungen. Achten Sie beim Kochen auf das Kochwasser und heißen Dampf[4]. Um Ihre Hände zu schützen, tragen Sie hitzebeständige[5] Handschuhe.

Bei Kindern stehen Vergiftungen und Stromschläge an erster Stelle der Unfallstatistik. Steckdosen sind gerade für die Jüngsten sehr gefährlich. Kinder können sich zudem vergiften, wenn sie Reinigungsmittel oder Medikamente schlucken. Bewahren[6] Sie daher alle gefährlichen Stoffe immer gut verschlossen und außer Reichweite von Kindern auf.

Natürlich darf Feuer in dieser Liste nicht fehlen: Haben Sie einen Topf auf dem Herd, kann besonders Öl schnell brennen. Bleiben Sie daher immer in der Nähe und lassen Sie Töpfe und Pfannen nicht alleine. Löschen[7] Sie brennendes Öl nicht mit Wasser. Die Flammen müssen erstickt[8] werden. Am besten gelingt das mit einem Feuerlöscher.

Quelle: praxistipps.focus.de (gekürzt und vereinfacht)

[1] die Unfallursache – *cause of accident* [3] das Messer mit Zacken – *serrated knife* [5] hitzebeständig – *heat resistant* [7] löschen – *extinguish*
[2] die Schnittwunden – *cut* [4] der Dampf – *steam* [6] bewahren – *to keep* [8] erstickt – *suffocated*

1. Sortieren Sie: Diese Unfälle sind auf Platz 1, 2, und 3 der Unfallstatistik:
    Verbrennungen Schnittverletzungen Stürze

2. Welche zwei Unfälle sind bei Kindern am häufigsten?

3. Welche Ratschläge gibt es im Text? Formulieren Sie die Sätze mit sollte.
    z.B. *Sie sollten immer eine stabile Leiter benutzen.*

144 Ich mache mich morgens fertig.

1) Schreiben Sie 8 Dinge, die Sie jeden Morgen machen, aber nicht in der korrekten Reihenfolge.

_____

_____

_____

Ich stehe auf. _____

_____

_____

_____

auf·stehen	Frühstück machen	im Internet surfen	die Zähne putzen
sich duschen	sich kämmen	sich an·ziehen	fern·sehen
sich waschen	einen Kaffee kochen	sich schminken	texten
sich rasieren	die Zeitung lesen	sich um etw. kümmern	…

2) Ihr°e Partner°in fragt nach der richtigen Reihenfolge.

Beispiel:
Stehst du zuerst auf oder duschst du dich zuerst? → Ich stehe zuerst auf.
Kämmst du dich zuerst oder rasierst du dich zuerst? → Ich rasiere mich zuerst.

3) Sortieren Sie:

Das muss ich morgens machen: _____

_____

Das mache ich morgens nicht: _____

_____

Das muss ich nicht machen, _____

aber ich mache es trotzdem: _____

4) Vergleichen Sie Ihre Morgenroutine mit einem/einer Partner°in: Was ist gleich? Was ist anders?

Beispiel: Wir müssen beide morgens aufstehen. Sie duscht zuerst, ich mache zuerst Frühstück …

145 Zeit sparen

1) Lesen Sie unten über Jacquelines Morgen:

6:30 Uhr	Ich wache auf.
6:50 Uhr	Ich stehe auf.
6:52 Uhr	Ich dusche. (10 min)
7:02 Uhr	Ich ziehe mich an. (5 min)
7:07 Uhr	Ich erhitze Wasser in einem Topf. (5 min)
7:12 Uhr	Ich koche ein Ei im Wasser. (5 min)
7:17 Uhr	Ich toaste 2 Scheiben Toast. (4 min)
7:21 Uhr	Ich mache die Kaffeemaschine an und warte auf den Kaffee. (5 min)
7:26 Uhr	Ich esse mein Ei mit Toast. (7 min)
7:33 Uhr	Ich trinke meinen Kaffee. (10 min)
7:44 Uhr	Ich putze meine Zähne. (3 min)
7:47 Uhr	Ich checke meine E-Mails. (10 min)
7:57 Uhr	Ich gehe zur Arbeit.

2) Zu zweit: Ist Jacquelines Morgen effizient? Können Sie ihn optimieren? Schreiben Sie eine neue Version. Wann muss Jacqueline mit Ihrem optimierten Plan aufstehen, um spätestens um 8 Uhr zur Arbeit gehen zu können?

3) Wann beginnt dein Tag? Nimmst du dir morgens gerne Zeit oder bist du in deiner Morgenroutine sehr effizient?

146 Optimieren funktioniert nicht immer.

Oft will man Dinge machen, um das Leben zu optimieren, aber man darf nicht immer alles machen. Schauen Sie die Schilder an und schreiben Sie Sätze: Was darf man nicht machen? Was muss/soll man stattdessen (instead) machen?

Meeting:
Laptop benutzen
per Hand schreiben

Man darf im Meeting keinen Laptop benutzen.

Man muss Notizen per Hand schreiben.

Stadt:
Bus fahren
parken

_____

_____

Café:
mit Kreditkarte bezahlen
mit Bargeld bezahlen

_____

_____

schlafen:
zu Hause
auf der Arbeit

_____

_____

fahren:
langsamer als 50 km/h
schneller als 50 km/h

_____

_____

47: AN DER UNI

1) Beschreiben Sie einen typischen Wochentag an der Uni. Beginnen Sie damit, wie Sie zur Uni kommen und beenden Sie den Tag zu Hause. Integrieren Sie möglichst viele verschiedene Details.

Beispiel: Ich stelle mich an die Bushaltestelle.
                       Der Bus kommt und bringt mich zur Uni.

1. _____
2. _____
3. _____
4. _____
5. _____
6. _____
7. _____
8. _____
9. _____
10. _____
11. _____
12. _____

2) Was ist das Ziel von einem Tag an der Uni? Wählen Sie eine These.

Ich gehe zur Uni, …

    weil ich einen Kurs habe.   weil ich günstig essen will.

    weil ich mich mit Freunden/Freundinnen treffe.   weil ich Hausaufgaben abgeben muss.

    weil ich einen/eine Professor*in treffen muss.   weil ich im Labor arbeiten muss.

    weil _____

3) Schauen Sie sich die 12 Schritte an und das Ziel für den Tag an der Uni. Sortieren Sie die 12 Schritte.

Tut etwas zum Ziel:

_____

Tut nichts zum Ziel, ist aber nötig:

_____

Zeitverschwendung, macht aber Spaß:

_____

Reine Zeitverschwendung:

_____

4) Machen Sie jetzt einen Tagesplan an der Uni, der effizient ist, aber auch noch Spaß macht!

Das war Heikos Hausaufgabe:

„Bereiten Sie eine kurze Präsentation (5 Slides) zum Thema Klimawandel vor. Den Text zu den Bildern bitte nur als kurze Notizen! Benutzen Sie 3 Online-Quellen und stellen Sie die Präsentation auf unsere Lernplattform."

1) Das macht Heiko. Lesen Sie mit einer anderen Person und verstehen Sie jede Aktivität.

(a) Fenster aufmachen,

(b) Notizen machen,

(c) wichtige Stellen in den Artikeln unterstreichen,

(d) Artikel ausdrucken,

(e) PowerPoint starten,

(f) Computer hochfahren/starten,

(g) SMS von der Freundin beantworten,

(h) Kaffee kochen,

(i) Bilder auf die Slides kopieren,

(j) 10 Slides in PowerPoint formatieren,

(k) Auf den Slides Texte zu den Bildern schreiben,

(l) Fertige Präsentation auf die Plattform hochladen,

(m) sich in die Lernplattform einloggen,

(n) Präsentation ausdrucken,

(o) Heizung höher stellen.

2) Bringen Sie mit Ihrem/Ihrer Partner*in Heikos Aktivitäten in eine produktive Reihenfolge. Es gibt viele Möglichkeiten.

1: _____   2: _____   3: _____   4: _____   5: _____

6: _____   7: _____   8: _____   9: _____   10: _____

11: _____   12: _____   13: _____   14: _____   15: _____

3) Ordnen Sie!

Das muss Heiko machen, aber es ist nicht direkt für die Präsentation:

_____

Das macht Heiko direkt für die Präsentation:

_____

Das macht Heiko, aber es ist unnötig:

_____

4) Lesen Sie noch einmal die Hausaufgabe und alle Punkte, die Heiko direkt für die Präsentation macht. Was fällt Ihnen auf?

5) Optimieren Sie den Prozess mit einer anderen Person im Kurs.

149 **Regeln in einer Bibliothek**

Was darf man in Ihrer Bibliothek machen? Was darf man in Ihrer Bibliothek nicht machen?

Das darf man machen:

Man darf Bücher ausleihen.

_____

_____

_____

_____

Das darf man nicht machen:

_____

_____

_____

_____

_____

150 **Hohe Bestände**

1) In der Universitätsbibliothek kann man Lehrbücher ausleihen. Fragen Sie eine andere Person nach den fehlenden Informationen[1]:

„Wie viele Studierende sind in „Deutsch I?"   „Wie viele Bücher hat die Bibliothek für „Deutsch I?"
→ „115 Studierende sind in „Deutsch I."   → „Die Bibliothek hat 150 Bücher für „Deutsch I."

2) Für welche Kurse gibt es zu viele Bücher?

_____

_____

_____

3) Für welche Kurse gibt es nicht genug Bücher?

_____

_____

_____

Kurs	Studierende	Bücher
Deutsch I	115	150
Elementargeometrie		50
Filmtheorie	240	
Mikroökonomik		200
Weltliteratur	45	
Internationale Politik		30
Statistik I	480	
Kunstgeschichte		5

[1] Person 1: Informationen auf Seite A-4;
Person 2: Informationen auf Seite A-10

151   Eine Bibliothek im Wandel der Zeit

Eine Bibliothek verändert sich. Was denken Sie: Was gab es in einer Bibliothek 1980, was gibt es heute und 2060? Neue Vokabeln können Sie in einem Online-Wörterbuch finden.

Recherche

	1980	Heute	2060
Bücher		Papier und PDFs als Dateien	
Filme	Videokassetten		
Essen		Cafeteria	
Recherche	Zettelkatalog		
Energie			Solar- und Windenergie

152   Die Bibliothek der Zukunft

Planen Sie mit einer anderen Person die Bibliothek der Zukunft. Nehmen Sie als Modell Ihre Uni-Bibliothek, aber sie ist ganz leer.

Was gibt es neben, vor und hinter der Bibliothek?

_____

_____

… im Keller? _____

_____

_____

… im Erdgeschoss? _____

_____

… im 1. Stock? _____

_____

… im 2. Stock? _____

_____

… auf dem Dach? _____

_____

153 Nach der Uni: Sport

Machen Sie eine Umfrage im Kurs. Dann schreiben Sie einen Text.

Wer im Kurs macht oft Sport? Was, wo und wie oft?

_____

_____

_____

_____

_____

_____

_____

_____

_____

154 Das ideale Workout

Schauen Sie sich die Workout-Pläne für 3 Sportler*innen an, die Muskeln aufbauen wollen. Alle drei sind Anfänger. Welcher Workout-Plan ist am besten/am realistischsten?

Beispiel: Ich denke, dass das Workout von Person x am besten ist. Es ist …

Bankdrücken

Liegestütze

Trizepsdrücken

Kniebeugen

Klimmzüge

Langhantel-Curls

Thorsten

Hans

Maria

	Thorsten	Hans	Maria
MONTAG			
	1 x 200 Bankdrücken	4 x 10 Bankdrücken	2 x 30 Bankdrücken
	1 x 1000 Liegestütze	4 x 10 Liegestütze	2 x 30 Liegestütze
	1 x 500 Trizepsdrücken	4 x 10 Trizepsdrücken	
MITTWOCH			
	1 x 200 Kniebeugen	4 x 10 Kniebeugen	2 x 30 Bankdrücken
	1 x 300 Klimmzüge	4 x 10 Klimmzüge	2 x 30 Liegestütze
	1 x 50 Langhantel-Curls	4 x 10 Langhantel-Curls	

1) Was glauben Sie? Welche Sportarten sind gut/schlecht wofür?

Joggen

Muskeltraining

Klettern

Schwimmen

Skifahren

Radfahren

Rudern

Tanzen

Yoga

Gewichtheben

| Beispiel: | Ich denke, dass Schwimmen gut/schlecht für … ist. Ich finde, dass … Spaß macht. |

| Optionen: | Ich denke, dass … | Ich glaube, dass … | Ich finde, dass … | Ich bin sicher, dass … |

| für die Ausdauer (*endurance*) | für die Muskeln | zum Entspannen | macht Spaß |
| für den Rücken | für das Herz | zum Kalorien verbrennen | macht keinen Spaß |

2) Welche anderen Sportarten kennen Sie? Was denken Sie: Wofür sind sie gut/schlecht? Welche Sportart(en) finden Sie besonders gesund? Welche macht/machen besonders viel Spaß?

3) Lesen Sie den Text und diskutieren Sie die Fragen mit einer anderen Person im Kurs:

Warum Rudern ein Sport für Jung und Alt ist

Rudern ist auf dem ersten Platz in den Top Ten der gesündesten Sportarten. Denn Rudern trainiert die Ausdauer, stärkt das Herz und die Muskulatur.

„Rudern ist ein sehr gesunder Sport", sagt Dr. Joachim Schubert. In diesem Sport ist fast alles in Bewegung. Es trainiert die Ausdauer[1] und „vor allem Rücken, Po, Bauch, die Beine, Arme und Schultern – ein idealer Sport auch für Frauen", sagt Schubert. Einen dicken Bizeps braucht man nicht, rund 70 Prozent der Kraft[2] kommt beim Rudern aus den Beinen. Und die Bewegung[2] draußen stärkt[3] auch das Immunsystem. Die Rudertechnik ist aber komplex und „[d]ie Gefahr[5] ist groß, dass man mit der falschen Technik dem Rücken schadet[6]", erklärt Sportmediziner Schubert, „man sollte also nicht sofort rudern, sondern erst mit einem Trainer arbeiten."

Das ideale Alter für den Einstieg in den Rudersport ist zwischen zehn und zwölf Jahren. „Erst dann ist das Knochengerüst[7] für das Rudern weit genug ausgebildet[8]", sagt Rudertrainer Frank Flörke. Eine Altersbegrenzung[9] gibt es nicht, sofern man gesund und fit ist. In einigen Ruderklubs gibt es sogar Ü-80-Teams. Joachim Schubert selbst hat erst mit 30 mit dem Rudern begonnen und es nicht bereut[10]: „Es ist einfach ein toller Sport.

Quelle: derwesten.de

[1] die Ausdauer – *endurance*
[2] die Kraft – *power/force/strength*
[3] die Bewegung – *motion/movement*
[4] stärken – *to strengthen*
[5] die Gefahr – danger
[6] schaden – *to harm/damage*
[7] das Knochengerüst– *skeleton*
[8] ausgebildet – *developed*
[9] die Altersbegrenzung – *age restriction*
[10] bereuen – *to regret*

Fragen:

1. Was ist das ideale Fitnesstraining?
2. Wer sagt das?
3. Für wen ist es ideal?
4. Was ist wichtig? Wie macht man diesen Sport korrekt?
5. Rudern Sie gern? Warum (nicht)?

156 Schlanke Produktion

1) Was denken Sie? Was bedeutet „Schlanke Produktion"?
Lesen Sie den Text.

Schlanke Produktion als Übersetzung von „*Lean Production*" und „*Lean Manufacturing*" heißt eine Methode, die Arbeitsprozesse verbessert.

Jeder Arbeitsprozess braucht mehrere Schritte. Jeder Schritt soll das Produkt besser machen, weil der Kunde nur dafür Geld zahlt. Alles andere will man so klein wie möglich machen. Die Schritte fallen in drei Kategorien:

- A. Was man machen muss, was aber das Produkt nicht verändert.
- B. Alles, was das Produkt verändert.
- C. Alles, was unnötig ist. = Verschwendung

Schlanke Produktion will Verschwendung (C.) ganz eliminieren und den Arbeitsprozess immer besser machen. Verschwendung kann heißen:

- (1) Man muss von einem Schritt zum nächsten einen langen Weg gehen (= unnötige Bewegung). Beispiel: Die Teller sind in der Spülmaschine. Die Spülmaschine ist ganz links in der Küche. Der Schrank für die Teller ist ganz rechts in der Küche. Sie räumen die Spülmaschine aus und laufen hin und her.
- (2) Man muss Teile von dem Produkt weit transportieren (= überflüssiger Transport). Beispiel: Sie kochen in der Küche. Die Nudeln sind im Keller. Sie gehen in den Keller und bringen die Nudeln in die Küche.
- (3) Man macht Fehler (= Fehler). Beispiel: Sie laden Ihre Präsentation im falschen Format auf die Unterrichtsplattform.
- (4) Man muss warten (= Wartezeiten). Beispiel: Sie haben ein Gruppenprojekt und einer macht seinen Teil zu langsam, die anderen müssen warten.
- (5) Man macht zu viel (= Überproduktion). Es kann sein, dass man später den Rest wegwerfen muss. Beispiel: Sie machen sich Brote für drei Tage und am zweiten Tag ist alles schon nicht mehr gut.
- (6) Man macht zu viel und braucht ein Lager (= hohe Bestände). Das kostet Geld für den Platz, Heizung, usw. Beispiel: Eine Firma produziert zu viele Autos und sie stehen auf einem Parkplatz. Das ist auch: „totes Kapital", das heißt, das Geld für diese Autos kann auch auf der Bank Zinsen verdienen statt in der Sonne zu braten.
- (7) Man macht etwas, das unnötig ist (= Prozessübererfüllung). Beispiel: Der Professor will für die Hausaufgabe nur Notizen und Sie schreiben einen ganzen Aufsatz.
- (8) Man ist überqualifiziert (= Überqualifikation). Beispiel: Sie müssen Hausaufgaben für Deutsch 1 machen, aber Sie sind schon in Deutsch 2.

2) Beantworten Sie die Fragen und finden Sie ein jeweils ein weiteres Beispiel.

Was ist Überproduktion?

  Ich habe 4 Brötchen gebacken. Meine Freunde möchten 6 essen.

  Ich habe 4 Brötchen gebacken. Meine Freunde möchten 2 essen. Der Rest kommt in den Müll.

  _____

Was ist überflüssige Bewegung?

  Mein Computer ist im Arbeitszimmer, mein Drucker im Wohnzimmer. Für jede Kopie laufe ich ins Wohnzimmer.

  Ich laufe zum Bus. Der Bus bringt mich zur Universität.

  _____

Was ist ein Fehler?

  Sie müssen einen Text mit 400 Wörtern schreiben. Sie schreiben 1000 Wörter.

  Sie schreiben Code für ein Programm. Der Code funktioniert nicht.

  _____

1) Können Sie Beispiele für 7 Verschwendungen (siehe Aktivität 156) im Buch finden? Tipp: Schauen Sie sich die Seiten 84 bis 101 genau an.

Verschwendung	Seite	Was?
Bewegung (1)/Transport (2)	_____	_____
Fehler (3)	_____	_____
Wartezeiten (4)	_____	_____
Überproduktion (5)	_____	_____
Hohe Bestände (6)	_____	_____
Prozessübererfüllung (7)	_____	_____

2) Kennen Sie weitere Beispiele für die 7 Verschwendungen aus dem Leben?

3) Ist „Verschwendung" manchmal nötig? Nennen Sie Beispiele

---

158 **Video-Ecke: Hassan, Ehsan und Mahdi sprechen über deutsche Stereotypen.**

Ehsan und Mahdi sprechen heute über den Stereotypen, dass Deutsche sehr pünktlich und ordentlich sind. Beantworten Sie die Fragen.

1) Was sagt Ehsan über Pünktlichkeit und Ordnung in Deutschland?

_____

_____

_____

_____

2) Denkt Mahdi, dass Pünktlichkeit wichtig ist?

_____

_____

_____

_____

3) Was sagt Mahdi über Bürokratie in Deutschland? Welches Beispiel gibt er und was denkt er über diese Bürokratie

_____

_____

_____

_____

159 Eine Party planen

1) Sie arbeiten in einem Team und organisieren eine Party für Ihre Freundin Kim.

Schreiben Sie im Team (informelle) Emails oder Kurznachrichten (GroupMe, SMS, WhatsApp, etc.) und diskutieren Sie die wichtigen Fragen unten. Am Ende sollen Sie einen Plan für die Party haben.

Sie können auch einem Caterer oder Event-Verleih eine (formelle) Email schreiben. Ihr*e Professor*in spielt diese Rolle.

Kim

Hallo Freunde, ich plane eine Party und brauche Hilfe. Ich bin nicht kreativ. Könnt ihr das Partykonzept machen und sie organisieren? Ich habe eine Checkliste mit allen wichtigen Fragen gemacht. Ich bezahle natürlich!

Diese Fragen helfen Ihnen bei der Organisation:

- Was ist das Thema für Ihre Party? (z. B. Halloween, Sommerparty, Strandparty, 70er Jahre-Party, Hochzeit, Geburtstag, …)
- Wann ist Ihre Party? (im Winter, im Sommer, im Frühling, im Herbst)
- Gibt es eine Kleiderordnung?
- Wie viele Gäste laden Sie ein?
- Brauchen Sie Möbel für Ihre Party (z. B. Tische und Stühle)? Wie viele?
  - Woher bekommen Sie die Möbel (Event-Verleih oder privat)?
- Wie möchten Sie dekorieren? Woher bekommen Sie die Dekoration?
  - Machen Sie sie selbst oder leihen Sie sich die Deko (Event-Verleih)?
  - Wenn Sie sie selbst machen, wer macht sie wann?
- Essen: Was möchten Sie essen? Kochen Sie selbst? Kochen Freunde?
  - Bringen die Gäste das Essen mit? Engagieren Sie einen Caterer?
  - Brauchen Sie Geschirr und Besteck für Ihre Party? Woher bekommen Sie es?
  - Wer holt es ab?
- Getränke: Was möchten Sie trinken? Wann holen Sie die Getränke beim Getränkemarkt ab?
- Was brauchen Sie noch?

2) Optional: Kreieren Sie auch eine Einladung für die Party.

3) Wenn Sie die Party geplant haben, senden Sie Ihrem/Ihrer Professor*in Screenshots der Kommunikation. Wenn Sie eine Einladung kreiert haben, senden Sie die Einladung an den Kurs.

In **chapter 5**, you'll learn …

- to use a directory of a German mall and describe where you can buy different gifts from a shopping list.
- to express to whom you are giving specific gifts for different occasions throughout the year.
- to read statistics about Germans' spending habits for seasonal gifts and make comparisons with the U.S.
- to talk about different body parts and understand a selection of German idioms that use words related to the body.
- to observe your own use of plastic products and consider possible alternatives.
- about American brands that are important for Germans and draw intercultural comparisons about products sold in German stores and malls.
- about leading German brands in the U.S., their products, and where they are headquartered.
- about transport routes of materials used in the production of consumer goods, and also ethical questions of consumerism.
- about the basic process of how plastic is made and learn about the environmental impact of plastic.
- about statistics related to waste production in different countries.
- about opposing viewpoints on interculturally complex topics, such as a proposed ban of plastic straws in the EU.

52: MARKEN

160 **Herkunft**

1) Zu zweit: Was denken Sie, woher kommen diese Marken? Welche kommen aus den USA? Welche kommen aus Deutschland, Österreich oder der Schweiz?

Bayer	PUMA	Heinz	adidas	TRADER JOE'S
BMW	LEVI'S	Ricola	SWAROVSKI	Crate & Barrel
NIVEA	Mercedes Benz	HARIBO	T-Mobile	Lindt
VW	Nestlé	Red Bull	swatch	ALDI

Beispiel: Ich denke, dass BMW aus Deutschland kommt.

2) Zu zweit: Welche anderen Marken und Produkte aus Deutschland, Österreich oder der Schweiz kennen Sie?

3) Finden Sie im Kurs ein Produkt mit einem Label (z. B. ein T-Shirt). Woher kommt es?

161 **Die Top 20 Unternehmen aus Deutschland in den USA**

	Unternehmen	Mutterunternehmen	Hauptsitz
1.	Daimler Group	Daimler AG	*Stuttgart*
2.	Volkswagen Group of America	Volkswagen AG	
3.	T-Mobile USA	Deutsche Telekom	
4.	BMW Group	BMW AG	
5.	BASF Corp.	BASF SE	
6.	Siemens USA Holdings	Siemens AG	
7.	Bayer Corporation	Bayer AG	
8.	Fresenius Medical Care Holdings, Inc.	Fresenius Medical Care AG	
9.	Robert Bosch, LLC	Robert Bosch GmbH	
10.	Trader Joe's Co.	Aldi Nord Einkauf GmbH & Co. oHG	
11.	Aldi, Inc.	Aldi Einkauf GmbH & Co. oHG	
12.	Allianz of America	Allianz SE	
13.	Hochtief Americas (Turner)	Hochtief AG	
14.	DHL Holdings (USA), Inc.	Deutsche Post AG	
15.	Continental Automotive Systems	Continental AG	
16.	Munich Reinsurance America, Inc.	Münchner RVG	
17.	ThyssenKrupp USA, Inc.	ThyssenKrupp AG	
18.	SAP Americas	SAP AG	
19.	ZF Group NA Operations Inc.	ZF Friedrichshafen AG	
20.	Boehringer Ingelheim Corp.	Boehringer Ingelheim GmbH	

1) Sehen Sie sich die Top 20-Unternehmen aus Deutschland in den USA an. Welche fünf finden Sie am interessantesten? Markieren Sie die Unternehmen in der Liste.

2) Zu Zweit: Welche Unternehmen findet die andere Person gut? Warum? Wie heißen die Mutterunternehmen und wo ist der Hauptsitz? Finden Sie die Orte auf einer Karte und tragen Sie sie links in die Tabelle ein.

Nana: Ich finde T-Mobile gut.

Monika: Warum findest du T-Mobile gut?

Nana: Ich telefoniere mit T-Mobile.

Monika: Woher kommt T-Mobile und wie heißt das Mutterunternehmen?

Nana: Das Mutterunternehmen heißt Deutsche Telekom. Der Hauptsitz ist in _____ . Das ist **hier** (Karte).

3) Welches Unternehmen macht was? Ordnen Sie zu:

Autos: *Daimler Group* _____

Chemikalien: _____

Kommunikation: _____

IT, Transport: _____

Bau: _____

Lebensmittel: _____

Medizinprodukte: _____

Software: _____

Stahl: _____

Versicherung, Finanzen: _____

---

162   **Internationale Marken in Deutschland**

1) Was denken Sie: Welche amerikanischen Marken und Produkte sind beliebt in deutschsprachigen Ländern?

2) Besuchen Sie die Webseite eines Einkaufszentrums. Woher kommen die Läden?

Gruppe 1: CentrO in Oberhausen (Deutschland)

Gruppe 2: Shopping City Süd in Vösendorf (Österreich)

Gruppe 3: Mall of Switzerland in Ebikon (Schweiz)

Gruppe 4: Mall of Berlin in Berlin (Deutschland)

aus den USA:

Läden: _____

_____

Restaurants: _____

aus deutschsprachigen Ländern:

Läden: _____

_____

Restaurants: _____

aus anderen Ländern:

Läden: _____

_____

Restaurants: _____

163 **Kleidung im Kurs**

1) Was tragen Sie heute? Schreiben Sie, welche Kleidungsstücke Sie tragen.

Ich trage _____

_____

2) Welche Kleidungsstücke können Sie im Kurs finden? Welche Person trägt sie?

Kleidungsstück	Person	Kleidungsstück	Person
das Tanktop	_____	die Handschuhe	_____
die Bluse	_____	die Mütze	_____
der Pullover	_____	die Sneakers	_____
der Rock	_____	die Sonnenbrille	_____
die kurze Hose	_____	der Schal	_____

Grammatik	
ich	trage
du	trägst
er/es/sie	trägt
wir	tragen
ihr	tragt
sie	tragen
Sie	tragen

3) An welche anderen Kleidungsstücke erinnern Sie sich noch aus Kapitel 2? Sammeln Sie mit einer anderen Person.

_____

_____

_____

4) Wo kaufen Studierende im Kurs Kleidung ein? Fragen Sie und erstellen Sie eine Statistik.

Ernie:	Wo kaufst du deine T-Shirts ein?
Livia:	Ich kaufe meine T-Shirts normalerweise bei Kohl's oder Forever 21 ein. Und du?
Ernie:	Ich kaufe meine T-Shirts bei Target ein.

1) Welche Kleidungsstücke tragen die Personen wo? Fragen Sie nach!

Ronny: Was trägt Joyce auf dem Kopf?
Cindy: Sie trägt einen Hut auf dem Kopf.

	Joyce	Norbert
auf dem Kopf:	*einen Hut*	_____
um den Hals:	_____	_____
am Oberkörper:	_____	_____
an den Händen:	_____	_____
am Unterkörper:	_____	_____
an den Füßen:	_____	_____

2) Was ist komisch?

der Kopf ———
der Hals ———

der Arm ———
die Arme   } der Ober-
                    körper

die Hand ———
die Hände

das Bein ———   } der Unter-
die Beine   körper

der Fuß ———
die Füße

Infos: Person 1 auf Seite A-5,
       Person 2 auf Seite A-13

Ordnen Sie die Redewendungen den Bildern zu:

   Einen Frosch im Hals haben   Die Beine in die Hand nehmen   Einer Person die kalte Schulter zeigen

   Auf großem Fuß leben   Kalte Füße bekommen   Einer Person unter die Arme greifen

   Einen grünen Daumen haben   Den Hals nicht vollkriegen   Einer Person die Haare vom Kopf fressen

166 Interessante Geschenke

Zu welchen Anlässen (Ideen in der Box) passen diese Geschenke? Wem könnten Sie diese Geschenke geben?

Kinokarten

eine Autowäsche

Schweizer Pralinen

Musikunterricht

ein handgemachter Schal

ein Brettspiel

Redemittel

Ich denke, dass …
Ich meine, dass …
Ich glaube, dass …

Beispiel:
Ich denke, dass Kinokarten ein gutes Geschenk zu Weihnachten sind. Ich schenke sie meiner Schwester.

Anlässe (Wann geben wir anderen Personen Geschenke?)
zum Geburtstag; zum Namenstag; zur Beförderung (besserer Job); zur Jugendweihe; zum Ruhestand (Ende des Arbeitslebens); zu einem religiösen Anlass (Kommunion, Konfirmation, Bar-/Bat-Mizwa, Chanukka, Eid al-Fitr, Ostern, Weihnachten, …); zum Bachelor-Abschluss; zum Studienabschluss; zur Wohnungseinweihung (neue Wohnung); zur schnellen Genesung (die Person ist krank); zur Hochzeit; … (Sie können mehr Anlässe finden.)

167 Geschenke zu jedem Anlass

1) **Wem schenken Sie normalerweise etwas zum Geburtstag, zu Weihnachten, zum Semesterende oder anderen wichtigen Tagen? Machen Sie eine Liste.**

   meinem Stiefvater, meiner Mitbewohnerin, …

2) **Dieses Jahr wollen Sie gut planen, was Sie den Personen aus Ihrer Liste in Teil 1 schenken? Machen Sie eine Liste mit Geschenkideen:**

   ein Buch über Wintersport, ein Paar Handschuhe

3) **Zu zweit: Sagen Sie nun, welcher Person (von Liste 1) Sie was (von Liste 2) und wann schenken. Person A fragt zuerst Person B über die Listen von Person B. Dann wechseln Sie die Rollen.**

Beispiel:
Steffi: Was schenkst du deinem Stiefvater?
Manabu: Ich schenke meinem Stiefvater ein Buch über Wintersport.
Steffi: Ah, super, schenkst du deinem Stiefvater das Buch zu Ostern?
Manabu: Nein, Ich schenke meinem Stiefvater das Buch über Wintersport zum Geburtstag.
Steffi: Cool. Und wem schenkst du ein Paar Handschuhe?
Manabu: Ich schenke meiner Mitbewohnerin ein Paar Handschuhe.
Steffi: Toll, schenkst du ihr die Handschuhe auch zum Geburtstag?
Manabu: Nein, ich schenke meiner Mitbewohnerin ein Paar Handschuhe zur Beförderung.

1) In Aktivität 162 haben Sie eine Shoppingmall kennengelernt. Es gibt dort viele Geschäfte. Sie wollen nun alle Geschenke aus Aktivität 166 in der Mall kaufen. Machen Sie eine Liste: In welchem Geschäft finden Sie welches Geschenk?

ein Buch über Wintersport   *Thalia; Galeria Kaufhof*

_____ _____

_____ _____

_____ _____

2) Zu zweit: Erzählen Sie einer anderen Person im Kurs, wo Sie Ihre Geschenke kaufen.

Beispiel: Ich schenke meinem Stiefvater ein Buch über Wintersport. Das Buch kann ich bei Thalia/Galeria Kaufhof kaufen.

169 Teure Geschenke oder selbstgemacht?

1) Wie viel Geld geben Deutsche pro Jahr für Weihnachtsgeschenke aus?

Rechts sehen Sie eine Statistik von FOM Hochschule für Oekonomie & Management. Die Frage ist: Wie viel Geld geben Deutsche durchschnittlich für Weihnachtsgeschenke aus? Die Statistik ist von 2018.

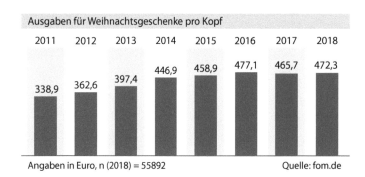

Ausgaben für Weihnachtsgeschenke pro Kopf

2011	2012	2013	2014	2015	2016	2017	2018
338,9	362,6	397,4	446,9	458,9	477,1	465,7	472,3

Angaben in Euro, n (2018) = 55892 Quelle: fom.de

Zu zweit: Diskutieren Sie die folgenden Fragen mit einer anderen Person im Kurs.

a) Wie viel Euro geben Deutsche von 2011 bis 2018 pro Jahr für Weihnachtsgeschenke aus?
b) Wie viel ist das in Ihrer Währung (z. B. US-Dollar)?
c) Wie ist der Trend? Geben Deutsche 2018 mehr oder weniger als vorher aus?
d) Glauben Sie, dass Amerikaner mehr oder weniger Geld als Deutsche für Geschenke ausgeben?

2) Eine Alternative zu teuren Geschenken sind selbstgemachte Geschenke. Machen Sie eine Liste mit tollen selbstgemachten Geschenken.

ein Liebesgedicht _____ _____

_____ _____ _____

3) Erzählen Sie der anderen Person, wem Sie diese Geschenke schenken und warum. Sie können die Personenliste von Aktivität 167 Teil 1 benutzen.

Beispiel:
Mario: Wem schenkst du ein Liebesgedicht?
Horst: Ich schenke meiner Freundin das Liebesgedicht, weil sie sehr romantisch ist.

170 Schuhe aus Meisterhand

🔊 **1) Rainer und Gaby arbeiten beide mit Schuhen. Hören Sie das Interview mit Rainer und Gaby und entscheiden Sie, welche Informationen zu Rainer (R) und welche zu Gaby (G) gehören.**

Geburtsregion	Arbeit	Kollegen/Kolleginnen
der Schwarzwald	eine Schuhmanufaktur	Eltern
das Münsterland	ein Schuhladen	Frau
das Ruhrgebiet	ein Schuhreparaturservice	Tante
das Saarland	eine Schuhfabrik	beste Freundin

Beginn der Arbeit	Wohnpartner*innen	Utensilien
der 1. November	Mann	die Hände
der 26. April	Eltern	ein Computer
18. Geburtstag	Frau	ein Roboter
13. Geburtstag	Kind	ein Hammer

2) Schreiben Sie einen Text über Gaby. Nutzen Sie alle Informationen von oben und nur die drei Verben in der Box.

_____

_____

_____

_____

> kommen aus
>
> arbeitet bei/seit/mit
>
> wohnen mit

171 Was passiert wo?

1) In der Karte sehen Sie die Verbindungslinien für Baumwolle aus den USA zu allen Produktionsorten von einem großen Schuhhersteller. Zeichnen Sie selbst die Linien für die anderen Materialien zu den Produktionsorten. Dann schreiben Sie Sätze über die unterschiedlichen Handelswege.

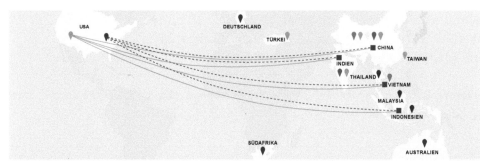

Braun:	Lager[1]
Blau:	Produktion
Orange:	Baumwolle[2]
Rot:	Polyester
Grau:	Leder
Rosa:	Kunstleder
Lila:	Gummi
Gelb:	EVA-Schaum[3]

Baumwolle kommt aus _____

Polyester _____

_____

_____

_____

[1] das Lager – _storage_   [2] die Baumwolle – _cotton_   [3] der EVA-Schaum – _ethylene vinyl acetate_

2) Beantworten Sie die Fragen:

Wo produziert man Schuhe?

_____

Wo verkauft man Schuhe (dafür braucht man ein Lager am Ort)?

_____

172   Wofür? Woraus?

1) Schauen Sie sich die Bestandteile der Schuhe an und beantworten Sie die Fragen:

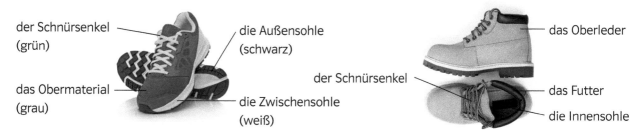

der Schnürsenkel
(grün)

das Obermaterial
(grau)

die Außensohle
(schwarz)

der Schnürsenkel

die Zwischensohle
(weiß)

das Oberleder

das Futter

die Innensohle

Wofür braucht man die Baumwolle?   Wofür braucht man den EVA-Schaum?
Wofür braucht man den Polyester?   Wofür braucht man den Gummi?
Wofür braucht man das (Kunst-)Leder?

Beispiel: Wo**für** braucht man die Baumwolle? Man braucht die Baumwolle **für** den Schnürsenkel.

2) Jetzt umgekehrt: Woraus stellt man was her?

Beispiel: Wor**aus** stellt man die Zwischensohle her? → Die Zwischensohle stellt man **aus** dem EVA-Schaum her.

173   Transportwege

Beschreiben Sie mit einer anderen Person die Transportwege und Transportmittel für diese vier Situationen. (Versuchen Sie, die kürzesten Distanzen zu wählen.):

Situation 1:   Man will Schuhe aus Kunstleder und Gummi in Australien verkaufen.
Situation 2:   Man will Schuhe aus Gummi, EVA-Schaum und Polyester in Afrika verkaufen.
Situation 3:   Man will Schuhe aus Leder und Baumwolle in den USA verkaufen.
Situation 4:   Man will Schuhe aus Polyester und Kunstleder in Deutschland verkaufen.

Transportmittel:
die Bahn
das Schiff
das Flugzeug
der Lastwagen

Beispiel: Man will Schuhe aus Baumwolle und Leder in Südamerika verkaufen.
1)   Die Firma kauft Baumwolle in Indien und Leder in China.
2)   Die Baumwolle kommt mit der Bahn zur Produktion in China.
3)   Das Leder kommt auch mit der Bahn aus China.
4)   Die Arbeiter*innen in China machen die Schuhe.
5)   Die Schuhe kommen mit der Bahn und dem Schiff nach Südamerika.

174   Jeopardy

Spielen Sie Jeopardy in Teams. Jedes Team schreibt fünf Stichworte auf. Jedes Team sagt der Reihe nach ein Stichwort. Die anderen Teams formulieren eine Frage mit wo-. Wer schneller ist, bekommt einen Punkt.

Beispiel: Team 1: „Bangladesch" – Team 2 oder 3: „Woher kommt Gummi?"
Team 2: „EVA-Schaum" – Team 1 oder 3: „Woraus stellt man die Zwischensohle her?"

175 Koloniale Handelswege

Selektives Lesen: Lesen Sie den Text und zeichnen Sie die Handelswege in die Karte unten ein. Welche Produkte transportiert man aus welcher Region in welche Region?

Die Epoche des neuzeitlichen Kolonialismus begann Ende des 15. Jahrhunderts und reichte bis in die erste Hälfte des 20. Jahrhunderts. Im 16. Jahrhundert wollten Europäer Rohstoffe[1], Gold, Gewürze[2] und Farbstoffe haben. Die lokalen Ressourcen waren nicht genug und die Waren von Zwischenhändlern[3] wie dem Osmanischen Reich zu kaufen, war teuer. Kaufleute schlossen sich zu Handelsgesellschaften zusammen und finanzierten ebenso wie Könige und Adelige die Fahrten in die neue Welt. So entstand ein globales Handelsnetz, das Europa durch Ausbeutung[4] reich machte.

Aus Kenia wurden Elfenbein[5] und Gold nach Thailand und über Südafrika mit dem Schiff nach Europa transportiert. Gewürze kamen vor allem aus Asien: Pfeffer zum Beispiel wurde aus Vietnam, China, Malaysia, Indonesien und Sri Lanka importiert. Der transatlantische Dreieckshandel verband Europa, Afrika und Nordamerika. Die europäischen Kolonialmächte brachten Waffen[6], Textilien, Pferde, Silber und Manufakturwaren nach Afrika. Die Kolonialisten sahen auch afrikanische Menschen als Ware und versklavten[7] Menschen in Afrika, die sie in Amerika verkauften. Aus den amerikanischen Kolonien brachten die europäischen Kaufleute Rohstoffe wie Tee, Kaffee, Zucker, Baumwolle[8], Tabak und Edelmetalle[9] zurück nach Europa. In Europa wurden dann die Lebensmittel in sogenannten Kolonialwarenläden verkauft.

[1] der Rohstoff – *raw material*
[2] das Gewürze – *spice*
[3] der Zwischenhändler – *middleman*
[4] die Ausbeutung – *exploitation*
[5] das Elfenbein – *ivory*
[6] die Waffe – *weapon*
[7] der Sklave – *slave* (versklaven – *to enslave*)
[8] die Baumwolle – *cotton*
[9] das Edelmetall – *precious metal*

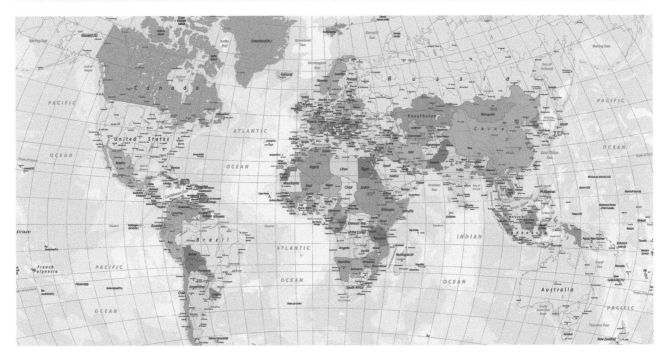

176 Gleich und anders: Handelswege damals und heute

Vergleichen Sie die Karte der kolonialen Handelswege mit der „Schuh"-Karte aus Einheit 55. Sprechen Sie mit einer anderen Person: Was ist anders und was ist gleich?

Diese Fragen helfen Ihnen:
Woher kommen die Rohstoffe? Wo findet die Produktion statt? Womit kommen die Rohstoffe zur Produktion?

177 Die Banane und ihr Weg zu uns

1) Raten Sie: Wer verdient wie viel Geld mit einer Banane?

Wenn eine Banane einen Euro kosten würde:

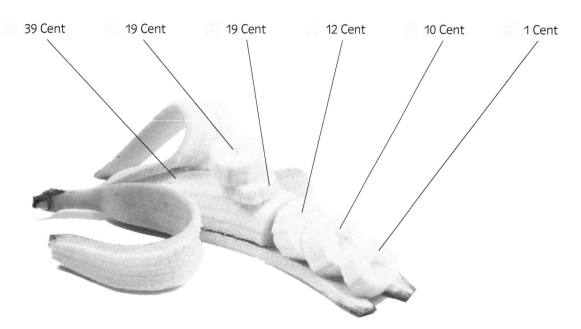

| 39 Cent | 19 Cent | 19 Cent | 12 Cent | 10 Cent | 1 Cent |

1) Lohn Plantagenarbeiter*innen   2) Plantagenbesitzer*innen   3) Transport zum Hafen, Schiff

4) Zoll (*tariff*)   5) Importeur, Großhandel   6) Einzelhandel/Supermarkt

2) Hören Sie zu. Haben Sie richtig geraten?

3) Ist das System fair? Wie könnte es fairer sein?

178 Fairtrade

1) Recherchieren und berichten Sie dann im Kurs:

Wie funktioniert Fairtrade?
Wer verdient wie viel bei Fairtrade?

2) Überlegen Sie dann:

Welche Probleme gibt es mit Fairtrade?
Warum kaufen wir nicht immer Fairtrade?

179 Plastik: Was ist das eigentlich?

Viele Produkte in unserem Leben sind aus Plastik (Zahnbürste, Wasserflasche, Wecker, etc.). Aber was ist Plastik eigentlich? Unten sehen Sie die wichtigsten Schritte zur Produktion von Plastik.

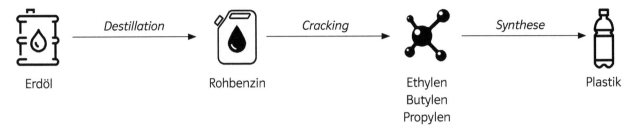

Erdöl — Destillation → Rohbenzin — Cracking → Ethylen Butylen Propylen — Synthese → Plastik

Zu zweit: Basierend auf dem Diagramm oben füllen Sie die Lücken in dem Text mit Wörtern aus der Box.

Rohbenzin | destillieren | Ethylen | Plastik (2x) | Synthese | Butylen | Cracking | Propylen

Herstellung von Plastik

Schritt 1: Zuerst muss man Erdöl _____, um _____ zu bekommen.

Dieses Material ist wichtig für die Produktion von _____.

Schritt 2: Dann muss man das Rohbenzin zu _____, _____,

_____ und anderen Kohlenwasserstoff-Verbindungen durch _____

aufsplitten.

Schritt 3: Durch _____ (Polymerisation, Polykondensation oder Polyaddition) kann man

dann Kunststoff (_____) herstellen.

180 Mikroplastikpartikel in Wasserflaschen

Forscher*innen an der State University of New York haben gefragt: Gibt es Mikroplastikpartikel im Wasser, das wir in Wasserflaschen kaufen? Sie haben 259 Flaschen von 11 Marken getestet. Unten sehen Sie die Ergebnisse für alle Flaschen, die die Tester in den USA gekauft haben. Beantworten Sie die Fragen zu zweit.

Marke	Kaufort	Mikroplastikpartikel-Dichte (pro Liter)		
		Durchschnitt	Minimum	Maximum
Aquafina (Plastikflasche)	amazon.com	252	42	1295
Dasani (Plastikflasche)	amazon.com	165	85	303
Evian (Plastikflasche)	Amazon.com	197	126	256
Evian (Plastikflasche)	Fredonia, NY	58,2	0	256
Gerolsteiner (Glasflasche)	Amazon.com	204	9	516
Gerolsteiner (Plastikflasche)	Fredonia, NY	1410	11	5106
Nestlé Pure Life (Plastikflasche)	Amazon.com	2277	51	10390
San Pellegrino (Plastikflasche)	amazon.com	30,3	0	74

Quelle: State University of New York at Fredonia

Bei welchem Wasser gibt es durchschnittlich und insgesamt die meisten Mikroplastikpartikel?
Welche Marke hat das Wasser mit den wenigsten Mikroplastikpartikeln im Durchschnitt und insgesamt?
Was denken Sie: Warum gibt es auch in Wasser in Glasflaschen Mikroplastik-Partikel?

1) Es gibt große Diskussionen über Plastikstrohhalme. Die EU überlegt sogar, die Strohhalme komplett zu verbieten. Umwelt-Aktivisten/Aktivistinnen unterstützen dieses Verbot. Es gibt aber auch viele Kontra-Argumente gegen das Verbot. Sie lesen nun zwei Texte, einer mit Pro- und einer mit Kontra-Argumenten für das Strohhalmverbot.

Text 1: Der letzte Strohhalm

[…] Dass nun der Strohhalm verboten werden soll, ist keine gute Lösung. Es gibt viele Menschen mit bestimmten Behinderungen[1], für die ein Strohhalm essentiell ist, um selbst zu trinken. Entweder, weil sie ihre Arme nicht bewegen können oder vom Hals an abwärts gelähmt[2] sind, weil sie an Parkinson erkrankt sind, ihre Hände nicht ruhig sind oder sie eine Spastik haben. Ohne Strohhalm können sie das Getränk nicht trinken. So ein einfacher Gegenstand wie ein Strohhalm bedeutet für diese Menschen Selbstbestimmung[3] – sonst könnten sie nicht ohne Hilfe trinken. Wer jetzt nach umweltfreundlichen Alternativen ruft, wird schnell merken, dass diese keine wirkliche Optionen sind. Metallstrohhalme sind nicht flexibel. Sie kommen auch mit einem Allergierisiko oder sogar einer Verletzungsgefahr. Denn wenn jemand eine Spastik hat, schneidet er sich daran den Mund auf oder macht sich einen Zahn kaputt. Wie gefährlich Halme aus Glas sind, muss man sicher nicht erklären. Bambus ist ebenfalls unflexibel und zudem sehr teuer. Silikon wird schnell unhygienisch. Und was ist mit Papier? Ebenfalls unflexibel.

Quelle: raul.de (vereinfacht)
[1]*disabilities* [2]*paralyzed* [3]*self-determination*

Fragen zu Text 1. Beantworten Sie die Fragen mit einer anderen Person im Kurs.

1. Für welche Personen sind Strohhalme essentiell?
2. Warum bedeuten Strohhalme für manche Menschen „Selbstbestimmung"?
3. Welche Probleme gibt es mit alternativen Strohhalmen?

Text 2: Plastikstrohhalme – Aus für die Killerhalme

Die Europäische Union will Strohhalme verbieten. Das klingt nach viel Arbeit, ist aber durch und durch vernünftig[1]. […] Alleine innerhalb der EU werden […] jedes Jahr 36,4 Milliarden Einwegstrohhalme (Einweg = Man kann etwas nur einmal benutzen.) benutzt und weggeworfen. Nicht alle landen im Müll. Das Umweltbundesamt[2] berichtet, dass auch an deutschen Stränden Strohhalme […] zum am häufigsten gefundenen Abfall gehören. Von den geschätzt bis zu 12,7 Millionen Tonnen Plastikmüll, die weltweit jährlich ins Meer kommen, sind Plastikstrohhalme nur eine kleiner Teil – aber ein Teil, den man leicht vermeiden kann. Trinken geht ja in den allermeisten Fällen auch ohne Halm ganz gut. […] Kommissionsvizepräsident Frans Timmermans möchte besonders gegen Einwegartikel wie den Plastikstrohhalm vorgehen – dieser werde „gerade mal fünf Minuten gebraucht. Aber es dauert 500 Jahre, bis das Material sich zersetzt[3] hat", sagte er im Januar in Straßburg.

Quelle: DIE ZEIT (vereinfacht)
[1]*reasonable* [2]*Federal Environment Agency* [3]*decomposed*

Fragen zu Text 2. Beantworten Sie die Fragen mit einer anderen Person im Kurs.

1. Warum will die EU ein Verbot von Strohhalmen aus Plastik? Sind Plastikstrohhalme ein großes Problem in der EU?
2. Strohhalme sind nur ein kleiner Teil von Plastikmüll. Was meint der Text mit „ein Teil, den man leicht vermeiden kann"?
3. Was ist für Frans Timmermans das größte Problem mit Strohhalmen aus Plastik?

2) Ein Tabelle mit Argumenten: Machen Sie mit einer anderen Person eine Tabelle.

a) Schreiben Sie auf der linken Seite alle „Pro-Strohhalmverbot" Argumente aus den Texten und rechts alle „Kontra-Strohhalmverbot" Argumente.
b) Können Sie andere Argumente finden? Wenn ja, schreiben Sie sie in die Tabelle.

182 Überall Plastik

Plastik sammeln! Was ist alles aus Plastik?

Hier im Seminarraum:

1.   *die Wasserflasche*   2. _____   3. _____

In Ihrem Zimmer:

4. _____   5. _____   6. _____

In der Küche:

7. _____   8. _____   9. _____

Im Badezimmer:

10. _____   11. _____   12. _____

In der Garage und im Keller:

13. _____   14. _____   15. _____

183 Mein Tag mit Plastik

Benutzen Sie Ihr Plastiktagebuch aus LERNEN und erzählen Sie von Ihrem Tag.

Beispiel: Mein Plastikwecker weckt mich um 7 Uhr. Dann gehe ich ins Badezimmer und putze mir mit meiner Plastikzahnbürste die Zähne. In der Dusche steht meine Plastikflasche Shampoo und liegt mein Plastikrasierer …

184 Was kann man damit machen?

Sie haben in den Aktivitäten 182 und 183 viele Objekte aus Plastik gesammelt. Beschreiben Sie, was man mit den Objekten machen kann und eine andere Person rät, welches Objekt es sein kann.

Beispiel:
Nicole: Daraus kann man trinken.
Niko: Meinst du die Wasserflasche?
Nicole: Ja, aus der Wasserflasche kann man trinken.

Niko: Damit wache ich auf.
Nicole: Meinst du den Plastikwecker?
Niko: Ja, mit dem Plastikwecker wache ich auf.

185 **Andere Verpackungsmaterialien**

Es gibt viele Verpackungsmaterialien. Ordnen Sie die Verpackungen und Materialien den Produkten zu.

Verpackungen: Flasche, Becher, Beutel, Dose, Karton, Kiste, Päckchen, Packung, Schachtel, Sack, Tube, Tüte
Materialien: Plastik, Pappe, Papier, Glas, Metall

Kaffee: *Packung aus Papier und Plastik, Dose aus Metall,* _____

Wasser: _____

Chips: _____

Zahnpasta: _____

Orangensaft: _____

Tomaten: _____

Suppe: _____

Cornflakes: _____

Zucker: _____

Eier: _____

186 **Alternativen für Plastik**

1) Es geht auch anders! Fragen Sie eine andere Person im Kurs und sortieren Sie Objekte aus Aktivität 182 und Ihrem Tagebuch in die Tabelle unten.

Nele: Brauchst du eine Wasserflasche?
Benny: Ja, ich brauche eine Wasserflasche, aber keine aus Plastik.

Nele: Kann man die Wasserflasche recyceln?
Benny: Ja, man kann sie recyceln.

Nele: Gibt es dafür Alternativen?
Benny: Ja, man kann sie mit einer Wasserflasche aus Metall oder Glas ersetzen.

Das braucht man: *die Wasserflasche* _____

_____

Das braucht man nicht: _____

_____

Das kann man recyceln: *die Wasserflasche* _____

_____

Dafür gibt es Alternativen: *Glasflasche ersetzt Plastikflasche,* _____

_____

Dafür gibt es keine Alternativen: _____

_____

2) Fragen Sie drei Personen und machen Sie Notizen:

Fällt es dir leicht, Alternativen zu finden? (leicht/nicht leicht) Ist es dir wichtig, Alternativen zu finden? (+ sehr wichtig/wichtig/recht wichtig; ~ egal; – nicht so wichtig/nicht wichtig)

3) Ihr*e Professor*in fragt: Was denkt Person A? Antwort: Ihm/ihr fällt es _____

Ihm/ihr ist es _____

187 **Kreative Verpackungen**

Wie entscheiden wir, was wir kaufen? Clevere Verpackungen sind ein wichtiger Teil von Kaufentscheidungen. Hier sehen Sie Produkte mit kreativen Verpackungen.

Hanteln

Honig-Bienen

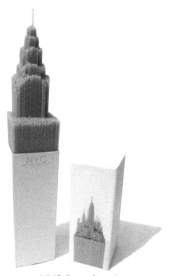

NYC Spaghetti

1) Zu zweit: Sprechen Sie mit Ihrer/Ihrem Partner*in und sagen Sie, wie Ihnen die Produkte gefallen.

Beispiel:

Antonia: Wie gefallen dir die Honigbienen?

Rex: Die Honigbienen gefallen mir sehr gut. Es ist eine clevere Marketingidee. Und der Hanteln Energy-Drink. Wie gefällt er dir?

Antonia: Der Hanteln Energy-Drink gefällt mir gar nicht. Das Verpackungsdesign ist zu langweilig.

2) Eine Mini-Umfrage im Kurs. Wir teilen den Kurs in drei Gruppen. Jede Gruppe bekommt ein Produkt. Fragen Sie alle Studierende im Kurs: „Gefallen dir _____ (Ihr Produkt)?" Es gibt vier Optionen:

a)   Das Produkt gefällt mir absolut nicht.

b)   Das Produkt gefällt mir ein bisschen.

c)   Das Produkt gefällt mir.

d)   Das Produkt gefällt mir sehr.

Machen Sie hinter den Optionen eine Strichliste und schreiben Sie am Ende auch die Prozente.

3) Präsentieren Sie als Gruppe Ihre Statistik für die anderen Studierenden im Kurs. Am Ende sollen alle Studierenden abstimmen, welche Verpackung ihnen am besten gefällt.

Hier sehen Sie eine Statistik von Innofact, die erfragt, welche Werbeslogans den Deutschen am besten gefallen.

Platz	Marke	Slogan	%
1	Toyota	Nichts ist unmöglich[1]	6,4
2	HB	Wer wird denn gleich in die Luft gehen	4,5
3	HARIBO	Haribo macht Kinder froh und Erwachsene ebenso	3,5
4	SATURN	Geiz[2] ist geil	2,4
5	Meister Proper	Meister Proper putzt so sauber, dass man sich drin spiegeln[3] kann	2,0
6	McDonalds	Ich liebe es	1,4
7	TWIX	Raider heißt jetzt Twix – sonst ändert sich nix[4]	1,4
8	Media Markt	Ich bin doch nicht blöd[5]	1,3
9	Audi	Vorsprung[6] durch Technik	1,1
10	VW	Das Auto	1,7

Quelle: Marktforschings-institut Innofact AG

[1]unmöglich – *impossible*   [2]der Geiz – *greed*   [3]spiegeln – *to mirror*   [4]der Name ist neu, der Rest nicht   [5]blöd – *stupid*   [6]der Vorsprung – *lead*

1) Zu zweit:

  a) Welche Slogans gefallen Ihnen gut?
  b) Welche Slogans gefallen Ihnen nicht?
  c) Welche Slogans repräsentieren das Produkt gut?
  d) Welches Produkt wollen Sie kaufen?

2) Gefällt Ihnen das Ranking? Wie ist Ihr persönliches Ranking der Slogans?

3) Kennen Sie andere effektive Slogans für deutsche oder amerikanische Produkte? Machen Sie eine Liste und vergleichen Sie Ihre Liste mit einer anderen Person im Kurs.

1) In Aktivität 188 haben Sie Werbeslogans für deutsche Produkte bewertet. Jetzt schreiben Sie Ihre eigenen zwei Slogans, entweder für ein existierendes oder ein neues, fiktives Produkt. Wichtig: In Ihrem Slogan müssen Sie ein Dativverb (aus der Box) benutzen. Schreiben Sie links den Produktnamen und rechts Ihren Slogan.

Beispiel:

Produktname   **Slogan**

KuchenKater   *KuchenKater:* **Schmeckt** *den Kindern, der Mutter und dem Vater!*

Produktname   **Slogan**

_____   _____

Dativverben

gehören
danken
gefallen
helfen
passen
schmecken

2) Slogan-Präsentation und Ranking: Alle Paare lesen Ihre Slogans. Dann stimmt der ganze Kurs ab, welcher Slogan den Studierenden am besten gefällt. Schreiben Sie das Ranking an die Tafel.

190 **Musik-Ecke: „Leichtes Gepäck"**

Silbermond

Leichtes Gepäck (2015)

Silbermond ist eine deutsche Pop-Rock-Band. Sie wurde 1998 in Bautzen gegründet. Bautzen liegt in Sachsen. Erst sang die Band Lieder auf Englisch, seit 2001 singen sie aber auf Deutsch. Ihr fünftes Album „Leichtes Gepäck" nahmen sie 2015 in Nashville, Tennessee auf. Die Sängerin von Silbermond heißt Stefanie Kloß. Die anderen Mitglieder, Johannes und Thomas Stolle und Andreas Nowak, spielen Gitarre, Bass und Schlagzeug.

1) Ein Heißluftballon wirft „Ballast" ab, um höher zu steigen. Sprechen Sie darüber – welchen (metaphorischen) Ballast gibt es im Leben von Menschen?

2) Auf Englisch sagt man *„to declutter"*, wenn man Dinge, die man nicht braucht, wegwirft. Auf Deutsch sagt man „entrümpeln" oder „ausmisten". Denken Sie darüber nach und dann sprechen Sie mit einer kleinen Gruppe: Wenn Sie ausmisten, was werfen Sie weg?

3) Silbermond singt „Es reist sich leichter mit leichtem Gepäck" (*One travels better with light luggage*). Diskutieren Sie: Was meinen Sie dazu?

4) Hören Sie jetzt das Lied und notieren Sie: Was mistet die Sängerin im Lied aus?

5) Achten Sie auf die folgenden Wörter mit Plosiven: Sind die Plosive weich oder hart? Und welche hören Sie im Lied?

Gebäck – Gepäck	weg – der Weg – Wege
Tag – Tages	leben – lebt
leichtem – leider	bleiben – bleib

191 **Müll vermeiden**

Null Müll — Sechs Regeln: Überlegen Sie erst, was die Wörter bedeuten. Dann finden Sie mit Ihrer/Ihrem Partner*in mehr Beispiele.

1. vermeiden
   Beispiel: Ich kaufe mir keinen zweiten Mantel.

2. reduzieren
   Beispiel: Ich brauche keinen neuen Mantel, ich kaufe mir einen im Second-Hand-Shop.

3. wiederverwenden
   Beispiel: Ich nehme mir beim Einkaufen immer eine Stofftasche mit.

Zero-Waste: Tipps zur Müllvermeidung

4. reparieren
   Beispiel: Die Autowerkstatt repariert für mich mein Auto. Die kaputte Lampe kann ich auch selbst reparieren.

5. recyceln
   Beispiel: Wir kaufen uns nur Dinge in Verpackungen, die man recyceln kann.

6. kompostieren
   Beispiel: Wir haben keinen Garten, aber wir lassen uns von der Stadt eine Biomülltonne geben.

Müllregeln in Aktion

1) **Zu zweit: Auf den Bildern sehen Sie ein Reparier-Café (1), einen Second-Hand-Laden (2), einen Komposthaufen (3) und einen Laden ohne Verpackungen (4). Schreiben Sie die Zahlen (1-4) zu den richtigen Bildern.**

2) **Beschreiben Sie, was man auf den Bildern sieht und was an diesen Orten passiert.**

3) **Dann diskutieren Sie: Kennen Sie das, ist Ihnen das neu? Welche Vor- und Nachteile gibt es? Zu welchen „Müll-Regeln" von 191 passen die Orte?**

Unverpackt in Berlin

Neuer „Unverpackt"-Laden in Prenzlauer Berg

Das fühlte sich falsch an. Während ihres Studiums jobbten Sima Kaviani und Christiane Sieg in Bioläden. Und schnell wurden sie es leid, alle Produkte vor dem Einsortieren aus drei, vier Plastikverpackungen zu nehmen. Damit traf Kaviani, die im Iran geboren ist und in Sachsen-Anhalt Biotechnologie studiert hat, jedoch in ihrem Umfeld auf wenig Verständnis[1]. Während sie für ihre Wohngemeinschaft frisches Essen kochte, backte ihre Mitbewohnerin weiter zu Oetker-Kuchen und kochte Fertigsuppen. Bis sie vor drei Jahren in Berlin auf Christiane Sieg traf, die aus Cottbus kommt und Biologie studiert hat.

Beide hatten ähnliche Ideen, zusammen begannen sie, ein Projekt zu entwickeln. Sie schafften es, einen Kredit aufzunehmen und über Crowd-Funding und Spenden[2] knapp 10.000 Euro zu sammeln. Seit Dezember 2017 ist ihr Geschäft „Der Sache wegen" in der Lychener Straße im Prenzlauer Berg geöffnet – eine Art Anti-Supermarkt. Da hatte bereits Milena Glimbovski Pionierarbeit geleistet[3] und 2014 ihren plastikfreien Supermarkt „Original Unverpackt" in der Wiener Straße in Kreuzberg eröffnet. Sima Kaviani und Christiane Sieg geht es allerdings nicht nur darum, ihre Waren ohne Einwegverpackungen anzubieten. Alle ihre Produkte sollen zudem auch palmöl- und möglichst zuckerfrei, fair gehandelt, bio, regional sowie vegan sein.

Quelle: tagesspiegel.de (vereinfacht)

[1] das Verständis – *understanding*   [2] die Spende – *donation*   [3] Pionierarbeit leisten – *to pioneer*

1) **Lesen Sie den Text und beantworten Sie die Fragen:**

   a)   Wie heißen die beiden „Unverpackt"-Läden in Berlin? Wo sind sie?
   b)   Welche Informationen haben Sie über die Gründerinnen?
   c)   Warum haben die Gründerinnen diese Läden eröffnet?

2) **Wie finden Sie die „unverpackt" Idee? Was sind die Vorteile? Und die Nachteile? Würden Sie in einem Unverpackt-Laden einkaufen, auch wenn es etwas teurer wäre?**

194 So leben Berlins Flaschensammler°innen

1) Was meinen Sie: Was bedeutet Flaschensammler?

2) Für Pfandflaschen kann man in Deutschland zwischen € 0,05 (Bierflasche aus Glas) und € 0,25 (Mehrweg-Plastikflasche) bekommen. Lesen Sie den Text über Klaus Ihle, einen Flaschensammler aus Berlin.

Klaus Peter Ihle ist 45 Jahre alt und arbeitet ein bisschen bei einer Tischlerei. Mit den Flaschen verdient er am Tag € 1,20 zusätzlich. Er sammelt die Flaschen am liebsten bei einem Fußballstadion (Stadion an der alten Försterei, Verein: Union Berlin (2. Liga)) freitagabends nach einem Spiel. Die Fußballfans geben den Sammlern gerne direkt am Ausgang der U-Bahnhaltestelle ihre Flaschen. Aber es gibt viel Konkurrenz um die besten Plätze und man muss schnell sein. Wenn Herr Ihle arbeitslos ist, strukturiert das Flaschensammeln seinen Tag. Mit dem Geld kann er sich manchmal sogar Luxusartikel kaufen. Sein Traum ist, so viel Geld zu sammeln, dass er ein Haus für Menschen ohne Wohnung bauen kann.

Quelle: tagesspiegel.de

3) Zu Zweit: Lesen Sie den Text noch einmal und beantworten Sie die Fragen:

Wie viel verdient Herr Ihle pro Tag mit den Flaschen? Wie viel verdient er im Jahr?
Was ist sein Traum? Ist der Traum realistisch?

4) Der Artikel basiert auf einem Interview. Rekonstruieren Sie die Fragen (mindestens 8):

Wie alt sind Sie? Wo arbeiten Sie? _____

_____

_____

5) Ein Reporter hat zwei andere Personen interviewt. Spielen Sie das Interview mit einer/zwei Person/en im Kurs.

Interview-Notizen:
Name: Heiko Auerbach und seine Freundin Janina Sprüngler
Alter: 21, 23
Beruf: keiner (1.Lehrjahr Industriekaufmann)
Tageseinnahme: € 3
Sammelplatz: Oranienstraße
Höchster Tagesverdienst: € 22,50
(nach dem Karneval der Kulturen für 150 Club Mate-Flaschen)
Problem für die Freundin: Scham und Dreck
Was Herrn Auerbach motiviert: aus Müll Geld machen

Beispiel:

Reporter:	Wie heißen Sie?
Nils:	Ich heiße Heiko Auerbach und meine Freundin heißt Janina Sprüngler.
Reporter:	Wie alt sind sie?
Nils:	Ich bin 21 und Janina ist 23 Jahre alt.
Reporter:	...

6) Schreiben Sie das Interview als Fragen und Antworten und dann als Text wie oben. Nehmen Sie sich etwas Fantasie und bringen Sie zusätzliche Details in den Text. (Wie sieht es in der Wohnung aus? Was macht die Freundin, wenn Herr Auerbach in einen Mülleimer auf der Straße greift?)

_____

_____

_____

_____

_____

_____

195 Wie eine Deutsche die Ozeane retten will

1) Arbeiten Sie mit einer anderen Person. Die eine Person liest den ersten Abschnitt, die andere den zweiten. Hören Sie gut zu! Immer wenn Sie eine Präposition hören, sagen Sie „Stopp!" Analysieren Sie dann die Präposition: Dativ, Akkusativ, Wechselpräposition (entweder Dativ oder Akkusativ)?

Die Architektin Marcella Hansch will den Plastikmüll aus dem Atlantik und Pazifik fischen und aus dem Plastik dann Energie gewinnen. Dass die Weltmeere von den Stränden bis in die Tiefsee voll mit Plastikmüll sind, macht sie wütend. „Wir dürfen die Natur nicht weiter kaputt machen", sagt sie. Aber Protest ist für sie nicht genug. Sie will etwas gegen den Müll machen und sie hat auch einen Plan. Plattformen im Meer, so groß wie Kreuzfahrtschiffe, sollen den Plastikmüll aus dem Meer fischen. Aber das ist nicht alles: Die Plattformen machen aus dem Müll Wasserstoff und Kohlendioxid. Brennstoffzellen machen aus dem Wasserstoff Strom und Wärme. Das Kohlendioxid füttert Algen. Aus Algen kann man biologisch abbaubare Kunststoffe machen. Frau Hansch hat auch schon Geld für dieses Projekt.

Frau Hansch ist auf dem Land groß geworden und hat die Natur gern. Und in ihrem Architekturstudium hat sie schon immer nach Alternativen gesucht. Die Idee mit dem Plastik hatte sie beim Tauchurlaub. Zwischen Hawaii und Nordamerika schwimmt eine Insel aus Plastik, die zweimal so groß wie Deutschland ist. Für so große Massen Müll braucht man auch ein großes Projekt. Die Plattform ist 400 m lang und 400 m breit. Im Computermodell funktioniert sie. Frau Hanschs Team hat Hydrologen, Bau- und Umwelttechniker, Geographen, Maschinenbauer und Materialexperten. Ihr Konzept kommt auch bei der Industrie gut an. Der erste Test soll im Rhein sein.

Quelle: wiwo.de (gekürzt und vereinfacht)

2) Lesen Sie den Text noch einmal. Was ist richtig und was ist falsch?

Frau Hansch ist Meeresforscherin.	R	F
Die Plattform ist größer als ein Fußballfeld.	R	F
Brennstoffzellen brauchen Wasserstoff.	R	F
Mit Kohlendioxid wachsen Algen besser.	R	F
Frau Hansch hat kein Geld.	R	F
Frau Hansch kommt aus der Stadt.	R	F
Frau Hansch kann tauchen.	R	F
Materialexperten sind gegen dieses Projekt.	R	F
Die Industrie findet Frau Hanschs Idee gut.	R	F
Nordamerika bringt seinen Plastikmüll nach Hawaii.	R	F
Der Test im Rhein hat nicht funktioniert.	R	F

196 Empfehlungen zur Müllvermeidung

1) Im Alltag produzieren wir oft viel Müll. Aber es gibt auch Alternativen zu Einwegprodukten (Produkte, die man nur einmal benutzen kann). Zu zweit: Schreiben Sie Sätze wie in dem Beispiel. Was können Sie den Personen empfehlen, um umweltfreundlicher zu sein?

Marko
Jetzt: Plastikflaschen
Empfehlung: Glasflaschen

Hilfreiche Vokabeln:
wiederverwendbar *(reusable)*; erneuerbar *(renewable)*; nachhaltig *(sustainable)*; besser/ stabiler/praktischer

Nele
Jetzt: Plastiktaschen
Empfehlung: Stofftaschen

Sia
Jetzt: Baden
Empfehlung: Duschen

Murat
Jetzt: Auto
Empfehlung: Fahrrad

Lea
Jetzt: Flugzeug
Empfehlung: Zug

Beispiel: Marko kauft immer _____, aber wir empfehlen ihm _____.

_____ sind besser/umweltfreundlicher/…, weil sie _____ (Verb).

2) Und Sie? Wie können Sie Müllproduktion vermeiden? Machen Sie eine Liste mit nicht-umweltfreundlichen Dingen in Ihrem Leben. Ein andere Person soll Ihnen bessere Optionen empfehlen.

Beispiel: Liste: Kaffee im To-Go-Becher Empfehlung: Ich empfehle dir einen Metall-Kaffeebecher.

197 Haushaltsmüll in Deutschland: Eine Statistik

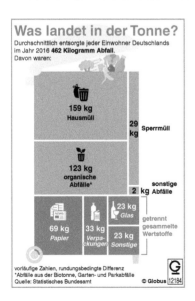

Fragen zum Diagramm:

1. Wie viel Kilogramm Hausmüll produzierten Deutsche pro Person im Jahr 2016?

   _____

2. Rechnen Sie: Wie viel Prozent waren pro Person organische Abfälle?

   _____

3. Rechnen Sie: Wie viel Prozent mehr Verpackungen als Sperrmüll gab es?

   _____

4. Welche Kategorie war die größte und mit wie viel Kilogramm? Wie viel Prozent ist das vom Gesamtabfall?

   _____

1) Müll will man normalerweise nicht im Haus haben. Aber ein Haus aus Müll? Ein Forscher in Großbritannien hat das Waste House als Experiment gebaut. Lesen Sie den Text und beantworten Sie die Fragen.

Auf dem Campus der University of Brighton hat Architekt Duncan Baker-Brown zusammen mit Studenten ein Haus aus Dingen gebaut, die für andere Müll sind – zum Beispiel 20.000 Zahnbürsten und 4.000 VHS-Kassetten. […] The Guardian gab dem Projekt, das seit Juni fertig ist, den Namen Waste House. Es ist das erste Waste House in Großbritannien, und auch europaweit gibt es wenig Vergleichbares. […] Seine Intention war es, zum einen ein Bewusstsein[1] dafür zu schaffen, was wir täglich in den Müll werfen und wie viel davon noch genutzt werden kann. […]

Die Baumaterialien für das Haus waren günstig oder haben gar nichts gekostet. Die Kosten des Waste House waren aber fast so hoch wie für einen normalen Neubau. Warum? Die Kosten für das Personal. Man brauchte Arbeitsstunden, um geeignetes[2] Material zu suchen. Das nächste Mal würde Baker-Brown zuerst den Müll sammeln und dann das Haus planen.

Quelle: dear-magazin.de (vereinfacht)

[1] awareness   [2] suitable, appropriate, fitting

Fragen: Richtig (R) oder Falsch (F)? Wenn der Satz falsch ist, sagen Sie die richtige Antwort.

1. Vor dem Waste House gab es in Europa mehrere Projekte mit Häusern aus Müll.   R   F

2. Die Intention mit dem Waste House ist, zu zeigen, dass man Müll sinnvoll nutzen kann.   R   F

3. Das Waste House hat viel weniger Geld gekostet als ein konventionelles Haus.   R   F

4. Baker-Brown möchte mit dem gleichen Plan ein neues Waste House bauen.   R   F

2) Was können Sie aus Ihrem Müll machen?

Zu Hause haben Sie eine Liste von Müll in Ihrem Zimmer/in Ihrer Wohnung gemacht. Vergleichen Sie Ihre Liste mit einer anderen Person. Finden Sie Ideen, was Sie mit Ihrem Müll machen könnten. Benutzen Sie mit + Dativ.

Zeitungen

_____

Beispiel:
Nele: Was kann ich mit den Zeitungen machen?

Hauke: Hmm, mit den Zeitungen kannst du deine Bücher einbinden.

1) Zu zweit: Beschreiben Sie das Foto. Was trägt die Person? Welchen Müll können Sie sehen?

2) Zu zweit: Lesen Sie den Text. Was ist das Ziel des Fotografen?

Gregg Segal lebt in Kalifornien und will wissen, wie viel Müll Leute in Kalifornien in sieben Tagen produzieren. Er macht dann Fotos von den Menschen, die im eigenen Müll liegen. Er macht alle Fotos in seinem Garten und bringt Sand für einen „Strand", Erde und Gras für einen „Wald" und Wasser für einen kleinen „See". Die Leute bringen ihren Müll und legen sich mit ihrem Müll aus der letzten Woche auf den „Strand", auf den „Waldboden" oder in den „Wassergraben" und er fotografiert sie. Mit seinen Fotos will er, dass Leute über den Müll in Amerika reflektieren.

63: MÜLLTRENNUNG

200 **Was gehört wohin?**

1) Zu zweit: Schauen Sie sich an, wie die Stadt Ulm den Müll trennt. Person 1 sortiert die Produkte auf der linken Seite, Person 2 sortiert die Produkte auf der rechten Seite.

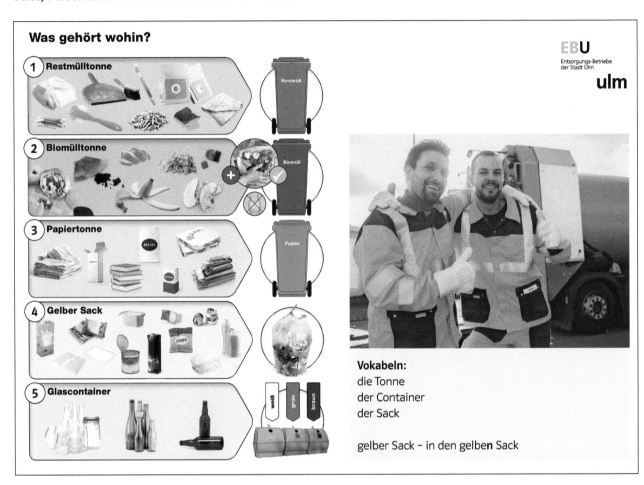

Was gehört wohin?

EB**U**
Entsorgungs-Betriebe
der Stadt Ulm

ulm

1 Restmülltonne

2 Biomülltonne

3 Papiertonne

4 Gelber Sack

5 Glascontainer

Vokabeln:
die Tonne
der Container
der Sack

gelber Sack – in den gelben Sack

Person 1 hat die folgenden Produkte:

____ die Wattestäbchen[1] (pl.)   ____ das Buch

____ die Essensreste (pl.)   ____ die alte Zahnbürste

____ das Marmeladenglas   ____ der Kaffeefilter

____ die Mehltüte   ____ die Suppendosen (pl.)

____ die Bananenschale   ____ der Milchkarton

Person 2 hat die folgenden Produkte:

____ die Coladose   ____ die Zeitung

____ die Orangenschalen (pl.)   ____ das alte Brot

____ der Plastikcontainer   ____ der Saftkarton

____ die Zigarettenkippe[3]   ____ die Windeln[4] (pl.)

____ der Teebeutel   ____ die Bierflasche

[1]das Wattestäbchen – *cotton swab*   [2]die Mehltüte – *bag of flour*   [3]die Zigarettenkippe – *cigarette butt*   [4]die Windel – *diaper*

2) Fragen Sie Ihre*n Partner*in nach den anderen Informationen.

Lieselotte:	Wohin gehören die Wattestäbchen?
Kurt:	Die Wattestäbchen gehören in die Restmülltonne.
	Wohin gehört die Coladose?
Lieselotte:	Die Coladose gehört in den gelben Sack.

1) Lesen Sie den Brief, unterstreichen Sie alle Dativformen (Nomen mit Artikel und Pronomen), kreisen Sie die reflexiven Verben (Akkusativ und Dativ) ein und schreiben Sie sie rechts hin.

Liebe Nachbarn,

ich schreibe <u>Ihnen</u> heute, weil ich mich über den Müll (ärgere.) Sie werfen viel zu viel Müll in die Resttonne und deshalb ist sie immer voll. Merken Sie sich doch bitte, was in welche Tonne gehört. Ich erkläre es Ihnen gerne nochmal: Plastik gehört in den gelben Sack und Essensreste werfen Sie bitte in die Biotonne. Vielleicht können Sie sich vorstellen, dass ich mich nicht darüber freue, wenn ich unseren Müll nicht wegwerfen kann. Manchmal stehen auch Glasflaschen vor der Tür. Machen Sie sich doch einen Plan, wann Sie am besten die Flaschen zum Container bringen. Dann müssen wir uns alle nicht ärgern. Ich bin mir sicher, dass Sie das können, wenn Sie sich ein bisschen Mühe geben.

Viele Grüße
Ihr Nachbar

Reflexivverben

mit Akkusativ:	mit Dativ:
sich ärgern	_____
_____	_____
_____	_____
_____	_____
_____	

2) Beantworten Sie die Fragen:

1. Was ist das Problem von dem Nachbarn?
2. Was sollen Sie machen, sagt der Nachbar?
3. Ist der Ton freundlich oder unfreundlich? (Markieren Sie Sätze, die freundlich und unfreundlich klingen.)

3) Jetzt schreiben Sie einen Antwortbrief.

Entscheiden Sie: freundlich oder unfreundlich. Benutzen Sie möglichst viele der folgenden Verben: sich merken, sich vorstellen, sich sicher sein, danken, antworten, glauben, helfen.

Mehr

Auf www.klett-usa.com/impuls1links finden Sie einen Link mit interessanten Notizen.

---

202 Video-Ecke: Mahdi erzählt über Afghanistans Exporte.

In diesem Video spricht Mahdi über die Wirtschaft und Exporte von Afghanistan. Er erzählt auch, in welchen Berufsfeldern die meisten Menschen arbeiten.

Fragen: Richtig (R) oder Falsch (F)? Wenn der Satz falsch ist, schreiben Sie die richtige Antwort.

1. Sehr wichtig für den Export in Afghanistan sind Tee und Baumwolle (*cotton*). R F

   _____

2. Die meisten Leute in Afghanistan arbeiten als Bauern oder Bauarbeiter. R F

   _____

3. Viele Junge Menschen in Afghanistan arbeiten in IT-Berufen. R F

   _____

4. Jüngere Menschen in Afghanistan haben kein Interesse an Dingen wie Smartphones. R F

   _____

64: Projekt 5 – Ein Marketingkonzept°

203 **Unverpackt: Ein Marketingkonzept erstellen**

Wie macht man Werbung für ein Produkt ohne Verpackung? Das ist Ihr Projekt. Machen Sie ein Marketing-Konzept oder eine Werbekampagne für ein Produkt von den Unverpackt-Läden! Sehen Sie noch einmal 59 und 60 in **MACHEN** an und planen Sie die Werbekampagne. Sie können zum Beispiel ein Poster erstellen, eine Power Point Präsentation, einen Kurzfilm, oder …

Denken Sie an diese Aspekte:

1. Was ist die große Idee hinter Ihrem Produkt (= keine Verpackung)?
2. Was versprechen Sie den Kundinnen und Kunden?
3. Was ist Ihr Slogan oder Ihre Tagline? (Die kommt in allen Teilen der Kampagne immer wieder.)
4. Wer ist Ihre Zielgruppe (*target audience*)?
5. Wie machen Sie „Branding," wie erkennt der Kunde in allen Teilen der Kampagne immer sofort, dass es Ihr Produkt ist?
6. Welche Motivation hat der Kunde (z. B. ein Bonussystem wie bei den Fluglinien)?

Hier sind ein paar Ideen:

1. Die Idee: Nichts = Mehr
2. Sie machen etwas für die Umwelt, aber es macht keine Arbeit.
3. Schon das Wort „packen" bringt fast endlose Variationen: anpacken (*get going!*), auspacken, Zweier-/Dreier-/…-Pack
4. Das Wort „packen" muss im Konzept sicher eine Rolle spielen.
5. Alle machen sicher nicht mit, aber wen wollen Sie überzeugen (*convince*)?
6. Am besten ist immer eine Kombination von einem Bild oder Symbol mit der Tagline.

Lassen Sie sich von den Bildern inspirieren. Hier hat die Natur schon ihre „Produkte" gut verpackt oder ausgepackt!

WIE WAR ES DAMALS?:
KINDHEIT IM WANDEL DER ZEIT

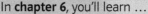

In **chapter 6**, you'll learn ...

- to express what kind of toys and stuffed animals you played with as a child.
- to identify different German animal sounds and compare them to animal sounds in your own language(s).
- to interview others about their favorite children's books and talk about yours as well.
- to bring plot elements of fictional stories into the correct order, answer questions about them, and explain the plot in the past tense.
- to read an entire fairy tale.
- to plan a trip along the German Fairy Tale route, present your trip in class, and write a postcard based on it.
- to talk about your favorite board games, and research and talk about well-known German board games.
- to talk about your music preferences and ask others about theirs.
- about basic information about a set of well-known German children's and young adult books.
- about the main genre characteristics of Magic Realism, Fantasy, and Fairy Tales.
- about the cultural significance of the Poesiealbum (friendship book) in Germany, both today and historically.
- about the biography and cultural significance of the Grimm brothers.
- about German music artists from different genres and how music styles have changed over the last four decades.
- about toys that are used by German children of different generations.
- about different historical and modern fairy tale adaptations based on reading plot summaries and film posters.

65: ERZÄHL DOCH MAL VON FRÜHER

204 Christoph erzählt: Mein Spielzeug

🔊 **1) In LERNEN haben Sie die Familie Schmitz kennengelernt. Hören Sie jetzt ein Gespräch von Leyla mit ihrem Vater Christoph. Kreuzen Sie an, welches Spielzeug er hatte, als er ein Kind war.**

| der Teddybär | das Domino-Spiel | die Eisenbahn | das Jojo | die Wasserpistole | Leyla |

2) Hören Sie das Gespräch ein zweites Mal und kreuzen Sie an: Richtig oder falsch? Korrigieren Sie die falschen Sätze.

Christoph hat die Kiste im Keller gefunden.	R	F
Leyla findet, der Teddy sieht alt aus.	R	F
Christoph hat gerne mit Holzbausteinen gebaut.	R	F
Christoph hat im Sommer mit der Eisenbahn gespielt.	R	F
Meral hat nur mit Spielzeug aus der Türkei gespielt.	R	F

Vater Christoph

3) Detailverstehen: Hören Sie das Gespräch ein drittes Mal und beantworten Sie die Fragen.

1. Woher kommt der Monchhichi? _____

2. Auf welches Auto hat Christoph beim Quartett gewartet? _____

3. Welchen Ninja Turtle hat Christoph noch in der Kiste? _____

4. Was sind Yps-Hefte? _____

4) Sprechen Sie: Welches Spielzeug von Christoph finden Sie interessant? Warum?

205 Wiebkes Spielzeug aus den 60er Jahren

Sehen Sie sich die Bilder an und lesen Sie die kurzen Notizen von Wiebke. Dann erzählen Sie im Perfekt, was Wiebke mit den Spielsachen gemacht hat.

Beispiel: Wiebke hat schnell darauf (oder: auf den Brummkreisel) gedrückt. Der Kreisel hat sich gedreht.

Der Brummkreisel: Wiebke drückt schnell darauf. Der Kreisel dreht sich.

Das Schaukelpferd: Sie setzt sich darauf. Sie schaukelt damit.

Die Puppe: Sie näht Kleidung für sie. Sie füttert sie.

Der Kaufladen: Ihr Vater baut ihn. Sie kauft ein.

Oma Wiebke

1) Lesen Sie Leylas Email an Kristin. Ergänzen Sie die Sätze mit haben und sein im Präteritum und den Partizipien von den schwachen Verben.

Liebe Kristin,

Papa und ich haben heute über Spielzeug gesprochen. Papa hat _____, dass du in der DDR _____

hast. Kannst du mir etwas über deine Spielsachen erzählen? Ich interessiere mich sehr dafür, ob sie in

Ostdeutschland anders waren. Und hattest du auch ein Lieblingsspielzeug?

Mein Lieblingsspielzeug ist meine Puppe. Ich ziehe sie an und füttere sie und fahre sie im Puppenwagen spazieren.

Wenn das Wetter schön ist, spiele ich aber lieber draußen. Letzten Winter, als es _____ hat, bin ich ganz oft

mit dem Schlitten (*sled*) _____. Und im Sommer habe ich oft mit meinen Freunden und Freundinnen

Fußball _____. Wenn es aber _____ hat, sind wir lieber zu Hause geblieben. Einmal, als es _____

hat, haben wir eine Burg aus Stühlen und Decken _____. Das hat viel Spaß _____.

Ich freue mich auf deine Antwort.

Viele Grüße,

Leyla

| regnen (2x) | wohnen | rodeln (*sled*) | spielen |
| machen | bauen (*build*) | schneien | sagen |

2) Jetzt erzählen Sie von Ihrer Kindheit. Ergänzen Sie die Sätze und sagen Sie, was Sie regelmäßig (wenn) und zu einem spezifischen Zeitpunkt (als) gemacht haben.

Immer wenn es geregnet hat, habe ich …   Wenn es geschneit hat, …   Wenn das Wetter schön war, …

Einmal, als es geregnet hat, habe ich …   Einmal, als es geschneit hat, …   Einmal, als das Wetter schön war, …

---

207 Musik-Ecke: „Immer noch fühlen"

Revolverheld
Immer noch fühlen (2018)

Revolverheld ist eine deutsche Pop-Rock-Band aus Hamburg. Die Gruppe hieß erst „Manga" (2002), dann „Tsunamikiller" (2004). Seit dem Tsunami in Thailand im Dezember 2004 nennt sie sich „Revolverheld". Die erste Single, „Generation Rock", erschien 2005 und erreichte gleich die deutschen Charts. Die Mitglieder heißen Johannes Strate (Gesang und Gitarre), Kristoffer Hünecke (Gitarre), Niels Kristian Hansen (Gitarre) und Jakob Sinn (Schlagzeug). Die Band ist auch politisch aktiv. Sie parodierten und kritisierten Rassismus im Fußball mit ihrem Lied „Lass uns gehen" und traten 2018 im Hambacher Forst auf, um Demonstranten zu unterstützen.

1) In „Immer noch fühlen" erinnert sich Revolverheld an viele „erste Male" (*first times*). Kreuzen Sie an, was Sie hören:

das erste Konzert _____

die erste Freundin _____

das erste Lieblingslied _____

die erste CD _____

das erste Mal Disko _____

die erste Zigarette _____

das erste Bier _____

das erste Mal geflogen _____

das erste Geld _____

die erste eigene Band _____

2) Und Sie? Erinnern Sie sich auch an manche dieser Sachen? Schreiben Sie Details zu so vielen Punkten, wie Sie möchten, auf die Linien. Dann sprechen Sie darüber.

3) Revolverheld singt: „Wir können es immer noch fühlen". Diskutieren Sie: Welche Emotionen haben Sie bei Kindheitserinnerungen? Denken Sie an schöne Emotionen aus der Kindheit, die Sie immer noch fühlen. Was ist passiert?

66: MEIN LIEBLINGSSTOFFTIER UND MARGARETE STEIFF

Leylas Schwester Jasmin ist krank und die Familie Schmitz besucht sie im Krankenhaus. Natürlich hat Leyla auch ein Geschenk mitgebracht: einen tollen Teddy von Steiff, weil ihre Schwester gerne Stofftiere mag. Steiff-Stofftiere kommen aus Deutschland. Margarete Steiff hatte die Idee vor mehr als 100 Jahren. Heute lernen Sie mit Leyla etwas über Stofftiere, Margarete Steiff und Kinderlähmung.

208 Das Leben von Margarete Steiff, die Erfinderin der Steifftiere

Zu zweit: Sie haben in LERNEN die Kurzbiographie von Margarete Steiff gelesen. Rekonstruieren Sie die Biographie.

1. 1847   *Sie ist 1847 geboren.* _____

2. Giengen   _____

3. Kinderlähmung   _____

4. 1909   _____

5. Frau Steiffs Füße   _____

6. Frau Steiffs Eltern   _____

7. In die Schule gehen   _____

8. In einem kleinen Wagen   _____

9. Geld verdienen (2 Dinge!)   _____

10. Die erste Nähmaschine   _____

11. Kleider   _____

12. Das erste Stofftier   _____

13. Frau Steiffs Bruder   _____

14. Selbst machen   _____

„Für Kinder ist nur das Beste gut genug."
(Margarete Steiff)

209 Ihr Lieblingsstofftier: Damals und heute

1) **Unter www.klett-usa.com/impuls1links finden Sie den Link zu dieser Aktivität. Suchen Sie mit einer anderen Person Ihre Lieblingsstofftiere aus. Haben Sie verschiedene Favoriten oder die gleichen? Was ist anders? Warum haben Sie so gewählt?**

2) **Suchen Sie ein Stofftier für ein kleines Kind aus – und eins für Sie!**

3) **Was war ihr Lieblingsstofftier, als sie 5 Jahre alt waren?**

4) **Die Steifftiere haben Namen wie Leo Löwe und Basti Braunbär. Die Stilfigur heißt Alliteration (der gleiche Buchstabe am Anfang). Welche Vornamen (deutsche!) können Sie für Tiger, Biene, Maus, Wolf und Fisch finden? Hat jemand im Kurs einen Namen mit Alliteration?**

210 **Kinderlähmung, das war einmal?**

Lesen Sie den Text mit einer anderen Person und entscheiden Sie dann: Was ist richtig? Was ist falsch?

Kinderlähmung kommt von Infektionen mit dem Poliovirus. Oft gibt es keine Symptome, aber es kommt auch zu schweren Lähmungen, vor allem an den Armen und Beinen. Weil der Virus auch die Atemmuskulatur infizieren kann, hat man schon früh Beatmungsmaschinen erfunden. Seit etwa 1950 gibt es Impfstoffe gegen Kinderlähmung. Im 19. Jahrhundert hat die Krankheit jedes Jahr tausende Menschen infiziert. Heute gibt es sie zumindest in Deutschland nicht mehr. Wenn in einem Land wenig Menschen geimpft sind, kann sich die Krankheit schnell wieder verbreiten. Dann werden viele Menschen krank. Wenn man krank wird, gibt es kaum Mittel gegen diese Krankheit.

1.	Kinderlähmung ist eine bakterielle Infektion.	R	F
2.	Die meisten infizierten Menschen haben keine Symptome.	R	F
3.	Die typischen Symptome sind Lähmungen an Armen und Beinen.	R	F
4.	Man hat die Beatmungsmaschine für die Kranken erfunden.	R	F
5.	Früher hat die Krankheit nicht viele infiziert.	R	F
6.	Wenn alle geimpft sind, gibt es diese Krankheit nicht mehr.	R	F
7.	Wenn niemand geimpft ist, werden viele Menschen krank.	R	F

211 **… und wer noch außer Margarete Steiff?**

1) Finden Sie die Namen der Personen! Wenn Sie es nicht wissen, fragen Sie die anderen im Kurs. Wenn es niemand weiß, schauen Sie unten den Suchbegriff an und geben Sie ihn in eine Suchmaschine ein.

_____ war Malerin. Sie hat Polio mit sechs Jahren bekommen. Sie hat gesagt: „Das erste waren höllische Schmerzen in meinem rechten Bein. Man hat mir das Bein mit Walnusswasser gewaschen und heiße Tücher darum gewickelt." Sie hat die Krankheit überlebt. Sie hat aber immer lange Röcke getragen: Die anderen sollten nicht sehen, dass ihr rechtes Bein dünner und kürzer war.

_____ ist Regisseur. Er hat die Krankheit als kleiner Junge bekommen. Ein Physiotherapeut hat ihm geholfen, das Laufen neu zu lernen. Er hat gesagt: „Als ich neun war, hatten die Leute Angst sich bei mir anzustecken. Das hat mich isoliert. In der Zeit der Lähmung habe ich ferngeschaut und Radio gehört."

_____ war eine deutsche Sängerin und Schauspielerin. Sie hat die Krankheit mit 7 Jahren bekommen. Es war so schlimm, dass sie ganz neu laufen lernen musste. Dann hat sie aber eine Karriere im Film, Fernsehen und Theater gemacht.

Tipps:

Ein Zitat von ihr: „Wozu brauche ich Füße, wenn ich Flügel habe?"
Ein Hit von ihm: „Apocalypse Now"
Ein Hit von ihr: „Für mich soll's rote Rosen regnen"

2) Welche Themen können Sie in diesen drei Kurzbiographien finden?

Wann ist die Krankheit gekommen?   Wie haben die anderen reagiert?
Was war das Schlimmste?   Was noch?

67: TIERSTIMMEN°

212 Die Tiere stellen sich vor ...

🔊 **1) Hören: Zu welchem Tier gehört der Laut? Schreiben Sie jetzt nur die Zahl.**

⭕ die Biene ___	① die Katze _miau_	⭕ das Schwein ___
⭕ der Elefant ___	⭕ der Kuckuck ___	⭕ der Wolf ___
⭕ die Ente ___	⭕ der Löwe ___	⭕ die Ziege ___
⭕ der Esel ___	⭕ das Pferd ___	⭕ der Fisch ___
⭕ der Hund ___	⭕ das Schaf ___	⭕ der Hahn ___

2) Zu zweit: Welche phonetische Transkription passt zu welchem Tierlaut? Schreiben Sie sie oben auf die Linie.

> auuuu | töröö | grunz | quak quak | blub | kuckuck | wau wau |
> mäh | sumsum | kikeriki | wieher | woah | ~~miau~~ | i-ah | mäh

213 Ein Klassiker für Kinder: Benjamin Blümchen

Leyla hört gerne „Benjamin Blümchen". Es ist eine deutsche Hörspiel- und TV-Serie für Kinder. Es gibt diese Serie schon seit über 40 Jahren. Recherchieren Sie online, um Informationen über „Benjamin Blümchen" zu bekommen. Sprechen Sie dann mit einer anderen Person über die Informationen wie im Beispiel unten.

Recherche

Finden Sie Online die folgenden Informationen zu „Benjamin Blümchen":

Wann hat es die erste Folge der Serie gegeben?
Wer hat die Serie am Anfang produziert?
Wer sind die wichtigsten Charaktere?
Welche Struktur hat eine normale Folge?
Welche Motive gibt es in der Serie?

Person 1: Wann hat es die erste Folge der Serie gegeben?
Person 2: Die erste ...

Person 2: Wer hat die Serie am Anfang produziert?
Person 1: Am Anfang ...

Person 1: Wie heißen die wichtigsten Charaktere und wer sind sie?
Person 2: Die wichtigsten Charaktere heißen ... und ...

1) Zu zweit: Hören Sie gut zu und ordnen Sie die Elemente. Was passiert zuerst, dann, danach, etc.?

Benjamin **sagt**, dass er Hunger hat, und **fragt**: „Bin ich zu dick?" Otto **sagt**, dass Benjamins Bauch ein bisschen rund ist. Aber das ist ok für einen Elefanten. ◯

Tierwärter Karl **kommt** mit dem Essen für Benjamin. Es **gibt** neues, gesundes Zoo-Essen. Das Essen **riecht** nicht sehr gut. ◯

Benjamin **sagt**, dass Karl zuerst das Essen probieren muss. Karl **probiert** das Essen und es **schmeckt** ihm auch nicht. Otto und Benjamin **lachen**. ◯

Gulliver, der Rabe, **sucht** Benjamin. Benjamin und sein Freund Otto **sind** faul und **schlafen** vor Benjamins Haus. Sie **wachen auf**, als Gulliver **kommt**. ◯

Wir **sehen** den Zoo am Morgen. Alle Tiere **sind** noch müde und **wachen** nur langsam **auf**. ◯

2) Zu zweit: Benutzen Sie die Information in Teil 1 oben und schreiben Sie die Geschichte im Perfekt. Nur die fettgedruckten (bold) Verben müssen im Perfekt sein.

Grammatik

direktes Objekt oder Reflexivpronomen? Hilfsverb im Perfekt = haben

_____
_____
_____
_____
_____
_____
_____
_____
_____
_____

3) Ideen sammeln: Spekulieren Sie mit einer anderen Person im Kurs und finden Sie Ideen, wie die Geschichte weitergehen kann. Machen Sie zuerst eine Liste mit Ideen (nur Stichworte), dann sprechen Sie über die Ideen.

Nando: Also, Benjamin findet das neue Essen nicht gut. Auch den anderen Personen schmeckt es nicht. Was denkst du? Was machen sie?

Neila: Hmm, vielleicht machen Sie einen Protest und essen das Essen nicht mehr.

Nando: Ja, da ist ist eine Option. Oder …

Neila: …

4) Ideen präsentieren: Benutzen Sie Ihre Liste von Teil 3. Erzählen Sie in einer kurzen Präsentation den anderen Studierenden im Kurs, was Ihre Ideen waren.

215 Aufstehen!

🔊 **1) Sie hören einen Dialog zwischen Leyla und ihrem Vater Christoph. Es ist Mittwochmorgen, ein ganz normaler Schultag! Ergänzen Sie die fehlenden Wörter.**

a) Leyla musste gestern _____

b) Leyla durfte gestern nicht _____

c) Christoph durfte als Kind nicht _____

d) Christophs Eltern wollten _____

e) Christophs Vater durfte _____

f) Christophs Schwester wollte nicht _____

g) Christoph konnte trotzdem nicht _____

h) Dann musste Christoph _____

i) Mit dem Hund musste Christoph dann später auch _____

j) Der Hund durfte nicht _____

k) „Kinder brauchen morgens was Warmes." Also musste Christoph _____

l) Die Küche war kalt, die Großeltern wollten _____

m) Opa Heinz musste _____

Ein ganz normaler Schultag

2) Es ist 30 Jahre später. Jetzt erzählt Leyla ihrem Sohn von sich, ihrem Vater und den Großeltern. Sie können auch gerne neue Teile einbauen (z. B. vielleicht hat Leyla ja wirklich studiert)!

„Ich musste als Kind immer vor sieben aufstehen. Aber Opa Christoph musste das auch. Sein Vater musste sogar ..."

Grammatik

Modalverben haben keinen Umlaut im Präteritum.

216 Jugendsünden: Wie war das?

Zu zweit: Füllen Sie die Tabelle aus.

	durfte man nicht	sollte man nicht, war aber flexibel	das habe ich manchmal falsch gemacht	... und das war die Strafe
in der Vorschule				
in der Grundschule	*Kaugummi kauen,*			
in der High School				
zu Hause				

Füllen Sie Tabelle mit den Informationen aus dem Text und Ihren eigenen Informationen aus!

Das Gesetz zum Schutze der Jugend hat man 1951 geschrieben. Danach hat man es immer wieder geändert. Es geht um den Aufenthalt in Gaststätten (Restaurants, Kneipen), Kinos und Diskotheken, das Trinken von Alkohol und Rauchen und den Verkauf von Videospielen und Filmen. Jugendliche unter 16 dürfen nur mit einem Erwachsenen in ein Restaurant oder eine Disko gehen, und zwar nur von 5 bis 24 Uhr. Jugendliche zwischen 16 und 18 dürfen zwischen 24 und 5 Uhr auch nicht in ein Restaurant oder eine Disko. Jugendliche dürfen nicht in Spielhallen. Glücksspiele auf einem Jahrmarkt (Oktoberfest, …) sind eine Ausnahme, wenn die Preise nicht groß sind, wenn man also höchstens einen Teddybär gewinnen kann.

Leyla und Jasmin schauen einen Kinderfilm. Filme für Erwachsene dürfen sie nicht sehen.

„Jugendgefährdende" Veranstaltungen und Betriebe: Da dürfen Jugendliche unter 18 gar nicht sein, es geht um Brutalität und Sex. Jugendliche unter 18 dürfen keinen Schnaps oder ähnliches trinken, also destillierten Alkohol. Ab 14 darf man Bier und Wein trinken, wenn die Eltern dabei sind. Ab 16 darf man Wein und Bier auch alleine kaufen und trinken. Jugendliche unter 18 dürfen keine Tabakprodukte kaufen, einschließlich E-Zigaretten oder Shishas. Kinder unter 14 dürfen nur bis 20 Uhr ins Kino, Jugendliche unter 16 nur bis 22 Uhr, Jugendliche unter 18 nur bis 24 Uhr. Die Filme müssen außerdem für das jeweilige Alter freigegeben sein. Dafür gibt es eine Selbstkontrolle der Filmindustrie, die sagt, für welches Alter ein Film gut ist. Spiele und Medien dürfen Kinder und Jugendliche nur kaufen, wenn sie für ihre Altersstufe freigegeben sind.

14–18 Jahre: Jugendliche*r   Ab 18 Jahren: Man ist volljährig (das gilt für alles)

	in Deutschland	in den USA
Gaststätten und Diskos	*Jugendliche unter 16 dürfen mit ihren Eltern gehen*	
Spielhallen und Jahrmärkte		
Alkohol		
Rauchen		
Kinos		

Sie haben in Lernen die Schulordnung von Bayern gelesen. Beantworten Sie die Fragen:

1. Wie können die Schüler*innen Probleme zur Sprache bringen?
2. Welche Funktion haben Klassensprecher*innen, Jahrgangsstufenvertreter*innen und Schülervertretung?
3. Wie können die Eltern Probleme zur Sprache bringen?
4. Wie kann die ganze Schule gemeinsam über Dinge sprechen?
5. Wann kann es in deutschen Schulen Alkohol geben?
6. Welche Rechte haben die Schüler*innen bei den Hausaufgaben?
7. Und wie war das bei Ihnen?

219 **Meine Lieblingskinderbücher**

1) Interviewen Sie drei andere Studierende im Kurs über ihre Lieblingskinderbücher und machen Sie Notizen.

    a) Was war dein Lieblingskinderbuch?

    b) Welche Hauptcharaktere gibt es in dem Buch?

    c) Wie war das Buch? Beschreibe es mit ein paar Adjektiven.

Name	Lieblingsbuch	Hauptcharaktere	Wie war das Buch?
Tim	Harry Potter	Hermine Granger, Ron Weasley, Albus Dumbledore, Lord Voldemort, Harry Potter	interessant, aufregend, lustig

2) Fragen Sie die andere Person auch, was sie von dem Buch gelernt hat? (Was hast du von dem Buch gelernt?)

3) Erzählen Sie dem Kurs über die Lieblingskinderbücher von Ihren Partner*innen.

    Beispiel: Meine Partner waren Tim, Nele und Neila. Tims Lieblingskinderbuch war *Harry Potter*. Er hat gelernt, dass …

220 **Leylas Bücherregal**

1) Zu zweit: Zu Hause haben Sie über Leylas vier Lieblingsbücher recherchiert. Vergleichen Sie nun Ihre Informationen mit einer anderen Person im Kurs.

2) Zu zweit: Lesen Sie die Zusammenfassung unten. Zu welchem Buch (von Leylas Lieblingsbüchern) passt sie?

Ein kleiner Junge hat in einem Dorf gelebt, in dem es einen schrecklichen Krieg gegeben hat. Deshalb ist der Junge aus dem Dorf gegangen. Auf der Flucht hat er seine Familie verloren und war sehr einsam und allein. Aber eine unbekannte Frau hat auf ihn aufgepasst. Dann ist die Situation aber viel schlimmer geworden: Soldaten sind gekommen und haben ihn zu ihrem Gefangenen gemacht. Aber zum Glück konnte der Junge fliehen. Er ist tagelang gerannt. Dann ist er in ein Flüchtlingslager auf der anderen Flussseite gekommen. Dort ist ein Wunder passiert: Er hat seine Mutter gefunden.

Diese Zusammenfassung gehört zum Buch: _____

3) Zu zweit: Markieren Sie alle Partizip Perfekt-Formen in der Zusammenfassung. Wie heißen die Verb-Infinitive?

1) *Oh, wie schön ist Panama* erzählt die Geschichte von dem kleinen Tiger und dem kleinen Bär. Sie sind zwei Freunde und erleben viele Abenteuer. Rechts sehen Sie ein Foto vom Bär und vom Tiger. Zu zweit: Beschreiben Sie die beiden: Wie sehen sie aus? Welche Körperteile haben sie? Was tragen sie wo? Benutzen Sie die Wörter zum Thema Körper aus Kapitel 5 und auch Farbwörter.

Ein kleiner Bär und ein kleiner Tiger leben unten am Fluss. Dort, wo der Rauch aufsteigt, neben dem großen Baum. Und sie haben auch ein Boot. Sie wohnen in einem kleinen, gemütlichen Haus. „Uns geht es gut", sagt der kleine Tiger, „denn wir haben alles, was das Herz begehrt, und wir brauchen uns vor nichts zu fürchten. Weil wir nämlich auch noch stark sind. Ist das wahr, Bär?" „Jawohl", sagt der kleine Bär, „Ich bin stark wie ein Bär und du bist stark wie ein Tiger. Das reicht." Der kleine Bär geht jeden Tag mit der Angel fischen und der kleine Tiger geht in den Wald Pilze finden. Der kleine Bär kocht jeden Tag das Essen; denn er ist ein guter Koch. „Möchten Sie den Fisch lieber mit Salz und Pfeffer, Herr Tiger, oder besser mit Zitrone und Zwiebel?" „Alles zusammen", sagt der kleine Tiger, „und zwar die größte Portion." Als Nachspeise essen sie geschmorte Pilze und dann Waldbeerenkompott und Honig. Sie haben wirklich ein schönes Leben dort unten in dem kleinen, gemütlichen Haus am Fluss …

Quelle: Beltz & Gelberg (gekürzt)

a) Wo leben der Tiger und der Bär?

b) Wie geht es den beiden? Warum?

c) Was machen der Bär und der Tiger jeden Tag?

d) Wer kocht das Essen? Was gibt es zum Essen?

3) **Die Geschichte nacherzählen: Die Geschichte oben ist im Präsens. Erzählen Sie jetzt mit einer anderen Person die Geschichte im Perfekt. Jede Person sagt abwechselnd (Person 1, Person 2, Person 1, …) einen Satz.**

222 Fantasiewelten im Kinder- und Jugendbuch

Zu zweit: Viele Kinder- und Jugendbücher gehören zur Fantastik. Drei wichtige Genres der fantastischen Literatur sind: Magischer Realismus, Fantasy und Märchen. Lesen Sie die drei Listen mit Genre-Merkmalen. Raten Sie: Was ist Magischer Realismus, Fantasy und Märchen?

Genre:

• Beginnt meistens mit: „Es war einmal …"
• Das Gute gewinnt am Ende immer.
• Tiere können meistens sprechen.
• Zahlen spielen eine wichtige Rolle.

Genre:

• Spielt immer in imaginären Welten.
• Die imaginäre Welt ist separat von der realen Welt.
• Es gibt Fabelwesen wie Riesen, Drachen, Elfen, Einhörner, etc.
• Die Geschichten basieren oft auf alten Legenden und Mythen.
• Es gibt oft einen Kampf zwischen Gut und Böse.

Genre:

• Es gibt fantastische Elemente in der realen Welt.
• Keine Erklärung für Präsenz von fantastischen Elementen in der realen Welt.
• Erzählt realistische Geschichten von ganz normalen Personen.

223 Das Poesiealbum heute

1) Lesen Sie den Text über das Poesiealbum und beantworten Sie die Fragen.

Das Poesiealbum ist ein Freundschaftsbuch. Kinder benutzen es vor allem in der ersten und zweiten Klasse in der Grundschule. In diesem Alter lernen Kinder Lesen und Schreiben. Im Poesiealbum sammeln Kinder interessante Informationen über Freund*innen und andere Schüler*innen.

Wie funktioniert ein Poesiealbum? Ein Kind gibt sein Album einem anderen Kind. Manchmal geben Kinder das Album auch an Lehrer*innen oder andere Erwachsene. Man bittet die andere Person, in das Album zu schreiben.

Leyla zeigt ihr Poesiealbum

Für jeden Eintrag gibt es eine Doppelseite. Auf der einen Seite schreibt man seine persönlichen Informationen (Name, Alter, Geburtstag, Lieblingsessen, etc.). Auf der anderen Seite kann man entweder etwas Kreatives (eine Zeichnung, ein Gedicht, etc.) oder ein Foto hinzufügen. Oft findet man auf der kreativen Seite auch eine persönliche Nachricht an die Besitzerin/den Besitzer des Buches. Dann gibt man das Buch zurück und die nächste Person darf hineinschreiben.

a) Was ist ein anderer Name für das Poesiealbum?

b) In welchem Alter benutzen Kinder Poesiealben?

c) Warum benutzen Kinder so ein Freundschaftsbuch?

d) Welche Informationen schreibt man ins Poesiealbum?

e) Was findet man noch in Poesiealben?

2) Bitten Sie eine andere im Kurs, in Ihr Poesiealbum zu schreiben. Und Sie schreiben in das Album der Person.

Ich heiße: _____

Hier wohne ich: _____

Mein Geburtstag: _____ Meine Lieblingsfarbe: _____

Ich esse am liebsten: _____

Mein Lieblingstier ist: _____

Mein Lieblingsbuch: _____

Das mache ich am liebsten: _____

Das mag ich überhaupt nicht: _____

Wenn ich groß bin, werde ich: _____

Von mir für dich:

224 Das Poesiealbum damals

1) Poesiealben haben eine lange Tradition. Es hat diese Alben schon im 19. Jahrhundert gegeben. Hören Sie gut zu und beantworten Sie die R/F-Fragen. Schreiben Sie die korrekte Antwort, wenn die Antwort falsch (F) ist.

a) Im 19. Jahrhundert haben Kinder Poesiealben in der Schule benutzt.

R   F   _____

b) Wie heute hat man auf eine Seite persönliche Informationen geschrieben.

R   F   _____

c) Man hat kleine Gedichte (Poesie) in das Album geschrieben. Deshalb heißt es „Poesiealbum".

R   F   _____

2) Schreiben Sie mit einer anderen Person 4 Sätze über die alte Tradition der Poesiealben im 19. Jahrhundert. Benutzen Sie die Informationen in der Box und von der letzten (Hör-)Aufgabe. Schreiben Sie den Text im Perfekt.

> Poesiealbum = lange Tradition; gibt es schon im 19. Jahrhundert
> im 19. Jahrhundert = Dichter und Poeten benutzen Poesiealben, nicht Kinder
> schreiben = Gedichte, Texte, keine persönlichen Informationen
> auf der anderen Seite = Illustrationen, Bilder

_____

_____

_____

3) Peer-Korrektur: Tauschen Sie Ihre Sätze mit einem anderen Paar.

a) Lesen Sie den Text des anderen Paares laut.
b) Markieren Sie alle Perfekt-Formen (Hilfsverb und Partizip Perfekt).
c) Machen Sie Korrekturen, wenn es Fehler bei den Perfekt-Formen gibt.

> **Grammatik**
>
> Das Partizip Perfekt steht immer am Ende eines Hauptsatzes (*independent clause*).

225 **Das Poesiealbum im Kontext des Holocausts**

1) Zu zweit: Beantworten Sie die Fragen zum Text.

> Die Nazis haben ungefähr 1,5 Millionen jüdische Kinder im Holocaust getötet. Heute haben wir von diesen Kindern wenige Erinnerungsobjekte. Aber im Holocaust-Museum in Yad Vashem gibt es eine Sammlung von Poesiealben von jüdischen Kindern, die im Holocaust gestorben sind. In diesen Alben lernen wir über das Leben der Kinder aus der Perspektive ihrer Freunde, Familien und Verwandten. Die Alben sind also Erinnerungsbücher. Ein anderes Ziel ist, dass Menschen über das schlimme Schicksal der Kinder nachdenken.

a) Wie viele jüdische Kinder sind im Holocaust gestorben?
b) Warum sind die Poesiealben von jüdischen Kindern in Yad Vashem so wichtig?
c) In einem der Gedichte vergleicht der Autor Blumen mit Freundschaft. Spekulieren Sie, was der Unterschied zwischen Freundschaft und Blumen sein könnte.

2) Gehen Sie auf die Webseite von Yad Vashem (Link unter www.klett-usa.com/impuls1links). Lesen Sie ein paar Gedichte in Poesiealben und wählen Sie ein Gedicht. Schreiben Sie eine kurze Reaktion und benutzen Sie das Perfekt mindestens zweimal.

Beispiel: Ich habe das Poesiealbum von Erika Hoffmann gelesen. Dort hat Jan van Beek ein Gedicht über Freundschaft geschrieben. Ich finde das Gedicht ...

Recherche

_____

_____

_____

_____

226   Aschenputtel, ein Märchen der Gebrüder Grimm

🔊 **Sie haben das Märchen schon zu Hause gelesen und Sie kennen es sicher gut. Jetzt hören Sie es noch einmal. Es ist nicht die Originalversion. Aber die gibt es bei Volksmärchen auch nicht. Die Gebrüder Grimm haben die Märchen nur gesammelt und jeder erzählt sie anders! Machen Sie sich in Gruppen Notizen zu diesen Aspekten:**

Die Personen:

böse: _____

neutral: _____

gut: _____

Leyla liest ihr Lieblingsmärchen: Aschenputtel

Welche bösen Dinge machen die Personen?

_____

Welche guten Dinge machen die Personen?

_____

Welche Farben gibt es im Märchen?

_____

Wo kommt die Zahl 3 im Märchen vor? _____

Magie! Welche magischen Elemente gibt es? _____

Brutalität: Was haben Sie gehört? _____

Zu zweit: Sprechen Sie über mindestens eine von den folgenden Fragen:

1. Verstehen Sie den Vater? Kann man ihn verstehen?
2. Warum gibt es im Märchen immer so viele Stiefmütter und Stiefschwestern, aber nicht so viele Stiefväter und Stiefbrüder?
3. Diese Version der Geschichte ist viel brutaler als die Disney Version. Warum? Finden Sie das gut?

227   Interview mit Märchenfiguren

Sie sind Reporter*in für eine Lifestyle-Zeitschrift und führen Interviews für ein Feature über die Hochzeit von Aschenputtel und ihrem Prinz.

In Zweier- oder Dreier-Teams:

Gruppe 1: Reporter und Aschenputtel
Gruppe 2: Reporter und Prinz
Gruppe 3: Reporter und 2 Stiefschwestern
Gruppe 4: Reporter und Aschenputtels Vater
Gruppe 5: Reporter und Mutter vom Prinz

Beispielfragen:

Was haben Sie auf dem Ball gemacht?
Wann haben Sie sich in Aschenputtel verliebt? Warum?
Wie geht es Ihnen jetzt?
Haben Sie gewusst, dass Aschenputtel auf dem Ball war?
Freuen Sie sich über die Hochzeit?

Die Tschechin Božena Němcová, die in Wien geboren ist, erzählt die Geschichte anders. Lesen Sie das Märchen *Aschenbrödel* und vergleichen Sie es mit *Aschenputtel* aus Aktivität 226.

Tipps: mehr/weniger Brutalität, mehr/weniger Magie, die Rolle der Hauptfigur (passiver, aktiver?), der Charakter/die Intelligenz des Prinzen, die Rolle der Nebenfiguren (wie wichtig?). Was hat Sie besonders überrascht? Sind die Geschlechterrollen anders?

Božena Němcová
1820 – 1862

Aschenbrödel

Das Waisenkind Aschenbrödel lebt bei ihrer Stiefmutter, die sich den Hof des Vaters genommen hat. Die Stiefmutter und ihre Tochter Dora sind sehr böse zu Aschenbrödel. Im Winter kommen der König und die Königin zu Besuch auf den Hof. Stiefmutter- und Schwester bekommen eine Einladung zum Ball. Dort soll Dora das Herz des Prinzen gewinnen. Eigentlich sollten der Prinz und seine Freunde Kamil und Vítek bei diesem Besuch auch sein, aber sie sind auf der Jagd im Wald.

Dort sieht Aschenbrödel den Prinzen zum ersten Mal. Als der Prinz gerade ein Reh schießen will, wirft sie mit einem Schneeball, so dass er nicht trifft. Der Prinz versucht Aschenbrödel zu fangen. Sie läuft weg und kommt unbemerkt auf den Gutshof zurück.

Dora und ihre Mutter bereiten sich auf den Ball vor. Knecht Vinzek soll in der Stadt Kleider und Schmuck kaufen. Auf der Rückfahrt fallen ihm drei Haselnüsse in den Schoß, die der Prinz von einem Baum geschossen hat. Die Nüsse bringt er Aschenbrödel mit, da sie sich von ihm gewünscht hat, dass er etwas aus dem Wald mitbringt. Die Nüsse sind verzaubert. In der ersten Nuss ist das Kostüm eines Jägers. Damit trifft Aschenbrödel den Prinzen ein zweites Mal. Der denkt, sie ist ein junger Mann. Sie zeigt ihm, wie gut sie schießen kann. Er erkennt sie nicht und gibt ihr einen wertvollen Ring für das gute Schießen.

Der Tag des Hofballs. Die böse Stiefmutter mischt Mais und Linsen, so dass Aschenbrödel keine Zeit hat zum Ball zu gehen. Aber die Tauben helfen ihr alles zu sortieren. Sie öffnet die zweite Nuss. Darin ist ein Ballkleid und so geht Aschenbrödel zum Ball. Der Prinz verliebt sich sofort in Aschenbrödel. Aschenbrödel trägt aber einen Gesichtsschleier, damit der Prinz sie nicht erkennt.

Sie stellt ihm auf dem Ball ein Rätsel, um zu sehen, ob er sie erkennt: „Die Nase ist mit Asche beschmutzt, aber der Schornsteinfeger ist es nicht. Ein Hut mit Federn, aber ein Jäger ist es nicht.

Zum Dritten: Ein silbernes Kleid mit Schleppe zum Ball, aber eine Prinzessin ist es nicht." Der Prinz weiß die Antwort nicht – und Aschenbrödel läuft fort. Auf der Schlosstreppe verliert sie dabei ihren rechten Schuh.

Der Prinz läuft hinter ihr her und kommt so zum Hof, auf dem Aschenbrödel mit Stiefmutter und -schwester lebt. Ihnen passt beiden der Schuh nicht. Schließlich denkt der Knecht Vinzek an Aschenbrödel. Aschenbrödel kommt ins Zimmer, sie trägt ein Brautkleid. Das war in der dritten Nuss. Der Schuh passt. Aschenbrödel und der Prinz reiten durch den Wald zum Schloss.

Film-Tipp

Drei Haselnüsse für Aschenbrödel, ein Film der DEFA (1973, Regie Václav Vorlíček). Nach der Vorlage von Božena Němcová. Die DEFA war das Monopol für Filmproduktion in der DDR. Vor allem die Märchenfilme der DEFA waren sehr beliebt. Die Versionen der DEFA hatten eine Botschaft für Kinder in einem sozialistischen Land. Hier kommen aber die meisten Veränderungen von der Autorin des Originals.

229 Die Gebrüder Grimm

Es waren einmal zwei Brüder, die einst die Märchenwelt retteten. Die Brüder lebten, lernten, studierten, wohnten und arbeiteten fast ihr ganzes Leben lang zusammen. Notieren Sie, was alles in ihrer Zeit passiert ist. Person 1 findet Informationen auf Seite A-5. Person 2 findet Informationen auf Seite A-11. Sie müssen nicht die komplette Tabelle füllen.

Wilhelm und Jacob und Grimm

Gaby:	Was ist 1812 passiert?
Detlef:	Jacob und Wilhelm Grimm haben ihre erste Märchensammlung veröffentlicht.
Detlef:	Was ist 1806 geschehen?
Gaby:	Napoleon ist in Kassel einmarschiert.

Jahr	Wer?	Was?	Wo?
1785 1786			
1789			
1791			
1796			
1798			
1802 1803			
1806			
1806 1815			

Jahr	Wer?	Was?	Wo?
1812			
1815			
1819			
1830			
1838			
1841			
1840			
1859 1863			

230 Erzählen Sie frei von den Grimms

Erzählen Sie einer anderen Person alles, was Sie über einen Bruder wissen. Die andere Person erzählt Ihnen dann alles, was sie über den anderen Bruder weiß.

Hier sind einige Themen, die Sie diskutieren können.

Wo sind Jacob und Wilhelm aufgewachsen?
Wohin sind sie gezogen, als sie Kinder waren?
Wann ist ihr Vater gestorben?
Was hat ihre Mutter danach gemacht?
Wohin sind Jacob und Wilhelm gezogen?

Wo haben sie studiert?
Was haben sie studiert?
Was ist 1806 in Kassel passiert?
Was haben die Brüder Grimm zwischen 1806 und 1815 gemacht?

1) Zu dritt: Sie haben zu Hause eine Stadt recherchiert. Erzählen Sie den anderen beiden Personen über Ihre Stadt und warum Sie sie gewählt haben.

2) Zu dritt: Diskutieren Sie, wohin Sie gemeinsam fahren. Sagen Sie Ihre Präferenz (von 1.) und entscheiden Sie als Gruppe, wohin Sie fahren.

Beispiel: Ich möchte nach _____ fahren, weil es dort

_____ gibt/weil man dort _____ sehen/machen

kann.

Das finde ich gut./Das finde ich nicht so interessant.

Ich möchte lieber nach _____ fahren, weil _____.

Ich stimme dir zu, ich möchte auch nach _____ fahren.

3) Notieren Sie gemeinsam: Wohin fahren Sie? Wie lange bleiben Sie? Was sehen oder machen Sie an den Orten? Wie kommen Sie von einem Ort zum anderen?

4) Präsentieren Sie dem Kurs Ihre Reiseroute und sagen Sie, welche Sehenswürdigkeiten Sie besuchen.

In diesem Video sprechen Mahdi, Ehsan und Hassan darüber, wie wichtig Märchen, Geschichten und Lesen in ihrer Kindheit waren und heute sind. Hören Sie gut zu und beantworten Sie die Fragen mit einer anderen Person.

1. Mahdi sagt, Geschichten waren nicht so wichtig in seiner Kindheit. Was war wichtiger?

2. Was war Ehsans Lieblingsgeschichte als Kind? Was lernt man von dieser Geschichte?

3. Liest Hassan heute viele Bücher? Warum? Warum nicht?

233 Im Märchenwald

1) Leyla hat Geburtstag. Sie feiert mit ihren Freund*innen im Märchenwald im Isartal. Hier gibt es über 260 Figuren, die (auf Deutsch und Englisch) bekannte Märchen erzählen. Sehen Sie sich auf der Webseite (Link unter www.klett-usa.com/impuls1links) die interaktive Park-Karte an und sammeln Sie, welche Märchen sie kennen.

_____ _____ _____

_____ _____ _____

234 Die Bewohner*innen des Märchenwaldes

1) Zu zweit: Welche Begriffe assoziieren Sie mit diesen Märchen? Welches Bild passt am besten zu welchem Märchen?

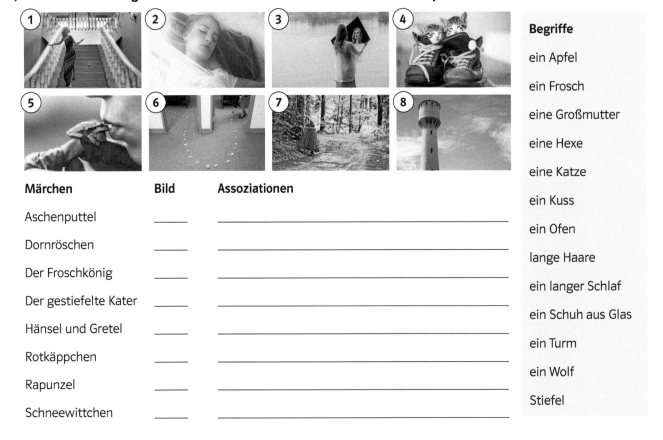

Begriffe

ein Apfel

ein Frosch

eine Großmutter

eine Hexe

eine Katze

ein Kuss

ein Ofen

lange Haare

ein langer Schlaf

ein Schuh aus Glas

ein Turm

ein Wolf

Stiefel

Märchen	Bild	Assoziationen
Aschenputtel	_____	_____
Dornröschen	_____	_____
Der Froschkönig	_____	_____
Der gestiefelte Kater	_____	_____
Hänsel und Gretel	_____	_____
Rotkäppchen	_____	_____
Rapunzel	_____	_____
Schneewittchen	_____	_____

235 Märchen-Statuen

Sie sind Figuren im Märchenwald! Die Figuren sind wie Statuen, aber sie können sich bewegen und sprechen. Sie bekommen eine Karte mit einer Rolle und einem Satz. Spielen Sie die Figuren und sagen Sie Ihren Satz. Die anderen raten, wer Sie sind.

1) Leylas bester Freund Sam findet die Bremer Stadtmusikanten im Märchenwald am besten. Schauen Sie sich den Schatten der Stadtmusikanten-Statue aus Bremen an. Was denken Sie, welche Tiere gibt es in dem Märchen? (Neue Wörter? Nutzen Sie ein Online-Wörterbuch, z. B. www.pons.de oder www.leo.org)

_____ _____ _____ _____

2) Lesen Sie das Märchen im Kurs und setzen Sie die Tiere ein. Finden Sie die Situation, die die Statue zeigt?

Die Bremer Stadtmusikanten

Es war einmal ein Mann, der hatte einen _____. Der _____ war alt und konnte nicht mehr arbeiten. Als der Mann ihm kein Futter mehr geben konnte, lief der _____ von zu Hause weg. Er wollte nach Bremen gehen, um dort Stadtmusikant zu werden. Nach einer Zeit traf er einen alten _____, der jämmerlich weinte.

_____: Warum weinst du so?
_____: Weil ich alt bin und jeden Tag schwächer werde. Zum Jagen habe ich keine Kraft mehr. Mein Herr wollte mich totschießen, also bin ich schnell weggelaufen. Aber womit soll ich mein Brot verdienen?
_____: Ich gehe nach Bremen und werde dort Stadtmusikant. Komm mit und lass uns zusammen musizieren. Ich spiele die Laute und du schlägst die Pauken.
_____: Ich bin dabei.

Der _____ und der _____ gingen zusammen weiter in Richtung Bremen. Nach einer Weile trafen sie eine _____ mit einem Gesicht wie drei Tage Regenwetter.

_____: Warum bist du so traurig?
_____: Weil ich so alt bin. Meine Zähne sind kaputt und ich liege den ganzen Tag unter dem warmen Ofen. Zum Mäusejagen habe ich keine Kraft mehr und deshalb hat mich meine Herrin verjagt.
_____: Geh mit uns nach Bremen! Du magst doch gerne Nachtmusik. Wir wollen Stadtmusikanten werden.
_____: Ich bin dabei.

Sie gingen weiter und kamen nach einer Weile an einem Hof vorbei. Da saß ein _____ auf dem Tor, der kräftig schrie.

_____: Warum schreist du so laut?
_____: Meine Herrin möchte mir morgen den Kopf abschlagen und eine Suppe aus mir machen. Jetzt schrei ich so laut ich kann.
_____: Ei was. Wir wollen Stadtmusikanten in Bremen werden. Willst du mit uns musizieren?
_____: Ich bin dabei.

Die vier Tiere gingen zusammen auf die Reise nach Bremen. Abends kamen sie in einen Wald, wo sie übernachten wollten. Der _____ und der _____ legten sich unter einen Baum, die _____ kletterte auf einen Ast und der _____ flog auf den Baum. Von dort aus sah der _____ ein Licht in einem Haus brennen.

_____: Dort hinten brennt ein Licht in einem Häuschen.
_____: Dann lasst uns dort hingehen. Vielleicht können wir dort schlafen.
_____: Vielleicht gibt es dort auch etwas zu essen.

Sie gingen in Richtung Licht, bis sie an ein Haus kamen. Der _____ schaute durch das Fenster.

_____: Was siehst du, _____?
_____: Ich sehe einen Tisch. Auf dem Tisch steht ein leckeres Essen und Getränke. Die Menschen lassen es sich gut gehen.
_____: Das wäre was für uns.
_____: Aber wir kommen wir da rein?

Der _____ stellte sich mit den Vorderfüßen auf das Fenster. Der _____ setzte sich auf den Rücken des _____s. Die _____ kletterte auf den _____. Der _____ flog hinauf und setzte sich auf den Kopf der _____. Zusammen fingen sie an, laut Musik zu machen. Der _____ schrie (i-ah), der _____ bellte (wau wau), die _____ miaute (miau) und der _____ krähte (kikeriki). Die Menschen dachten, ein Geist kommt herein, und rannten so schnell sie konnten in den Wald. Die Bremer Stadtmusikanten setzten sich an den Tisch und aßen, so viel sie konnten. Und wenn sie nicht gestorben sind, dann leben sie noch heute.

237 Märchen bei Disney und in Hollywood

1) **Hier ist eine Liste von Film-Versionen des Aschenputtel Märchens. Welche von diesen Filmen kennen Sie? Diskutieren Sie die Analogien: Wer im Film ist Aschenputtel? Wer ist der Prinz? Wer spielt die Rolle der bösen Stiefmutter und/oder der bösen Stiefschwester? Gibt es einen Ball, ein schönes Kleid, oder einen verlorenen Schuh?**

Ella Enchanted – Verflixt und zauberhaft (2004), Ever After – Auf immer und ewig (1998), Into the Woods (2014), My Fair Lady (1964), Once Upon a Time (2011 – 2018), Pretty Woman (1990), Pride and Prejudice – Stolz und Vorurteil (2005), Sabrina (1954), Shrek – Der tollkühne Held (2001), und viele andere …

2) **Suchen Sie Filmplakate für die folgenden neun Filme. Beschreiben Sie dann die Filmplakate. Wie sehen die Plakate aus? Was sehen Sie? Wer/Was ist im Fokus? Wie ist die Atmosphäre?**

Recherche

Film 1: Sabrina

Film 2: Ella – Verflixt und verzaubert

Film 3: Auf immer und ewig

Film 4: Into the Woods

Film 5: My Fair Lady

Film 6: Once upon a Time

Film 7: Pretty Women

Film 8: Stolz und Vorurteil

Film 9: Shrek

Das Plakat zum Film … ist …   Ich sehe …   Die Person ist …

alt	dunkel	humorvoll	kindlich	negativ	romantisch
bunt	elegant	innovativ	langweilig	neu	sexy
comic-artig	erwachsen	interessant	mysteriös	positiv	spannend

3) **Zu zweit: Sprechen Sie mit einer anderen Person: Kennen Sie andere Aschenputtel-Filmadaptionen? Was ist Ihre Lieblingsadaption der Cinderella-Story und warum?**

4) **Welche Adaptionen von anderen Märchen (nicht Cinderella) kennen Sie? Interviewen Sie Personen im Kurs und machen Sie Notizen.**

   a) Welche Märchenadaptionen kennst du (z. B. von Disney, aus Hollywood, von DEFA, …)?
   b) Haben diese Märchen ein Happy End?
   c) Mit welchen Nomen/Adjektiven kannst du das Märchen beschreiben?
   d) Weißt du, wie das Original heißt?

Name	Adaption	Happy End?	Adjektive/Nomen	Original
Joana	Cinderella (Disney)	ja	Liebesgeschichte, spannend, romantisch	Aschenputtel (Perrault)

1) In 3er-Gruppen: Jede Person hat die Informationen für eine Version von der Schneewittchen-Geschichte. Fragen Sie die anderen Personen, um die fehlenden Informationen zu bekommen.

	Schneewittchen	Schneewittchen und die 7 Zwerge	Snow White and the Huntsman
Produktionsjahr			
Autor/Produzent			
Genre			
Wie heißt die Protagonistin?			
Wer ist die böse Person?			

Informationen: Person 1 auf Seite A-6, Person 2 auf Seite A-10, Person 3 auf Seite A-13

2) Zu zweit: Vor allem die Enden der drei Versionen sind ziemlich unterschiedlich. Lesen Sie die Zusammenfassungen der Enden und beantworten Sie die Fragen.

Schneewittchen
Die böse Königin möchte Schneewittchen töten. Sie gibt Schneewittchen einen giftigen Apfel. Schneewittchen isst den Apfel und stirbt. Die sieben Zwerge können ihr nicht helfen. Weil Schneewittchen so schön ist, legen sie Schneewittchen in einen Sarg (*coffin*) aus Glas. Ein schöner Königssohn sieht Schneewittchen im Sarg. Er verliebt sich und will, dass die Zwerge den Sarg zu ihm bringen. Auf dem Weg zum König stolpert ein Zwerg und der Sarg fällt auf den Boden. Da fliegt der giftige Apfel aus Schneewittchens Hals und sie lebt wieder. Der Königssohn und Schneewittchen heiraten.

Schneewittchen und die sieben Zwerge
Die böse Stiefmutter möchte Schneewittchen töten. Sie gibt Schneewittchen einen giftigen Apfel. Schneewittchen isst den Apfel und die Zwerge finden Schneewittchen ohnmächtig (*unconscious*). Sie wollen die böse Stiefmutter finden und gegen sie kämpfen. Aber es ist zu spät: Schneewittchen stirbt. Weil Schneewittchen so schön ist, legen sie Schneewittchen in einen Sarg aus Glas. Ein junger Prinz kommt und küsst Schneewittchen. Dank des Kusses wacht sie wieder auf. Der Prinz und Schneewittchen heiraten.

Snow White and the Huntsman
Königin Ravenna verkleidet sich (*disguises herself*) als William und gibt Snow White einen vergifteten Apfel. William und der Huntsman finden Snow White und William küsst sie. Sie bringen die leblose Snow White zu Hammonds Schloss. Der Huntsman ist traurig, dass er Snow White nicht retten konnte. Auch er küsst sie und Snow White erwacht (*awakens*). Snow White konfrontiert Königin Ravenna, aber Ravenna ist stärker und versucht nochmal, Snow White zu töten. Snow White benutzt einen Trick, den der Huntsman ihr gezeigt hat. Sie tötet Königin Ravenna. Alle Menschen im Königreich haben wieder ein gutes Leben.

a) Welche Gemeinsamkeiten haben die Enden?
b) Wer rettet Schneewittchen am Ende der drei Versionen?
c) In welcher Version ist Schneewittchen ein starker Charakter?
d) Warum?

Redemittel

Im Vergleich zu/Im Unterschied zu/
Im Gegensatz zu;
Eine Gemeinsamkeit/Ähnlichkeit ist;
etwas ist ähnlich/unterschiedlich

75: Gesellschaftsspiele

239 Spiele für Kinder und Erwachsene

1) Kennen Sie Gesellschaftsspiele? Schreiben Sie alle auf, die Ihnen einfallen (englische Namen sind in Ordnung):

Brettspiele	Legespiele	Würfelspiele	Kartenspiele	andere Spiele
_____	_____	_____	_____	_____
_____	_____	_____	_____	_____
_____	_____	_____	_____	_____
_____	_____	_____	_____	_____
_____	_____	_____	_____	_____

2) Interviewen Sie mehrere andere Studierende und schreiben Sie Spiele in Ihre Liste, die Sie auch kennen.

3) Sprechen Sie in der Gruppe: Spielen Sie gerne? Welche Spiele spielen Sie gerne und wann? Wenn Sie nicht gerne spielen, was machen Sie stattdessen?

4) Haben Sie als Kind gerne gespielt? Schreiben Sie ein paar Notizen auf und erzählen Sie dann einer anderen Person über Ihr Lieblingsspiel als Kind.

_____

_____

_____

240 Deutsche Spiele als Exportschlager

1) Recherchieren Sie in Gruppen die Spiele in der Liste und beantworten Sie die Fragen.

Recherche

Spiele: Die Siedler von Catan, Kniffel, Qwirkle, Skat, Mensch ärger dich nicht, Carcassonne

Fragen: Für welches Alter ist das Spiel? Gibt es das Spiel nur in Deutschland oder auch in den USA? Welchen englischen Titel hat es, wenn man es in den USA kaufen kann? Ist es ein Brett-, Lege-, Würfel- oder Kartenspiel? Was ist das Ziel von dem Spiel? Gibt es eine Besonderheit? Welches Bild gehört zu Ihrem Spiel?

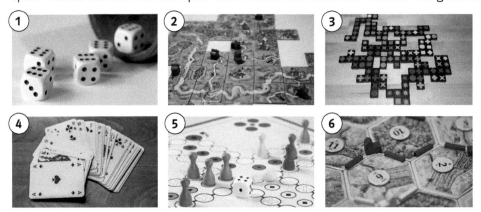

2) Präsentieren Sie Ihr Spiel dem ganzen Kurs.

241 Spiel des Jahres

Seit 1979 wählt eine Jury jedes Jahr das „Spiel des Jahres". (Seit 2001 gibt es auch ein Kinderspiel des Jahres und seit 2011 das Kennerspiel des Jahres für sehr komplexe Spiele.)

Schreiben Sie Ihre persönliche Rangliste zu den Spielen von 240. Notieren Sie, was Sie gut an den ersten drei Plätzen finden, und auch warum Sie die anderen nicht so interessant finden.

1. _____

2. _____

3. _____

4. _____

5. _____

6. _____

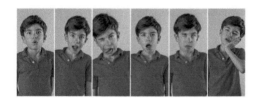

Jetzt sprechen Sie mit zwei Personen und wählen Sie ein Spiel als „Spiel des Deutschkurses". Wenn Sie eines gewählt haben, diskutieren Sie mit einer anderen Gruppe und kommen Sie zu einem Konsens. Dann immer weiter so, bis der ganze Kurs zusammen ein Spiel ausgewählt hat.

Spiel der Kleingruppe _____

Spiel der Großgruppe _____

Spiel des Deutschkurses _____

242 Spielen Sie!

Sie spielen ein Partyspiel. Sie malen, sprechen und machen Pantomime. Lesen Sie die Anleitung und spielen Sie im Kurs.

1. Bilden Sie Teams (am besten drei bis vier Personen pro Team).

2. Wenn Ihr Team dran ist, bestimmen Sie eine*n aktive*n Spieler*in in Ihrem Team. Die anderen Spieler*innen von Ihrem Team raten. (Die anderen Teams dürfen nicht raten!)

3. Der/die aktive Spieler*in nimmt eine Karte in der richtigen Kategorie (der Spielplan zeigt die Kategorien). Dann spielt er/sie den Begriff entweder ohne zu sprechen vor (Pantomime), malt das Wort (Malen) oder erklärt die Vokabel (Sprechen). Sie haben eine Minute Zeit, um das Wort zu erraten.

4. Wenn Sie richtig raten, dürfen Sie würfeln und kommen auf das nächste Feld. Dort beginnen Sie in der nächsten Runde.

5. Wenn Sie den Begriff nicht erraten, bleibt Ihre Spielfigur stehen und Sie müssen in der nächsten Runde die gleiche Kategorie noch einmal spielen.

6. Wenn Sie den Begriff erraten haben oder die Sanduhr durchgelaufen ist, ist das nächste Team dran.

7. Spielen Sie reihum, bis ein Team durch Würfeln in die Endzone kommt. Dieses Team gewinnt das Spiel.

243 Meine Lieblingsmusik

Interviewen Sie Personen im Kurs über Musik und machen Sie Notizen:

Welche Musikgenres hören die Personen gern/oft/immer?

_____

Was sind Lieblingslieder? Wer sind Lieblingskünstler*innen oder -gruppen?

_____

Was hören die Personen nicht so gern/überhaupt nicht?

_____

Hören die Personen Musik in bestimmten Situationen? (z. B. während sie arbeiten)

_____

Haben die Personen Konzerte gesehen? Wann und wen?

_____

Kennen die Personen deutsche Musik? Welche Lieder oder Musiker*innen kennen sie?

_____

Leyla mag Rockmusik

244 Nena

Lesen Sie den Text und setzen Sie mit einer/einem Partner*in die fehlenden Wörter ein:

Nena (_____ im März 1960 in Hagen, Deutschland als Gabriele Susanne Kerner) ist eine

der erfolgreichsten Künstlerinnen der deutschen Musikgeschichte. Im Jahr 1983 wurde sie durch

den Hit *99 Luftballons* weltweit bekannt. Das Lied _____ nicht nur auf Platz 1 in den

deutsprachigen Ländern, sondern auch (in der deutschen Version!) Platz 2 in den amerikanischen

Billboard Charts. Seitdem _____ Nena in jedem Jahrzehnt ein Album _____ und

sich oft an den Musikstil der Zeit _____. Auch nach 40 Jahren in der Musikbranche _____

sie auch heute bei jungen und alten Menschen beliebt. Von 2011 bis 2014 _____ sie das

junge Publikum als Jurorin und Coach in der Gesangs-Castingshow *The Voice of Germany* sehen.

a) ist   b) angepasst   c) hat   d) geboren   e) konnte   f) aufgenommen   g) war

245 80er, 90er, 2000er

1) **In Gruppen: Welche Sänger*innen/Gruppen waren in Ihrem Jahrzehnt (80er, 90er oder 2000er)
   in Ihrem Land beliebt? Was war in der Musikszene zu der Zeit typisch? (Videos, Stile, Themen,
   Genres, Events, etc.). Was meinen/wissen Sie? Was finden Sie online?**

Recherche

2) **Präsentieren Sie die Ergebnisse im Kurs und vergleichen Sie die Jahrzehnte: Welche Unterschiede und Trends
   gibt es?**

246 Nena in den 80er, 90er, 2000er

Nena hat in allen drei Jahrzehnten Lieder gesungen und singt auch heute noch. Hören Sie die Lieder von Nena und raten Sie das Jahrzehnt. Sagen Sie, warum die Lieder zu den Jahrzehnten passen (was sieht man im Video, was tragen die Leute, wie ist der Stil?).

Songs:
99 Luftballons (Original und aus Nena ft. Nena)
Nur geträumt (von Nena und von Blümchen)
Irgendwie, Irgendwo, Irgendwann (von Nena und von Nena ft. Kim Wilde)
Strobo Pop (Die Atzen ft. Nena)
Genau Jetzt

1980er: _____   1990er: _____

2000er: _____   2010er: _____

247 Schlager, oder was?

Recherchieren Sie mit Partner*in die Informationen zu einer Gruppe oder Sänger*in. Sie hören dann die Lieder. Raten Sie, welches Ihr*e Gruppe/Sänger*in ist und präsentieren Sie dem Kurs die Informationen.

Recherche

Meine Gruppe/mein*e Sänger*in kommt aus _____ .

Sie/Er ist/sind aktiv seit _____ ODER: war/waren aktiv von _____ bis _____ .

Ihre/Seine Musikrichtung ist _____ .

Gruppen/Sänger*innen und Lieder:

Helene Fischer – Atemlos durch die Nacht
Cro – Whatever
Nicole – Ein bisschen Frieden
Marusha – Somewhere over the Rainbow
Falco – Rock me Amadeus
La Bouche – Be my Lover
Andreas Gabalier – Hulapalu
Ute Freudenberg – Jugendliebe
Kraftwerk – Roboter
Andreas Bourani – Auf uns
Markus – Ich will Spaß
Karat – Über sieben Brücken musst du gehen
Die Ärzte – Schrei nach Liebe
Nina Hagen – New York, New York
Namika – Lieblingsmensch
Cascada – Everytime We touch
Wir sind Helden – Nur ein Wort
BAUSA – Was du Liebe nennst
Puhdys – Alt wie ein Baum
Hildegard Knef – Für mich soll's rote Rosen regnen

Schlager	NDW	Rock	Rap
Techno	Eurodance	Pop	Punk

77: PROJEKT 6 – EINE SPIELZEUGMESSE°

248 Spielzeugmesse

In Deutschland gibt es viele Messen (*trade fairs*), z. B. Buchmessen, eine Automesse und natürlich auch eine Spielzeugmesse. Sie findet jedes Jahr in Nürnberg statt.

Sie organisieren eine spezielle Spielzeugmesse: Mit Spielzeug aus verschiedenen Ländern und aus verschiedenen Epochen.

1) Sprechen Sie erst im Kurs über die Aufgaben.
Welche Gruppe recherchiert Spielzeug aus welchen Ländern? Oder lieber thematisch? Und welche Jahrzehnte finden Sie interessant? Vielleicht 1900 – 1950 – 2000? Oder etwas anderes? Es ist Ihre Entscheidung!

Überlegen Sie, wie Sie Ihre Spielzeugmesse präsentieren möchten. Ist es eine Instagram-Messe? Oder vielleicht eine Postermesse? Oder wollen Sie lieber eine Google-Maps nehmen und Ihre Bilder und Texte in den Ländern verlinken?

Myanmar

Südafrika

2) Dann recherchieren Sie als Gruppe: Suchen Sie drei oder vier Exponate. Sie brauchen ein Bild von dem Spielzeug. Schreiben Sie auch einen kurzen Text im Perfekt, wie Menschen mit diesem Spielzeug gespielt haben. Das ist der Ausstellungstext.

3) Jetzt gestalten Sie Ihre Präsentation.

4) Besuchen Sie die Spielzeugmesse und sprechen Sie mit den Ausstellern! Viel Spaß!

WAS GIBT'S DA ZU SEHEN?:
SEHENSWÜRDIGKEITEN IN WIEN

In **chapter 7**, you'll learn …

- to describe Vienna's location within Austria and in relation to neighboring countries.
- to talk about navigating a city via public transportation and read transportation schedules.
- to talk about important sights in Vienna and how one can get from one place to another.
- to describe art works from the Vienna Secession movement.
- to describe the importance of the Kaffeehaus culture in Vienna and talk about different Viennese specialities served in cafés.
- to use idiomatic phrases and words to describe images, such as photos and paintings.
- to read about Vienna's Jewish history from the Middle Ages to the 21st century.
- about the nine federal states of Austria and their capitals.
- about important historical events related to the Habsburg Empire.
- about questions of multiculturalism in Vienna today and in the past.
- about different districts of Vienna and why the city is considered to offer a high quality of life.
- about city planning efforts in Vienna and express your own ideas for optimizing public spaces.
- about the intersection of art and the environment in Vienna.
- about important characteristics of the Vienna Secession art movement.
- about the rich theater scene in Vienna and the political potential of theater.
- about the political and cultural complexities of the Viennese Ballkultur.
- about the intersection of contemporary popular music and LGBTQ activism.

249 Österreich: Was gibt es in dem Land?

Bilden Sie vier Gruppen und recherchieren Sie österreichische Städte, österreichische Sehenswürdigkeiten, typisch österreichisches Essen und berühmte Personen aus Österreich (grün). Danach sortieren Sie die Gruppen für eine Jigsaw-Aktivität um und erzählen den anderen, was Sie gefunden haben. Machen Sie Notizen (weiß).

Recherche

	Städte	Sehenswürdigkeiten	Typisches Essen	Berühmte Personen
meine Gruppe				
andere Gruppen				

250 Österreich: Wo liegt das eigentlich?!

Über welches Land spreche ich? Arbeiten Sie mit zwei anderen Personen. Wählen Sie ein Nachbarland von Österreich. Die anderen Personen müssen erraten, über welches Land Sie sprechen basierend auf der Geografie.

Radfahren im Dreiländereck: Österreich, Italien, Slowenien

Nele: Liegt dein Land im Süden von Österreich?
Toni: Nein, mein Land liegt nicht im Süden von Österreich.
Ira: Hmm, liegt es im Osten von Österreich?
Toni: Ja, es liegt im Osten von Österreich.
Nele: Liegt es im Nordosten?
Toni: Ja, genau. Es liegt im Nordosten.
Ira: Ah, dein Land ist die Slowakei.

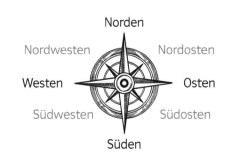

1) In Österreich gibt es neun Bundesländer. Hören Sie gut zu und machen Sie Notizen. Wie heißt die Landeshauptstadt des Bundeslandes?

Bundesland	Nummer	Landeshauptstadt
Burgenland		
Kärnten		
Niederösterreich		
Oberösterreich		
Salzburg		

Bundesland	Nummer	Landeshauptstadt
Steiermark		
Tirol		
Vorarlberg		
Wien		

2) Zu zweit: Sie haben jeweils vier Bundesländer bekommen. Beschreiben Sie der anderen Person, wo Ihr Bundesland von der Steiermark aus gesehen liegt. Benutzten Sie die Phrasen aus 250. Dann rät die andere Person, welche Nummer auf der Karte es ist.

Information: Person 1 auf Seite A-6,
Person 2 auf Seite A-13

252 Und Wien?

Wien ist die Hauptstadt von Österreich. Sie liegt im Osten von dem Land und nahe der Grenze zur Slowakei. Die Stadt liegt an der Donau (*river Danube*) und war schon im 16. und 17. Jahrhundert ein wichtiger Handelsort, weil dort die Handelswege nach Venedig, Deutschland und in die Slowakei, nach Tschechien und Ungarn zusammenkamen.

Recherche

Recherchieren Sie die Entfernung von einer der folgenden Städte zu Wien und beschreiben Sie die Lage mit der Himmelsrichtung. z. B. Berlin liegt 681 km nordöstlich von Wien.
Städte: München, Passau, Prag, Bratislava, Budapest, Venedig, Zagreb, Ljubljana, Bukarest

253 Zeitstrahl – Die Habsburger Doppelmonarchie

Sie haben zu Hause einen Text zu der Habsburger Monarchie gelesen. Sortieren Sie die Ereignisse zu den Jahreszahlen auf dem Zeitstrahl.

(1) Ein Anarchist tötet Kaiserin Elisabeth.

(2) Franz Joseph wird Kaiser von Österreich.

(3) Mord an Franz Ferdinand/Der Erste Weltkrieg beginnt.

(4) Vertrag mit Ungarn: Beginn der Doppelmonarchie (K. u. K.)

(5) Kaiser Franz Joseph I. stirbt./Regentschaft von Kaiser Karl beginnt.

(6) Ende der Doppelmonarchie/Kaiser Karl muss Österreich verlassen.

(7) Österreich-Ungarn annektiert Bosnien-Herzegowina.

(8) Hochzeit von Franz Joseph I. und Elisabeth (Sisi)

Zeitstrahl:
- 1850
- 1854:
- 1860
- 1870
- 1880
- 1890
- 1898: *1*
- 1900
- 1910
- 1914:
- 1918:
- 1920

- 1848:
- 1867:
- 1908:
- 1916:

254 Der Mythos Sisi

1) Sie haben in LERNEN auch einige Information über Elisabeth (Sisi) gelesen. Woran erinnern Sie sich? Sprechen Sie mit einer Person und schreiben Sie gemeinsam drei Informationen auf.

_____

_____

_____

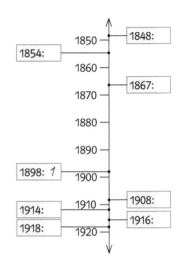

Elisabeth war jung und schön und ihre Geschichte tragisch. Sie wurde zu einem Mythos und ihr Bild ist in Wien sehr präsent. Es hängt zum Beispiel im Café Central und in der Hofburg kann man ihr Fitnesszimmer sehen. Es gibt auch viele Souvenirs mit Sisis Bild. In den 50er Jahren machte der Regisseur Ernst Marischka drei Filme über Elisabeth: Sissi (1955), Sissi – Die junge Kaiserin (1956) und Sissi – Schicksalsjahre einer Kaiserin (1957). Sie waren etwas kitschig, aber sehr populär und machten die Schauspielerin Romy Schneider zum Star. Sie kommen jetzt noch jedes Jahr an Weihnachten im deutschen Fernsehen. Seit 1992 gibt es außerdem ein Musical, das *Elisabeth* heißt. Man konnte es erst in Wien sehen, dann aber auch in vielen anderen Ländern.

2) Sehen Sie jetzt die Trailer zu *Sissi und Elisabeth* und vergleichen Sie: Wie ist die Atmosphäre? Wie sieht Elisabeth aus? Ist Elisabeth eine starke Figur? Um welches Genre handelt es sich vielleicht (Komödie, Liebesfilm, Drama, Abenteuerfilm)? Wie interpretieren Sie, dass das Musical Elisabeth sich „Die wahre Geschichte der Sissi" nennt? Was glauben Sie, sagt dieser Untertitel über die Filme und das Musical? Was zeigt das Musical vielleicht, aber die Filme nicht?

3) Reflektieren Sie: Kennen Sie andere (politische) Figuren, die man idealisiert oder von denen man nur ein paar Dinge erzählt und andere aber nicht? Warum passiert das?

1) Lesen Sie den Text und markieren Sie alle Perfekt Partizipien.

Die Doppelmonarchie war ein „Vielvölkerstaat", das heißt, es haben viele Ethnien oder Nationalitäten in Österreich-Ungarn gelebt. Von den Ländern, die es heute in Europa gibt, haben Österreich, Ungarn, Tschechien, die Slowakei, Slowenien, Kroatien und Bosnien-Herzegowina und Teile von Polen, Italien, Serbien, Montenegro, Rumänien und der Ukraine zur Doppelmonarchie gehört. In einer Umfrage zur Muttersprache von 1910 ist es zu diesem Ergebnis gekommen: 12 Millionen Menschen oder 23,4 % der Gesamtbevölkerung haben Deutsch, 19,6 % Ungarisch, 12,5 % Tschechisch, 9,7 % Polnisch, 8,5 % Serbokroatisch (heute Serbisch, Kroatisch oder Bosnisch), 7,8 % Ruthenisch (heute Ukrainisch), 6,3 % Rumänisch, 3,8 % Slowakisch, 2,4 % Slowenisch und 1,5 % Italienisch gesprochen.

Viele Kaiserreiche waren multinational (auch das Osmanische Reich). Meistens hatte eine Gruppe Priorität, was zu Ungerechtigkeiten und dann auch Konflikten geführt hat. Im Habsburg-Reich hatten Österreicher und an zweiter Stelle Ungarn die meisten Privilegien. Die slawischen Gruppen, vor allem die drittgrößte Gruppe (Tschechen) wollten politische und kulturelle Gleichstellung. Sie haben ein föderales System gefordert. Manche Minderheiten hatten das Gefühl, dass sie mehr zu einer separaten Nationalität als zum Kaiserreich gehört haben (auch weil sie nicht gleich sind oder keine Privilegien haben). Franz Joseph hat diesen modernen Nationalismus und Nationalitätenkonflikte nicht verstanden. Diese Konflikte hat es aber in vielen Teilen der Doppelmonarchie gegeben. Die verschiedenen Gruppen wollten selbst bestimmen, wie sie leben und nicht von einem Kaiser regiert werden. Nach dem Ersten Weltkrieg hat das Konzept des Nationalstaates gewonnen.

2) Beantworten Sie die Fragen zum Text.

Wie viele Sprachen gab es in der Doppelmonarchie?

_____

_____

_____

Welche Gruppe(n) hatte(n) die meisten Privilegien?

_____

_____

Welche Gruppen wollten ein föderales System? Warum?

_____

_____

_____

_____

Konnte Kaiser Franz Joseph eine Lösung für diese Konflikte finden? Was ist nach dem 1. Weltkrieg passiert?

_____

_____

_____

256 **Wien: Wie kommt man eigentlich dorthin?**

1) In Gruppen: Sie planen eine Gruppen-Exkursion für 1 Woche nach Wien. Zuerst müssen Sie Flüge finden. Ihre Aufgabe: Finden Sie ein Datum in den nächsten 6 Monaten mit einem günstigen aber guten Flug. [🔍]

Recherche

Startflughafen (mit Flughafencode): _____

Zielflughafen (mit Flughafencode): _____

Hinflug am: _____ Rückflug am: _____

Preis in Euro: _____

2) Präsentieren Sie die Ergebnisse und vergleichen Sie: Welche Gruppe hat den günstigsten Flug gefunden?

257 **Wien: Welche Bezirke gibt es dort?**

Zu zweit: Wien hat 23 Bezirke. Sprechen Sie mit einer anderen Person. Benutzen Sie Phrasen von 250 und Zahlen. Beschreiben Sie einen Bezirk, die andere Person muss raten.

Tia: Mein Bezirk ist östlich von „Innere Stadt" und hat mehr als 150.000 Einwohner.
Lara: Dein Bezirk heißt Donaustadt, richtig?

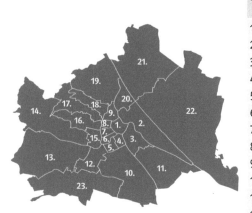

Nr.	Gemeinde-bezirk	PLZ	Einwohner	Nr.	Gemeinde-bezirk	PLZ	Einwohner
1.	Innere Stadt	1010 Wien	16.450	13.	Hietzing	1130 Wien	54.265
2.	Leopoldstadt	1020 Wien	105.574	14.	Penzing	1140 Wien	92.752
3.	Landstraße	1030 Wien	90.712	15.	Rudolfsheim-Fünfhaus	1150 Wien	79.029
4.	Wieden	1040 Wien	33.319	16.	Ottakring	1160 Wien	104.627
5.	Margareten	1050 Wien	55.640	17.	Hernals	1170 Wien	57.546
6.	Mariahilf	1060 Wien	32.069	18.	Währing	1180 Wien	51.647
7.	Neubau	1070 Wien	32.467	19.	Döbling	1190 Wien	72.650
8.	Josefstadt	1080 Wien	25.662	20.	Brigittenau	1200 Wien	87.239
9.	Alsergrund	1090 Wien	42.547	21.	Floridsdorf	1210 Wien	162.779
10.	Favoriten	1100 Wien	201.882	22.	Donaustadt	1220 Wien	187.007
11.	Simmering	1110 Wien	101.420	23.	Liesing	1230 Wien	103.869
12.	Meidling	1120 Wien	97.624				

Quelle: Statistik Austria (2018)

258 **Wien: Wer lebt dort?**

Wien ist wie viele Großstädte eine Einwanderungsstadt. In allen Wiener Bezirken wohnen Migrant*innen, aber in Liesing wohnen am wenigsten (27,9% der Liesinger haben ausländische Wurzeln[1]) und in Rudolfsheim-Fünfhaus wohnen am meisten (53,6%).

[1]die Wurzeln – *roots*

1) Überlegen Sie, warum Migrant*innen mehr in manchen und weniger in anderen Bezirken wohnen. Denken Sie auch an die Städte in den USA.

2) Beschreiben Sie die Statistiken und beantworten Sie die Fragen:

	Wien	in %
Staatsbürgerschaft		
Gesamt	1.888.776	100,0 %
Österreich	1.329.449	70,4 %
Ausland	559.329	29,6 %
Herkunft (TOP 10)		
Serbien	101.565	5,4 %
Türkei	76.658	4,1 %
Deutschland	58.233	3,1 %
Polen	54.153	2,9 %
Bosnien & Herz.	40.748	2,2 %
Rumänien	37.610	2,0 %
Ungarn	28.283	1,5 %
Kroatien	27.155	1,4 %
Syrien	24.135	1,3 %
Bulgarien	19.461	1,0 %
Afghanistan	keine Angabe	

Quelle: Statistik Austria (2018)

Aus welchen 10 Ländern kommen die meisten Migrant*innen in Wien? Vermuten Sie: Wann und warum sind sie nach Österreich gekommen?

Optional: Vergleichen Sie die Top 10 mit dem Text in 255: Welche Migrantengruppen kommen aus der ehemaligen Doppelmonarchie?

Hilfreiche Redewendungen:

Es wohnen mehr _____ als _____ in Wien.

Die meisten Ausländer*innen in Wien kommen aus _____ .

Der Anteil von Menschen aus _____ ist _____ Prozent

höher als der Anteil von Menschen aus _____ .

_____ ist/liegt auf dem ersten/zweiten/dritten Platz in Wien.

> **Grammatik**
>
> der erst**e**/zweit**e**/
> dritt**e**/.../letzt**e** Platz
>
> auf dem erst**en**/
> zweit**en**/dritt**en** Platz

---

259 **Wien: Was macht die Stadt so lebenswert?**

1) Jedes Jahr sucht das Beratungsunternehmen Mercer die lebenswerteste Stadt der Welt. Wien hat schon neunmal Platz 1 belegt. Sprechen Sie mit einer anderen Person: Was muss eine Stadt für Sie haben, damit sie lebenswert ist?

viele Parks, ... _____

_____

_____

2) Wählen Sie zwei Attribute von Ihrer Liste. Suchen Sie online, ob es diese Dinge in Wien gibt. Machen Sie sich Notizen in der Tabelle. 🔍 Recherche

Attribut	in Wien?
viele Parks	_Volksgarten, Donaupark, Stadtpark_

260 Verkehrsmittel in der Großstadt

1) In Wien gibt es viele Verkehrsmittel. Schauen Sie sich die Fotos an und finden Sie den richtigen Namen für die unterschiedlichen Verkehrsmittel.

1 das Taxi   **2** der Bus   **3** die U-Bahn   **4** die Straßenbahn   **5** das Boot   **6** die Pferdekutsche (oder: der Fiaker)

2) Was glauben Sie, wie oft (immer, oft, manchmal, selten, nie) benutzen Touristen und wie oft Einheimische die Verkehrsmittel oben? Warum?

3) Sprechen Sie mit anderen Personen im Kurs über die Verkehrsmittel in Ihrer Heimatstadt und einer Großstadt in Ihrem Heimatland. Welche benutzen Sie und warum?

Nora: Welche Verkehrsmittel gibt es in deiner Heimatstadt?
Emma: Ich komme aus Chapel Hill. In Chapel Hill gibt es nur Busse und Taxis. Ich fahre oft mit dem Bus, denn er ist günstiger als das Auto. Und du? Welche Verkehrsmittel gibt es in deiner Heimatstadt?
Nora: Ich komme aus NYC. Hier gibt es …

Grammatik

gut (besser, am besten), schnell (schneller, am schnellsten)
umweltfreundlich (umweltfreundlicher, am umweltfreundlichsten)
günstig (günstiger, am günstigsten) …

261 Öffentliche Verkehrsmittel in Wien: Eine Statistik

1) Zu zweit: Beantworten Sie mit einer anderen Person die Fragen über die Statistik auf der rechten Seite:

a)   Welches Verkehrsmittel benutzen Menschen in Wien am meisten?
Wie viele Menschen haben dieses Verkehrsmittel 2011 benutzt?
b)   Benutzen Menschen in Wien den Bus mehr oder weniger als die Straßenbahn?
c)   Welche Verkehrsmittel benutzen die Menschen ab 2012 mehr als vorher?
Um wie viel Prozent sind sie von 2011 bis 2012 angestiegen?

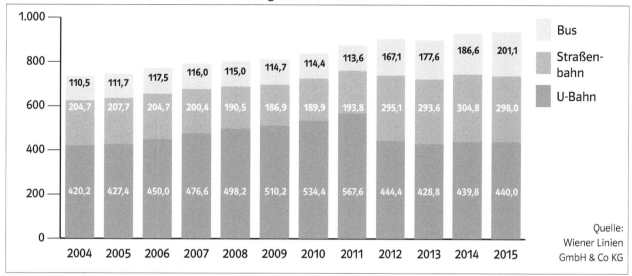

Wiener Linien – Fahrgäste 2004 bis 2015
Fahrgäste in Millionen

Jahr	Bus	Straßenbahn	U-Bahn
2004	110,5	204,7	420,2
2005	111,7	207,7	427,4
2006	117,5	204,7	450,0
2007	116,0	200,4	476,6
2008	115,0	190,5	498,2
2009	114,7	186,9	510,2
2010	114,4	189,9	534,4
2011	113,6	193,8	567,6
2012	167,1	295,1	444,4
2013	177,6	293,6	428,8
2014	186,6	304,8	439,8
2015	201,1	298,0	440,0

Quelle: Wiener Linien GmbH & Co KG

2) Welche Verkehrsmittel benutzen Menschen in Ihrer Heimatstadt/Ihrem Heimatland? Gehen Sie online und suchen Sie Statistiken. Dann erzählen Sie einer anderen Person, was Sie gefunden haben.

Recherche

Beispiel: Die Menschen in meiner Stadt benutzen häufig ..., aber sie benutzen ... häufiger.

262 Ein Tag voller Kultur in Wien

1) Sie wollen das Wiener Riesenrad, das Wiener Rathaus und den Leopoldsbrunnen besuchen und starten am Westbahnhof. Welche Route macht am meisten Sinn und wie lange dauert die Fahrt (Minuten)? Benutzen Sie den Link für diese Übung unter www.klett-usa.com/impuls1links und Google Maps und tragen Sie die Informationen in die Tabelle ein.

Recherche

	Verkehrsmittel	Linie	Einstiegs-haltestelle	Ausstiegs-haltestelle	Minuten	Was sehen?
Start: Westbahnhof						Sehenswürdigkeit 1:
						Sehenswürdigkeit 2:
						Sehenswürdigkeit 3:

2) Erzählen Sie einer Person im Kurs von Ihrer Route.

Beispiel: Ich steige an der Haltestelle Rathaus/Universität in die Linie U2 ein. Ich fahre bis zur Haltestelle Wien Schottentor. Dort steige ich in die VAL3 um. An der Haltestelle Flughafen Wien steige ich aus und laufe zum Terminal.

Redemittel

in die Linie; an der Haltestelle; am Rathaus, ...

einsteigen in; aussteigen aus; umsteigen in; nehmen; fahren (mit)

263 **Was gibt es in Wien zu sehen?**

1) Ordnen Sie zu.

1 das Riesenrad	**2** der Stephansdom	**3** die Secession	**4** das Hundertwasserhaus
5 das Schloss Belvedere	**6** die Hofburg	**7** das Johann-Strauß-Denkmal	**8** die Spanische Hofreitschule

2) Sie haben schon einiges über Wien gelernt. Erzählen Sie einer anderen Person im Kurs, was Sie in Wien besichtigen möchten und sagen Sie auch warum.

Beispiel: Ich möchte zur Hofburg gehen, weil ich mich für Geschichte interessiere.

264 **Beschreibung einer Sehenswürdigkeit**

🔊 **1) Sie hören Beschreibungen einiger bekannter Sehenswürdigkeiten. Ordnen Sie die Beschreibungen den Bildern zu.**

2) Suchen Sie ein Bild von Aktivität 263 oder 264 aus. Beschreiben Sie es einer anderen Person im Kurs. Die andere Person muss raten, welches Bild Sie beschreiben.

Beispiel: Ich sehe eine Statue. Sie ist golden. Die Statue hat ein Instrument. Es ist auch golden.

Schloss	Blume	Kirche	Dach	rund	rot	golden	cool
Statue	Flagge	Wasser	Säule	groß	weiß	bunt	ruhig
Riesenrad	Turm	Instrument	Park	klein	grün	modern	…

🔊 **1) Schauen Sie gemeinsam die Karte von Wien an und folgen Sie den Wegbeschreibungen. Was sind die Startpunkte und Endpunkte für die Wegbeschreibungen?**

a) vo_m Stephansdom_____ zu_____

b) vo_____ zu_____

c) vo_____ zu_____

d) vo_____ zu_____

Sie können die Wien-Karte mit Klett Augmented vergrößern.

2) Zu zweit: Stellen Sie sich vor, Sie sind in Wien. Fragen Sie Personen im Kurs nach dem Weg.

a) Von der Universität zum Stephansdom
b) Vom Stephansdom zum Kunsthistorischen Museum
c) Vom Kunsthistorischen Museum zur Karlskirche
d) Von der Karlskirche zur Staatsoper
e) Von der Staatsoper zum Justizpalast
f) Vom Justizpalast zur Votivkirche
g) Von der Votivkirche zum Rathaus

Beispiel: a) Wie komme ich von der Uni zum Stephansdom?
Gehen Sie am Ring entlang. Biegen Sie rechts in die Schottengasse ab. Laufen Sie geradeaus bis zur Herrengasse. Biegen Sie links am Kohlmarkt ab und laufen Sie am Graben entlang. Biegen Sie links in die Kärntnerstraße ab und dann sehen Sie den Stephansdom.

Redemittel

Wie komme ich nach _____?
Wie komme ich zum/zur _____?
Gehen Sie [geradeaus; links / rechts; bis zur (nächsten, ersten, …) Kreuzung; in Richtung (Bahnhof,…)]
Sie sehen _____ auf der (linken, rechten) Seite.

266　Musik-Ecke: „Wien bei Nacht"

Haben Sie Wien schon bei Nacht geseh'n?

Rainhard Fendrich (*1955) ist ein österreichischer Liedermacher aus Wien. Er hat viele Hits gehabt, und seine Lieder zählen zum Genre „Austropop". Sein Lied „I am from Austria" bezeichnet man als den größten Austropop-Hit aller Zeiten.

Ken Hayakawa (*1982) ist ein japanisch-österreichischer DJ und Musikproduzent aus Salzburg. Als Kind hat Hayakawa Klavier spielen gelernt; später hat er eine Ausbildung zum Elektrotechniker gemacht. Aber seine wahre Leidenschaft blieb immer noch Musik; 2004 zog er als DJ nach Wien.

1) Hören Sie Fendrichs „Haben Sie Wien schon bei Nacht geseh'n?". Kreuzen Sie die genannten Sehenswürdigkeiten an.

das Riesenrad　　　　　die Donau

das Rathaus　　　　　der Volksgarten

die Hofburg　　　　　der Stephansdom

2) Welche anderen Städte werden im Refrain erwähnt? Machen Sie eine Liste.

3) Schauen Sie nun das Musikvideo von Hayakawa an. Im Video kommen verschiedene Orte und Verkehrslinien in Wien vor. Bringen Sie sie in die richtige Reihenfolge.

Linie U1　　　　　der Naschmarkt

Linie U2　　　　　der Heldenplatz

das Riesenrad　　　　　der Stephansdom

die Staatsoper

4) Zu zweit: Welche Version gefällt Ihnen am besten? Warum? Was würden Sie gern in Wien bei Nacht machen?

267 Franz Josephs Wettbewerb

1) Lesen Sie den Text.

Bis zum 19. Jahrhundert gab es um die innere Stadt eine Stadtmauer[1]. Am 20. Dezember 1857 teilte Kaiser Franz Joseph mit, dass die innere Stadt mit den Vorstädten besser verbunden[2] werden sollte. Es gab einen Wettbewerb mit Plänen, wie die neue Straße aussehen sollte. Sehr viele Wiener Architekten nahmen an dem Wettbewerb teil. Zu den drei besten Plänen gehörten: der Plan von Friedrich Stache, von Ludwig Förster und von dem Team August Sicard von Sicardsburg und Eduard van der Nüll. Die Stadtplaner modifizierten die drei Pläne und kreierten einen Gesamtplan. Die Bauarbeiter[3] zerstörten die Mauer, planierten den Graben[4] und bauten die neue Straße und die Gebäude. Am 1. Mai 1865 eröffneten die Wiener die Ringstraße, aber sie war erst viel später fertig. Die Straße ist ungefähr 4 km lang und 57 m breit. Die meisten Gebäude sind im Stil vom Historismus gebaut.

Ab 1868 fuhr eine Pferdebahn zwischen Stubenring und Schottentor, bald danach bis zum Franz-Josefs-Kai. Im Jahr 1898 wurde die Tram elektrisch. Heute umrundet[5] keine Straßenbahnlinie den ganzen Ring, aber die Linien 1, 2, D und 71 fahren noch entlang der Ringstraße.
Am Anfang durften Autos in beide Richtungen fahren. Seit 1972 ist der Ring eine Einbahnstraße[6], das heißt Autos dürfen nur in eine Richtung fahren. Seit den 1990er Jahren gibt es auch eine Fahrradspur[7].

[1]die Stadtmauer – *city wall* [3]der Bauarbeiter – *construction worker* [5]umrunden – *to circle* [7]die Fahrradspur – *bicycle lane*
[2]verbunden – *connected* [4]der Graben – *ditch* [6]die Einbahnstraße – *one-way street*

2) Suchen Sie alle Jahreszahlen im Text und schreiben Sie dazu, was zu dieser Zeit passiert ist.

Datum/Jahr   Ereignis

_____   _____

_____   _____

_____   _____

_____   _____

_____   _____

268 Der Ring – Stadtplan-Recherche

1) Benutzen Sie Google Maps und finden Sie heraus:
Welche Sehenswürdigkeiten gibt es am Ring? Berichten Sie.

Recherche

Am Ring gibt es …

_____   _____   _____

_____   _____   _____

_____   _____   _____

2) Partnerarbeit: Wählen Sie fünf Sehenswürdigkeiten und beschreiben Sie die Lage der Gebäude.

_____ steht links/rechts/gegenüber von _____.

_____ steht zwischen _____ und _____.

links

gegenüber   rechts

3) Wechseln Sie in Streetview und beschreiben Sie ein Gebäude.

Welche Farben sehen Sie? Ist es groß/klein? Hat es viele oder wenige Fenster? Hat es Säulen?

269 Und noch ein Wettbewerb

1) Der Präsident von Ihrer Uni schreibt einen Campus-Design-Wettbewerb aus. Beschließen Sie im Kurs, welches Thema der Wettbewerb hat: Soll Ihr Campus schöner oder effizienter oder umweltfreundlicher oder … werden?

Universität Wien

2) Skizzieren Sie Ihren Plan.

3) Präsentieren Sie den Plan im Kurs. Eine Jury wählt den besten Plan.

270 Jüdisches Wien: Eine kurze Geschichte

1) Lesen Sie die Geschichte über jüdisches Leben in Wien und finden Sie die passenden Adjektive. Wichtig: Sie müssen auch die Adjektivendungen ändern.

Jüdisches Leben in Wien hat eine _____*lange*_____ Geschichten (f.).

Ein _____ Dokument (n.) zeigt: Schon im _____

12. Jahrhundert (n.) haben Juden in Wien gelebt. Ab ca. 1250 hat sich eine

_____ „Wiener Judenstadt" (f.) entwickelt. Dort gab es eine

Synagoge, ein Spital (Krankenhaus) und ein Badehaus.

Ein _____ Kapitel (n.) der jüdischen Geschichte in Wien war die Wiener Gesarah in 1420.

Es war eine _____ Vernichtung[2] (f.) von allen Juden im Herzogtum Österreich.

lang
alt
spät
klein
dunkel
systematisch

Nach 1420 haben Juden ein sehr _____ Leben (n.) in Wien gehabt. Es gab einen _____

Friedhof[3] (m.) (cemetery) im Jahr 1582, aber es gab auch immer Attacken gegen Juden. 1852 war

ein _____ Jahr (n.) für Juden in Wien. Nach der _____ Revolution

(f.) von 1848 hat die Stadt Wien die Israelitische Kultusgemeinde als eine _____

Religionsgemeinschaft (f.) akzeptiert. Jüdische Familien hatten einen _____ Anteil[4] (m.) an

der positiven wirtschaftlichen Entwicklung[5] von Wien im späten 19. Jahrhundert.

unsicher / neu
wichtig
demokratisch
offiziell
groß

Schon in den 1930er Jahren hat sich in Wien ein _____ und _____

Antisemitismus (m.) intensiviert und als die Nazis 1938 nach Wien kamen, hat für die Wiener Juden

ein _____ Leiden (n.) begonnen. In der Schoah hat es eine _____

Ermordung (f.) der Wiener Juden gegeben. Juden mussten einen _____ Stern[6] (m.) tragen.

Seit den 1980er Jahren hat sich wieder ein _____ jüdisches Gemeindeleben (n.) entwickelt.

religiös /
politisch
unvergleichlich /
systematisch
gelb
lebhaft

[1]entwickeln – *to develop* [3]der Friedhof – *cemetery* [5]die Entwicklung – *development*
[2]die Vernichtung – *extermination* [4]der Anteil – *share* [6]der Sterm – *star*

Grammatik

Welche Endungen haben die Adjektive?

| 1) Artikel? | j | 2) Wie Nominativ? | j | 3) Singular? | j | 4) Gender? | j | -e |

n → Artikel-Endung   n → -en   n → -en   n → -er/-es

2) Zu zweit: Beantworten Sie die Fragen zum Text mit einer anderen Person.

Wann haben die ersten jüdischen Menschen in Wien gelebt?

_____

Was hat es alles in der ersten „Wiener Judenstadt" gegeben?

_____

Stadttempel Synagoge

Warum war die Revolution von 1848 wichtig für die Wiener Juden?

_____

_____

Was mussten Juden im Dritten Reich tragen? _____

Judenplatz

271 Der Zentralfriedhof – Ein interkonfessioneller Friedhof

Der Zentralfriedhof ist ein interkonfessioneller Friedhof in Wien. Finden Sie Informationen auf dem Faltplan unter diesem Link www.klett-usa.com/impuls1links und beantworten Sie die Fragen:

a) Welche Religionen finden Sie?
b) Welche Nationalitäten finden Sie?
c) Welche anderen Gebäude finden Sie? Was macht man da?

Zeremonienhalle auf dem Neuen
Israelitischen Friedhof

Grabmal auf dem Alten Jüdischen Friedhof

272 Das Mahnmal für die österreichischen jüdischen Opfer der Schoah auf dem Judenplatz in Wien

1) Zu zweit: Vergrößern Sie das Bild mit Klett Augmented. Beschreiben Sie das Schoah-Mahnmal in Wien mit den Phrasen aus Box 272a in LERNEN. Was können Sie sehen? Welche Elemente gibt es? Welche Elemente fehlen? Was bedeutet dieses Fehlen? Schreiben Sie alle Elemente (auch Elemente, die fehlen) in die Tabelle unten.

Redewendungen & Vokabeln

Auf diesem Bild sieht man ...
Auf diesem Bild gibt es ...
Links oben/unten ...; Rechts oben/unten ...
In der Mitte sieht man / kann man ... sehen

das Buch, die Bücher	book, books
der Buchrücken, -	book spines
der Buchtitel, -	book title
der Inhalt	content
der Autor, -en	male author
die Autorin, -nen	female author

2) Zu zweit: Spekulieren Sie, was die verschiedenen Elemente und fehlenden Elemente des Mahnmals repräsentieren. Schreiben Sie Nomen, Adjektive oder auch kurze Phrasen in die Tabelle. Sie können auch ein Wörterbuch benutzen.

Element	Dieses Element/Fehlen des Elements repräsentiert:

273 Spittelau

1) **Zu zweit: Sehen Sie sich das Bild an und spekulieren Sie, was das für ein Gebäude ist. Was macht man hier vielleicht? Wird etwas produziert? Ist es ein Museum? Ein Schloss? Warum hat das Gebäude einen Turm? Wie finden Sie die Fassade?**

2) **Diese Anlage liegt in Spittelau bei Wien. Suchen Sie im Internet nach Informationen über dieses Gebäude. Womit assoziiert man diese Anlage?**

Versicherung	Militär	Essen
Müllverbrennung	Autoproduktion	Flugzeugbau

274 Technische Daten

Zu dritt: Das Fernwärmenetz in Wien ist sehr groß. Sie bekommen Daten über die thermischen Abfallbehandlungs-anlagen in Spittelau (Person 1: Seite A-6), Flötzersteig (Person 2: Seite A-11) und Simmeringer Haide (Person 3: Seite A-13). Stellen Sie Fragen und vergleichen Sie. Vergrößern Sie das Bild mit der Klett Augmented App.

Ulf: Die Abfallbehandlungsanlage Spittelau verarbeitet im Jahr 253.417 Tonnen Müll. Verarbeiten eure mehr oder weniger?

Mupp: Die Abfallbehandlungsanlage Flötzersteig verarbeitet im Jahr 194.807 Tonnen Müll.

Bupp: Die Abfallbehandlungsanlage Simmeringer Haide verarbeitet im Jahr 395.978 Tonnen Müll.

Ulf: Die Anlage Spittelau verarbeitet also mehr Müll im Jahr als die Anlage Flötzersteig und die Anlage Simmeringer Haide verarbeitet am meisten Müll.

Grammatik		
A = B	so _____ wie	
A > B		
A < B	_____ **er** als	
A > B, C …	am _____ **sten**	
A < B, C …		

Resultate:

Welche Anlage verarbeitet im Jahr am meisten Müll? (Tonnen)   *Simmeringer Haide*

Welche Anlage erzeugt am meisten thermische Energie? (Megawattstunden) _____

Welche Anlage versorgt die meisten Haushalte mit Fernwärme? _____

Welche Anlage versorgt die wenigsten Haushalte mit Fernwärme und Warmwasser? _____

275 Womit wird geheizt?

1) Machen Sie eine Umfrage im Kurs. Notieren Sie die Resultate mit Hilfe einer Strichliste: Ⅲ̶Ⅱ

Wo wohnst du?/Wo wohnen Sie?		Womit wird geheizt?	
in einem Haus	_____	mit Fernwärme	_____
in einem Studentenwohnheim	_____	mit Gas	_____
in einer Wohngemeinschaft	_____	mit Holz oder Kohle	_____
in einer Wohnung	_____	mit Strom	_____

2) Zu zweit: Vergleichen Sie Ihre Statistik mit der Grafik. Die Grafik zeigt, womit in Österreich geheizt wird.

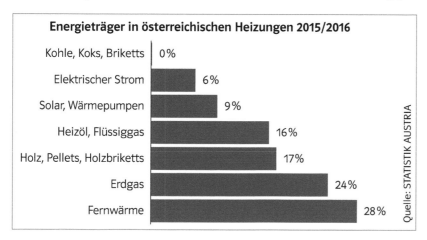

Energieträger in österreichischen Heizungen 2015/2016

Kohle, Koks, Briketts	0%
Elektrischer Strom	6%
Solar, Wärmepumpen	9%
Heizöl, Flüssiggas	16%
Holz, Pellets, Holzbriketts	17%
Erdgas	24%
Fernwärme	28%

Quelle: STATISTIK AUSTRIA

276 Hundertwasser-Projekte

1) Zu dritt: Welche Funktion haben diese Hundertwasser-Projekte? Was meinen Sie?

- Autobahnrasthaus
- Kirche
- Kinder Erlebnisarchitektur
- Ronald-McDonald-Haus
- Schlammverwertung
- Schule (Gymnasium)
- Thermendorf
- Zitadelle

2) Wählen Sie einen Ort aus der folgenden Liste und suchen Sie dort nach einem Hundertwasser-Projekt.

Bad Fischau | Bärnbach | Blumau | Essen | Magdeburg
Osaka (Maishima) | Osaka (Plaza) | Wittenberg

3) Beschreiben Sie Ihren Partner*innen das Hundertwasser-Projekt und sein Bild, ohne darauf zu zeigen. Die anderen müssen raten, welches Ihr Projekt ist.

4) Vergleichen Sie in der Gruppe Ihre drei Projekte. Benutzen Sie Adjektive im Komparativ und Superlativ mit Nomen.

Mike: Projekt 2 hat einen großen Turm, aber Projekt 8 hat einen größeren Turm.

Tina: Ja, aber ich denke, Projekt 7 hat den größten Turm.

277 Gustav Klimt und die Secession

Sie haben zu Hause einen Text über die Wiener Secession gelesen. Arbeiten Sie mit einer anderen Person und ergänzen Sie die Sätze.

Die Secession wurde am _____ unter der Leitung von _____ gegründet.

Die Künstlervereinigung distanzierte sich von traditionellen Stilen und wollte Freiheit vom _____

Einfluss. Im Jahre 1898 wurde _____ eröffnet. Hier konnten sie ihre Werke einem großen Publikum

präsentieren. „Ver Sacrum" hieß die _____ der Vereinigung.

278 Ein Museumsbesuch

🔊 **1) Sie sind im Kunstmuseum in Wien und machen eine Führung mit. Hören Sie die Beschreibung des Gemäldes und kreuzen Sie das richtige Bild an.**

 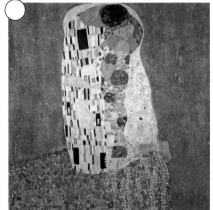 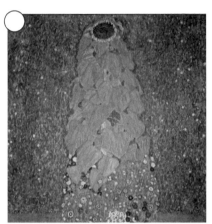

2) Hören Sie die Beschreibung noch einmal an. Ergänzen Sie die Lücken im Text.

Hier sehen Sie das berühmteste österreichische Gemälde, _____ von Gustav Klimt. Es zeigt

einen _____ und eine _____, die sich auf einer Blumenwiese umarmen. Klimt malte

das Bild 19_____ / 19_____ auf dem Höhepunkt seiner „_____ Periode". Hier benutzte er

eine neue Technik, die Öl- und Bronzefarbe mit _____ kombinierte. Das Gemälde präsentiert ein

universelles Thema des menschlichen Lebens: die _____. Der österreichische Staat kaufte das Bild

1908. Seit dieser Zeit gibt es dieses Gemälde im _____.

3) In Gruppen: Schauen Sie die anderen zwei Bilder an. Was sehen Sie? Beschreiben Sie kurz. Welches gefällt Ihnen am besten?

4) In Gruppen: Gehen Sie gern ins Kunstmuseum? Wie oft gehen Sie ins Museum? Welches Museum, das Sie noch nicht kennen, möchten Sie gern besuchen?

279 Ein Bild beschreiben

1) Zu zweit: Suchen Sie online nach dem Gemälde „Adele Bloch-Bauer I" von Gustav Klimt und beschreiben Sie es. Was sehen Sie? Folgende Phrasen können dabei helfen:

Das Bild zeigt …/Auf dem Bild kann man … sehen.   Ich finde das Bild (schön/hässlich/interessant/…)
Es ist (bunt/dunkel/allegorisch/mysteriös/melancholisch/…)   Der Stil ist (abstrakt/symbolhaft/modern/
geometrisch …)   Besonders mag ich …

2) Vergleichen Sie dieses Gemälde mit den Gemälden auf Seite 174. Welche Gemeinsamkeiten und Unterschiede gibt es?

3) Im Kurs: Haben Sie einen Lieblingskünstler/eine Lieblingskünstlerin oder ein Lieblingskunstwerk? Wenn ja, erzählen Sie davon!

280 Ein Museum bewerten

1) Lesen Sie die folgenden Bewertungen über das Schloss Belvedere.

Wunderschönes Schloss mit fantastischer Ausstellung
Das Schloss besteht aus zwei großen Gebäuden: dem oberen und dem unteren Belvedere. In beiden gibt es Kunstausstellungen mit berühmten Werken u. a. von Klimt und Schiele. Man soll sich auch Zeit lassen, die riesigen, prachtvollen Räume des Schlosses zu bewundern. Zu Fuß ist das Schloss vom Hauptbahnhof sehr schnell zu erreichen. Bei schönem Wetter ist ein Spaziergang im Schlossgarten auch sehr zu empfehlen.

Ein bezaubernder Garten, eines der bekanntesten Klimt-Werke und noch mehr zu sehen
Ein Besuch im Belvedere lohnt sich sehr. Nicht nur „der Kuss", sondern auch viele andere ausgezeichnete Bilder von anderen bekannten Künstlern kann man sehen, außerdem gibt es einen wunderschönen Garten. Aber schade, dass viele Besucher absolut keine Rücksicht auf andere nehmen und immer Selfies mit Klimts „der Kuss" machen wollen. Sie stehen oft im Weg und blockieren das Gemälde. Das sollte meiner Meinung nach verboten sein.

2) Zu zweit: Beantworten Sie die Fragen zu den zwei Bewertungen.

a)   Sind die Bewertungen hauptsächlich positiv oder negativ?
Gibt es Kritik?
b)   Was gibt es im Schloss Belvedere? Was kann man dort machen oder sehen?
c)   Welche anderen nützlichen Informationen bekommt man?

3) Wählen Sie eine Sehenswürdigkeit (ein Museum, ein Denkmal, ein besonderes Gebäude) in Ihrer Stadt aus und schreiben Sie eine Bewertung. Was gibt es dort zu sehen oder zu machen? Was kann man empfehlen? Ist Ihre Bewertung positiv oder negativ?

_____

_____

_____

_____

281 Eine Aufwärmübung aus dem Improvisationstheater: „Schimpfkanonade"

Zu zweit: Stehen Sie auf und stellen Sie sich gegenüber. In diesem Improvisationsspiel dürfen Sie sich gegenseitig beschimpfen, aber nur mit „neutralen" Begriffen. Zeigen Sie Ihre gespielten Emotionen auch mit Ihrer Körpersprache und Intonation.

Claudia: Du Stofftasche!!!

Benny: Ich Stofftasche? Du Flugzeug!!!

Claudio: Ich Flugzeug? Du …

282 **Theater als Politik – Politik als Theater**

1) Lesen Sie den Text zu Christoph Schlingensiefs Wiener Theateraktion „Bitte liebt Österreich".

Politisches Theater hat in Österreich eine lange Tradition und nimmt immer wieder neue Formen an. Im Jahr 2000 gab es zum ersten Mal seit 1945 eine rechtspopulistische Partei in der österreichischen Regierung: die Freiheitliche Partei Österreichs (FPÖ). Der Künstler und Theaterregisseur Christoph Schlingensief (1960–2010) reagierte darauf mit Aktionstheater: Während der Wiener Festwochen wohnten 12 „Asylbewerber" im Container neben der Staatsoper. Jede Woche sollten die Zuschauer*innen einen Kandidaten aus den Containern – und damit aus dem Land – wählen. Auf einem Schild über den Containern stand „Ausländer raus", eine Parole[1] aus der österreichischen Boulevardpresse, Kronenzeitung. Schlingensiefs Aktion bekam viel Aufmerksamkeit[2] und es gab teilweise sehr emotionale Reaktionen darauf.

[1]die Parole – *slogan*   [2]die Aufmerksamkeit – *attention*

2) Sprechen Sie über den Text in einer kleinen Gruppe: Was und/oder wen kritisiert Schlingensief mit seiner Aktion? Ist Schlingensiefs Aktion nur Theater oder macht er auch Politik?

3) Finden Sie als Gruppe möglichst viele Adjektive, mit denen man Schlingensiefs Aktion beschreiben kann.

Beispiele: mutig, …

4) Nehmen Sie die Perspektive von Schlingensiefs Kritiker*innen und seinen Befürworter*innen ein. Schreiben Sie ein Statement für beide Seiten und benutzen Sie passende Adjektive. Geben Sie Gründe.

Beispiel: Ich finde, dass es eine **riskante** Aktion ist, weil sie Menschen **aggressiv** gemacht hat und wir eine **sachliche** Diskussion über Asylpolitik brauchen.

Kritiker*in:

_____

_____

Befürworter*in:

_____

_____

5) Und Sie? Befürworten Sie Schlingensiefs Aktion oder sehen Sie sie kritisch? Warum?

283 **Elfriede Jelinek**

Elfriede Jelinek (*1946) ist eine der bekanntesten Persönlichkeiten Österreichs. Sie ist Schriftstellerin und Intellektuelle. Die Österreicher*innen sehen Jelinek kontrovers, weil sie ihren Finger oft auf offene Wunden legt und viel Kritik übt. International ist sie sehr anerkannt. 2004 gewann sie den Literaturnobelpreis für ihr schriftstellerisches Talent und ihre Leistung. Für Schlingensiefs Aktion war sie eine „Schirmherrin" (*patroness*).

1) Recherchieren Sie online, welche Theaterstücke Elfriede Jelinek geschrieben hat.

Recherche

2) Wählen Sie ein Theaterstück von Jelinek und finden Sie Informationen zu den folgenden Fragen:

Wie heißt das Stück? Von wann ist es? _____

Kann/Konnte man das Stück an Theatern sehen? Wenn ja, wo und wann?

_____

Wer ist/war Regisseur*in?

_____

Finden Sie Fotos von Inszenierungen? Was sehen Sie?

_____

_____

Welche Informationen finden Sie zum Inhalt oder Thema?

_____

_____

284 **Burgtheater Wien**

Das Burgtheater Wien ist eines der wichtigsten Theater im deutschsprachigen Europa. Gehen Sie auf die Internetseite vom Burgtheater Wien und recherchieren Sie.

Recherche

1) Welche Stücke zeigt das Burgtheater in der aktuellen Spielzeit? Machen Sie eine Liste.

_____

_____

2) Welches Stück möchten Sie gerne sehen? Warum? Schreiben Sie 3–4 Sätze.

_____

_____

_____

_____

3) Erzählen Sie anderen Studierenden im Kurs, welches Stück Sie warum sehen wollen.

285 Wiener Kaffeehauskultur

1) Sprechen Sie zu zweit: Wie oft gehen Sie ins Café? Was sind Ihre Lieblingscafés? Was machen Sie gern im Café?

Zeitung lesen

am Laptop arbeiten

Kaffee trinken

lernen

Musik hören

ein Buch lesen

sich mit Freunden unterhalten

nichts, die Zeit einfach genießen

eine Kleinigkeit essen

2) Zu zweit: Schauen Sie die Infografiken an und sprechen Sie über die Fragen unten.

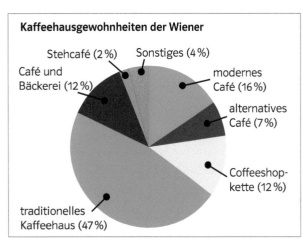

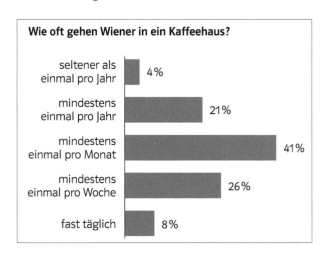

Quelle: marktmeinungmensch.at

Was stellt das linke Schaubild dar?

Was stellt das rechte Schaubild dar?

Wie oft gehen die meisten Wiener in ein Café oder Kaffeehaus?

Was für ein Kaffeehaus besuchen die Wiener am liebsten?

Wie viele Wiener besuchen normalerweise ein Café wie Starbucks?

286 „Kaffeehaus" von Peter Altenberg

1) Lesen Sie das kurze Gedicht.

> Du hast Sorgen, sei es diese, sei es jene – ins Kaffeehaus!
> Sie kann, aus irgend einem, wenn auch noch so plausiblen Grunde,
> nicht zu dir kommen – ins Kaffeehaus!
> Du hast zerrissene Stiefel – Kaffeehaus!
> Du hast 400 Kronen Gehalt und gibst 500 aus – Kaffeehaus!
> Du bist korrekt sparsam und gönnst Dir nichts – Kaffeehaus!
> Du bist Beamter und wärest gern Arzt geworden – Kaffeehaus!
> Du findest Keine, die Dir paßt – Kaffeehaus!
> Du stehst innerlich vor dem Selbstmord – Kaffeehaus!
> Du haßt und verachtest die Menschen und kannst sie dennoch nicht missen – Kaffeehaus!
> Man kreditiert Dir nirgends mehr – Kaffeehaus!

2) Wohin gehen Sie oder was machen Sie, wenn Sie Trost (*consolation*) suchen?

3) Schreiben Sie noch 1-2 neue Zeilen für Altenbergs Gedicht.

287 Eine Melange, bitte!

1) Wiener Spezialitäten. Schauen Sie die Kaffeehauskarte von Café Central an. Den Link dorthin finden Sie unter www.klett-usa.com/impuls1links. Suchen Sie nach Definitionen für die folgenden Getränke und Speisen.

- a) Wiener Melange
- b) Verlängerter
- c) Amadeus
- d) Maria Theresia
- e) Marillenpalatschinken
- f) Wiener Erdäpfelsuppe
- g) Kaiserschmarrn
- h) Ungarische Gulaschsuppe

2) Was möchten Sie gern probieren? Sprechen Sie mit einer anderen Person. Verwenden Sie Relativsätze, wenn möglich.

Beispiele: _____ ist ein Getränk/Gericht, das ich gern probieren möchte.

Ein Getränk, das ich gerne probieren möchte, ist …

Ein Gericht, das ich nie/gern essen würde, ist …

3) Im Café. Spielen Sie einen Dialog mit Ihrem Partner/Ihrer Partnerin. Folgende Phrasen können Ihnen helfen:

Herr Ober! / Grüß Gott! / Servus! / Was darf's sein?

Ich hätte gern … / Ich möchte … / Zum Trinken nehme ich …

Gerne. / Kommt sofort! / Sonst noch etwas?

Zahlen, bitte! / Die Rechnung, bitte. / Wir würden gerne zahlen.

Das stimmt so. / Auf _____ Euro bitte.

> ● **Kulturpunkt**
>
> Die Begrüßung „Grüß Gott" ist so ähnlich wie "bless you" auf Englisch. Diese Begrüßung hat einen religiösen Ursprung. Aber heute benutzen auch nicht religiöse Menschen „Grüß Gott." In ganz Österreich und Bayern wird diese Phrase oft zur Begrüßung benutzt.

288 Ein Kaffeehaus für jeden Geschmack

1) In Wien gibt es rund 800 Cafés – da ist was für jeden Typ dabei! Recherchieren Sie die unterschiedlichen Cafés im Internet. Welches möchten Sie am liebsten besuchen?

Recherche

	Bezirk	Stil, Atmosphäre
Café Sacher		
das möbel		
CoffeePirates		
Café Landtmann		
Café Hawelka		

2) Ergänzen Sie die Relativpronomen und raten Sie, welches Café zu den jeweiligen Beschreibungen passt.

- a) Das Café, _____ Ethan Hawke und Julie Delpy im Hollywood-Film Before Sunrise besuchen.

- b) Ein traditionelles Künstlercafé, in _____ man hausgemachte Buchteln essen kann.

- c) Hier kann man die berühmte Torte essen, _____ den gleichen Namen wie das Café trägt.

- d) Hier treffen sich oft prominente Wiener*innen, _____ sich für Politik und Wirtschaft interessieren.

- e) Der ideale Ort für einen jungen Studierende, _____ Flat Whites gefallen und _____ kostenloses WLAN suchen.

- f) Dieses Café hat Kaffee, _____ fair gehandelt ist, und coole Designer-Möbelstücke, _____ man auch kaufen kann.

89: BALLKULTUR°

289 Ballsaison in Wien

1) Lesen Sie den kurzen Absatz.

Recherche

Die Wiener Ballsaison findet zum gleichen Zeitpunkt wie Fasching statt.
Der Höhepunkt der Ballsaison ist also im Jänner (Januar) und Februar.
Den wahrscheinlich berühmtesten Ball gibt es in der Wiener Staatsoper,
der Opernball. Jedes Jahr finden aber mehr als 450 andere Bälle an
verschiedenen Orten in Wien statt.
Suchen Sie online nach Bildern vom Wiener Opernball.

Staatsoper, Wien

2) In Gruppen: Suchen Sie einen Ball von der Liste aus und finden Sie Informationen zu diesem Ball.

der BonbonBall   der Johann Strauß Ball   der Blumenball   der Ball der Wissenschaften
der Silvesterball   der Kaffeesiederball   der Jägerball   der Ärzteball

Wann ist der Ball?	
Wo findet er statt?	
Wie teuer sind die Karten?	
Gibt es etwas Besonderes an diesem Ball?	

3) Präsentieren Sie den Ball mit den Informationen aus 2).

4) Im Kurs: Wer tanzt gern? Wer war schon mal auf einem Ball? Wer würde gern einen Ball in Wien besuchen? Welchen?

290 Der Life Ball – Eine unkonventionelle Interpretation der Wiener Balltradition

**Suchen Sie online nach Videos auf Deutsch
zum Thema „Life Ball History" von 1993–2015.
Beantworten Sie dann die Fragen.**

Seit wann gibt es den Life Ball?

Vor welchem berühmten Gebäude findet der Ball
statt?

Welche Eindrücke haben Sie von dem Ball?
Vergleichen Sie die Bilder vom Life Ball mit den
Bildern vom Opernball, die Sie bei Aktivität 289
gefunden haben. Welche Unterschiede gibt es?

Was glauben Sie, warum man den Life Ball als
„unkonventionell" beschreibt?

291 Die richtige Ballkleidung

1) Lesen Sie die folgenden Tipps zur richtigen Ballkleidung. Unterstreichen Sie alle Relativpronomen!

Es gibt bestimmte Regeln, denen man folgen muss, wenn man auf einen Ball geht. Hier sind einige Tipps:
Wenn auf der Einladung *White Tie* oder *Cravate Blanche* steht:
- Herren müssen einen schwarzen Frack mit weißer Fliege tragen.
- Die passende Kleidung für eine Dame ist eine Ballrobe, also ein bodenlanges Abendkleid mit Korsage und einem weiten Rock, in dem man gut Walzer tanzen kann. Dazu sollte sie den schönsten Schmuck tragen, den sie hat.

Wenn auf der Einladung *Black Tie* steht:
- Herren sollten einen schwarzen Smoking mit einer schwarzen Fliege anziehen.
- Damen tragen das „kleine" Abendkleid, das bis zum Knöchel oder Boden reicht.
- Es ist auf alle Fälle wichtig, sich vorher über den Dresscode zu informieren, denn wenn man nicht richtig angezogen ist, wird man wieder nach Hause geschickt!

2) Was halten Sie von Dresscodes? Waren Sie schon mal auf einem Event mit einem Dresscode? Erzählen Sie!

292 Einen Ball planen

Zu zweit: Sie sind Event-Planer*in und sollen einen neuen Ball in Wien planen. Arbeiten Sie mit einer anderen Person und sammeln Sie Ideen. Dann erzählen Sie den anderen Gruppen von Ihrem Plan.

- Was ist das Thema? Wie heißt der Ball?
- Gibt es Ehrengäste?
- Wo findet der Ball statt?
- Wann findet der Ball statt?
- Was sollen die Gäste tragen?
- Wie teuer sind die Karten?

293 Walzerstunde: 1 – 2 – 3

Lernen Sie Walzer tanzen.

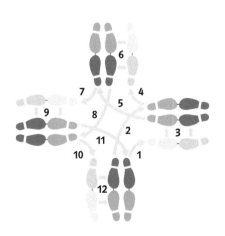

1. So einfach ist das: Folgen Sie den Zahlen und schon haben Sie den Grundschritt des Walzers. Versuchen Sie es mit Partner*in, zuerst parallel, das heißt: Sie sind beide der/die „führende" Partner*in (grün).
2. Beschreiben Sie Ihre Schritte: „1. Ich gehe mit dem rechten Fuß nach vorne und drehe mich nach rechts, um 90 Grad im Uhrzeigersinn."
3. Jetzt stellen Sie sich voreinander und der/die andere Partner*in (orange) spricht: „Ich setze den linken Fuß nach hinten und drehe mich nach rechts, um 90 Grad im Uhrzeigersinn."
4. Versuchen Sie es! Wir zählen dabei eins-zwei-drei, eins-zwei-drei, eins-zwei-drei.
5. Für Fortgeschrittene: Ein ¾ Takt (also 1-2-3) sollte nicht nur eine viertel, sondern eine halbe Drehung sein. Und der Wiener Walzer ist ziemlich schnell. Viel Spaß!

| der linke Fuß | nach vorne/hinten gehen | den rechten neben den linken Fuß setzen |
| der rechte Fuß | nach links/rechts drehen | den linken neben den rechten Fuß setzen |

294 Klassische Musik in Wien: Sommernachtskonzert der Wiener Philharmoniker

1) Seit 2004 gibt es jedes Jahr ein Konzert der Wiener Philharmoniker im Schlosspark von Schloss Schönbrunn. Jedes Jahr dirigiert eine andere, bekannte Person die Wiener Philharmoniker. Hören Sie zu und schreiben Sie in die Tabelle, wer das Orchester in welchem Jahr dirigiert hat und was das Motto war. Es gibt nicht jedes Jahr ein Motto. Die Jahre sind nicht chronologisch.

Jahr	Dirigent*in	Motto
2012	Gustavo Dudamel	
	Zubin Mehta	
	Christoph Eschenbach	Märchen und Mythen
2014	Christoph Eschenbach	
	Franz Welser-Möst	Mond – Planeten – Sterne

Jahr	Dirigent*in	Motto
	Daniel Barenboim	
	Lorin Maazel	Wagner und Verdi
2016	Semyon Bychkov	
	Valéry Gergiev	

2) Zu zweit: Mehr Informationen über das Sommernachtskonzert. Welche Relativpronomen fehlen im Text?

Das Sommernachtskonzert der Wiener Philharmoniker, _____ es seit 2004 gibt, ist ein Konzert, bei

_____ die Philharmoniker im Schlosspark Schönbrunn spielen. Die Konzerte, _____ unter freiem

Himmel stattfinden, beginnen immer bei Sonnenuntergang. Die Veranstaltung, _____ viele Menschen

jedes Jahr besuchen, bringt bis zu 140.000 Menschen in den Schlosspark, in _____ die große Bühne

(*stage*) steht. Das erste Konzert 2004, _____ die Stadt Wien den Namen „Konzert für Europa" gegeben

hat, hat die Expansion der Europäischen Union gefeiert. Der Dirigent Bobby McFerrin wählte 2004 ein Programm

mit Musik von Komponisten und Komponistinnen, _____ aus acht europäischen Nationen kamen.

3) Recherchieren Sie: Gehen Sie auf die Websites der Orte. Finden Sie Konzerte, für die Sie sich interessieren.

Recherche

Musikstil	Orte
klassische Musik	Musikverein; Wiener Staatsoper
elektronische Musik	Flex; Fluc; Grelle Forelle
aktuelle Popmusik	Wiener Stadthalle

4) Fragen Sie eine andere Person:

Welche Musik möchtest du in Wien hören?
Wo kannst du diese Musik hören?
Welches Konzert besuchst du?

2014 hat Österreich das erste Mal seit 1966 den Eurovision Song Contest gewonnen, mit „*Rise like a Phoenix*" von Dragqueen Conchita (Tom Neuwirth). Die Teilnahme von Conchita war kontrovers. Konservative Länder wollten nicht, dass sie singt. Am Ende hat Conchita gewonnen, weil sie von den Menschen in vielen Ländern die meisten Punkte bekommen hat. Das Lied war auch in den Top 10 in vielen Ländern in Europa und Nummer 1 in Österreich. Viele haben das als ein positives Zeichen für die LGBTQ-Community gesehen.

1) Kennen Sie Persönlichkeiten der LGBTQ-Community oder Events, die eine ähnliche Wirkung in Ihrem Land haben/hatten?

Tom Neuwirth hat zwei Kunstfiguren: den maskulinen Elektro-Pop Künstler WURST und die feminine Diva Conchita. Conchita ist bekannt für ihren Mix von unkonventionellen Ideen und (österreichischen) Traditionen. 2018 hat sie mit den Wiener Symphonikern für das Album „*From Vienna with Love*" kollaboriert, eine neue Version des Falco-Klassikers „*Rock me Amadeus*" aufgenommen und das Lied „*Heast as net*" von Hubert von Goisern gecovert.

2) Schauen Sie das Musikvideo von „Heast as net" von Conchita und Ina Regen und lesen Sie den Sontext zuerst auf Österreichisch und dann auf Hochdeutsch:

Heast as net	Hörst du es nicht?
Wia die Zeit vergeht	Wie die Zeit vergeht
Huidiei jodleiri Huidiridi	Huidiei jodleiri Huidiridi
Gestern nu'	Gestern nur
Ham d'Leut ganz anders g'redt	Haben die Leute ganz anders geredet.
Huidiei jodleiridlduueiouri	Huidiei jodleiridlduueiouri
Und gester is'heit word'n	Und gestern ist heute geworden
Und heit is'bald morg'n	Und heute ist bald morgen.
Die Jungen sind alt word'n	Die Jungen sind alt geworden
Und die Alten habn sturb'n	Und die Alten sind gestorben.
Hidiei jodleiri huidiridi	Hidiei jodleiri huidiridi
Heast as net	Hörst du es nicht?
Heast as net	Hörst du es nicht?
Huidieridiri	Huidieridiri
Hollareidiridldoueio hallouri	Hollareidiridldoueio hallouri
Heast as net, wia die Zeit vergeht	Hörst du nicht, wie die Zeit vergeht?
Heast as net, wia die Zeit vergeht …	Hörst du nicht, wie die Zeit vergeht?

3) Verstehen Sie die österreichische Version? Welche Wörter sind wie im Hochdeutschen? Welche Wörter sind anders?

4) Im Lied jodelt Conchita „Huidiei jodleiri Huidiridi". Können Sie jodeln? Versuchen Sie es!

5) In einem Interview sagt er: „Der Song hat eine starke Message. Der Rechtsruck (*political shift to the right*) war schon einmal populär und das kommt immer wieder. Das Lied will das Gegenteil. Es besingt eine inkludierende Gesellschaft, die von Vielfalt geprägt ist." Was denken Sie, was meint Conchita mit „Hörst du es nicht, wie die Zeit vergeht?"?

296 **Video-Ecke: Ehsan, Mahdi und Hassan sprechen über ihr Leben in Stuttgart.**

Sie haben in diesem Kapitel viel über die Stadt Wien gelernt. Heute erzählen Mahdi, Ehsan und Hassan über die Stadt Stuttgart in Deutschland und was man dort alles machen kann. Beantworten Sie die Fragen mit einer Person im Kurs:

1. Wo kann man im Sommer gut grillen?

   Hafensee   Max-Eyth-See   Killesberg

2. Wo schwimmt man im Sommer?

3. Mahdi erzählt von der Wilhelma. Was ist das?

4. Wohin geht Hassan gern im Winter? Was gibt es dort?

91: Projekt 7 – Eine Tour planen°

297 Stadt-Tour

In diesem Kapitel haben Sie viel über Wien und die Sehenswürdigkeiten gelernt. Sie haben auch besondere Touren kennengelernt (z. B. Auf den Spuren der Habsburger, Jüdisches Wien und „Die Stadt unter der Stadt").

Jetzt planen Sie eine Tour! Sie können eine Tour für Wien konzipieren oder für Ihre Heimatstadt.

Phase 1: Planung

Überlegen Sie zuerst:
Wo findet die Tour statt?
Was ist das Thema Ihrer Tour?
Welche Sehenswürdigkeiten/Orte passen zu dem Thema?

Phase 2: Gestaltung

Kreieren Sie Ihre eigene Stadtkarte (mit Google Maps zum Beispiel). Markieren Sie alle Sehenswürdigkeiten/Orte und schreiben Sie drei oder vier Sätze zu jedem Pin.

Schreiben Sie dann ein Handout mit einer kurzen Einführung (Was ist Ihr Thema, was können die Tourist*innen auf der Tour lernen?) und praktischen Tipps (Wie kommen die Tourist*innen von einem Ort zum anderen? Nennen Sie die Verkehrsmittel mit Station und schreiben Sie die Wegbeschreibungen. Wo können sie zu Mittag essen oder Kaffee trinken, gibt es etwas Bestimmtes, was sie essen/trinken sollten?). Vergessen Sie die Preise nicht.

Phase 3: Präsentation und Reflektion

Lesen Sie die Handouts und sehen Sie sich die Google Maps von mindestens drei Personen an. Wenn Sie Fragen haben, fragen Sie die Personen.

Welche Tour möchten Sie machen? Schreiben Sie eine kurze Bewertung über die Tour, die Sie machen möchten (Was finden Sie interessant, nicht so interessant?).

WIE SIEHT DIE ZUKUNFT AUS?:
ERFINDUNGEN UND INNOVATIONEN

In **chapter 8**, you'll learn …

- to describe different German cities and regions and what they are known for.
- to identify the geographical location of the 16 federal states of Germany and their capital cities.
- to describe the locations of objects and people.
- to talk about hypothetical scenarios and make predictions about your future and that of others.
- to reflect on the way that innovative inventions have shaped, and will shape, your personal life.
- to identify and describe different parts of a car, and how a gasoline engine works.
- about important German inventors, their inventions, and their home states in Germany.
- about VW as an example of a global brand and how regional market conditions influence the products it offers.
- about possibilities for a "car of the future" and the challenges we face with advancing technologies.
- about language as something that is constantly being reinvented in the context of different historical and contemporary moments.
- about innovations in the social realm as a response to large-scale societal challenges, such as homelessness or world hunger.

92: Deutschland – Land der Erfinder*innen

298 Deutschland: Was assoziieren Sie mit dem Land?

In Kapitel 7 haben Sie ein Interview über Österreich gemacht. Jetzt interviewen Sie drei Personen im Kurs über ihr Vorwissen zu Deutschland. Benutzen Sie die Fragen unten und machen Sie sich Notizen.

Welche Städte in Deutschland kennst du?   Was ist typisch deutsches Essen?
Welche Sehenswürdigkeiten gibt es?   Kennst du berühmte Deutsche?

Person	Städte	Sehenswürdigkeiten	Typisches Essen	Berühmte Personen

299 Bundesländer

1) Finden Sie mit einer anderen Person heraus, welche Nummern die Bundesländer auf der rechten Karte haben.

Nr.	Bundesland	Hauptstadt	Nr.	Bundesland	Hauptstadt
_15_	Baden-Württemberg	Stuttgart	_____	Niedersachsen	Hannover
_____	Bayern	München	_____	Nordrhein-Westfalen	Düsseldorf
_____	Berlin	Berlin	_____	Rheinland-Pfalz	Mainz
_____	Brandenburg	Potsdam	_____	Saarland	Saarbrücken
_____	Bremen	Bremen	_____	Sachsen	Dresden
_____	Hamburg	Hamburg	_____	Sachsen-Anhalt	Magdeburg
_____	Hessen	Wiesbaden	_____	Schleswig-Holstein	Kiel
_____	Mecklenburg-Vorpommern	Schwerin	_____	Thüringen	Erfurt

2) Üben Sie im Kurs die Aussprache der Bundesländer und Hauptstädte.

3) Zu zweit: Sie sagen ein Bundesland. Ihr*e Partner*in zeigt es auf der Karte und sagt Bundesland und Hauptstadt.

300 Erfindungen und Entdeckungen

1) **Im Kurs: Unten sehen Sie eine Liste mit Erfindungen. Welche Erfindungen kennen Sie?**

2) **Sie bekommen (alleine/als Team/als Gruppe) eine Person von unten zugeteilt. Finden Sie online heraus, in welchem Bundesland die Person geboren ist und von wann bis wann sie gelebt hat.**

Recherche

3) **Welche Erfindung von der Liste hat Ihre Person erfunden, bzw. wozu hat die Person beigetragen? Suchen Sie online mehr Informationen zu dieser Erfindung.**

Recherche

4) **Präsentieren Sie die Person und Erfindung im Kurs. Wenn die anderen präsentieren, schreiben Sie in die Boxen mit den Namen und Erfindungen die Zahl für das passende Bundesland. Bei welcher Person konnten Sie das Bundesland nicht finden? Aus welchem Bundesland gibt es keine Person?**

15 das Automobil	das MP3-Format	der Fernseher	das Fallschirmpaket
die Thermosflasche	der Computer	das Gleitflugzeug	die Röntgenstrahlen
der Hubschrauber	die Straßenbahn	der Kaffeefilter	die Anti-Rutsch-Socken
der Buchdruck	das Rhabarberleder	die Currywurst	das leichtgewichtige Brillenglas

Katharina Paulus	Werner von Siemens	Johannes Gutenberg	Anne-Christin Bansleben
Otto Lilienthal	Melitta Bentz	Karlheinz Brandenburg	Reinhold Burger
Herta Heuwer	Wilhelm Conrad Röntgen	Henrich Focke	*15* Karl Benz und Gottlieb Daimler
Konrad Zuse	Marga Faulstich	Manfred Heuer	Manfred Baron von Ardenne

301 Mein Auto, mein Leben

1) Zu zweit: Beschreiben Sie die Bilder. Was machen die Leute? Wo befinden sie sich? Spielt das Auto eine zentrale oder eher nebensächliche Rolle?

2) Denken Sie über die folgenden Fragen nach.

Mit wie viel Jahren haben Sie Ihren Führerschein gemacht? (mit 17, mit 18, usw.)
Wer hat Ihnen das Fahren beigebracht? (Familie, Freund*in, Fahrschule, selbst)
Wo haben Sie Ihren Führerschein gemacht? Wie viel hat Ihr Führerschein gekostet?
Haben Sie ein Auto? Wenn ja, was für ein Auto fahren Sie? Wenn nein, warum nicht und wie kommen Sie von Ort zu Ort?
Fahren Sie lieber ein Auto mit Automatikgetriebe oder manueller Gangschaltung?

3) Sprechen Sie über die Fragen in 2) mit einer Person. Dann erzählen Sie dem Kurs von Ihren Antworten.

302 Was wissen Sie über Autos?

Arbeiten Sie zu zweit.

1) Wie viele Autoteile können Sie hier sehen? Wie heißen die Autoteile?

2) Wozu braucht man das?

> die Wagentür
> der Kofferraum
> die Windschutzscheibe
> der Scheinwerfer
> der Sicherheitsgurt

Person 1: Wozu braucht man eine Wagentür?
Person 2: Man braucht eine Wagentür, um ins Auto zu kommen.

3) Was fehlt dem Auto noch?

Person 1: Ich glaube, ihm fehlt noch der Sicherheitsgurt.
Person 2: Die Wagentüren fehlen dem Auto noch. Und ich sehe auch kein Nummernschild.

303 Auto-Recherche

Sie haben in LERNEN ein Auto recherchiert. Zeigen Sie einer anderen Person Bilder von dem Auto und erzählen Sie etwas über das Auto und über die Automarke. Danach spricht die andere Person über ihr Auto.

Was für ein Auto ist es? (Automarke, Modell)
Woher kommt das Auto?
Wo hat die Autofirma das Auto produziert?
In welchem Jahr hat die Autofirma das Modell zuerst verkauft?
Wie viel kostet das Auto ungefähr?
Wie schnell fährt das Auto?

Wie viele Autos produziert die Automarke im Jahr?
Wo befindet sich der Hauptsitz der Autofirma?
Wo produziert die Firma Autos?
Wie groß ist das Auto?
Was finden Sie an dem Auto interessant?
…

304 Autoquartett-Schreidiktat

1) Ihr*e Professor*in gibt jeder Person im Kurs eine Zahl von 1 bis 8. Tragen Sie jetzt die Informationen zu Ihrem Auto in die Tabelle (grün) ein. Personen 1-4 finden ihre Autos auf Seite A-6, 5-8 auf Seite A-13. Personen mit den Zahlen 1 bis 4 gehen zur linken Wand des Kursraums. Personen mit den Zahlen 5 bis 8 gehen zur rechten Wand.

Baujahr		Wann wurde dein Auto gebaut? Mein Auto wurde im Jahr … gebaut.
Preis (€)		Wie viel kostet dein Auto? Mein Wagen kostet … Euro.
Hubraum (cm³)		Wie viel Hubraum hat dein Auto? Mein Wagen hat einen … Liter Hubraum.
Leistung (kW/PS)		Wie viel PS hat dein Auto? Mein Wagen hat … PS.
Zylinder		Wie viele Zylinder hat dein Wagen? Mein Wagen hat … Zylinder.
Leergewicht (kg)		Wie viel wiegt dein Wagen? Mein Wagen wiegt … Kilogramm.
Geschwindigkeit (km/h)		Wie schnell fährt dein Auto? Mein Auto fährt … Kilometer pro Stunde.
Beschleunigung (s)		Wie schnell beschleunigt dein Wagen? Mein Wagen beschleunigt von null auf 100 in … Sekunden.
Verbrauch (l/100km)		Wie viel Sprit verbraucht dein Wagen? Mein Wagen verbraucht … Liter Sprit.
Länge (mm)		Wie lang ist dein Auto? Mein Wagen ist … Meter lang.
CO₂-Emission (g/km)		Wie viel CO₂ stößt dein Wagen aus? Mein Wagen stößt … Gramm CO₂ pro Kilometer aus.

2) Identifizieren Sie eine Person auf der anderen Seite. Die Distanz zwischen Ihnen und der Person soll sehr groß sein. Fragen Sie jetzt gegenseitig nach den Autodaten und tragen Sie die Daten oben ein (grau).

3) Was denken Sie, wie heißt das Auto der anderen Person?

Zur Wahl stehen: McLaren 600LT, Audi Q7 50 TDI, Suzuki Vitara 1.0, Jeep Wrangler BMW M850i Cabrio, Mercedes B180, Bentley Bentayga, Dodge Ram 1500

4) Bilden Sie mit zwei oder drei Personen im Kurs eine Gruppe, sodass jede Person in der Gruppe ein anderes Auto (grün) hat. Finden Sie heraus: Wer hat das neuste, älteste, teuerste, billigste, schnellste, langsamste, … Auto?

Ben: Ich suche das Auto mit dem größten Hubraum. Mein Auto hat einen Hubraum von 1,5 l.
Viviane: Mein Auto hat einen kleineren Hubraum als dein Auto: 1,4 l.
Jenny: Mein Auto hat einen größeren Hubraum als dein Auto und Vivianes Auto: 1,7 l.
Ben: Ok. Vivianes Auto hat den kleinsten Hubraum und Jennys hat den größten Hubraum. Ich habe das Auto mit dem größten Hubraum gesucht. Jenny bekommt einen Punkt.

305 **Die Volkswagen AG: Ein Auto für alle**

1) Zu zweit: Die Volkswagen AG (VAG) ist der weltweit größte Hersteller von Automobilen. Sie hat ein sehr großes Portfolio an Automarken. Obwohl diese Automarken VW gehören, kommen diese Produkte aus verschiedenen Ländern. Raten Sie, woher diese Automarken kommen. Verwenden Sie bitte das Länderkürzel in Klammern.

Deutschland (D)   Frankreich (F)   Großbritannien (GB)   Italien (I)   Schweden (S)   Spanien (E)   Tschechien (CZ)

_D_ Audi	☐ Bugatti	☐ Lamborghini	☐ Porsche	☐ SEAT	☐ Volkswagen
☐ Bentley	☐ Ducati	☐ MAN	☐ Scania	☐ ŠKODA	

2) Zu zweit: Welche Marken kennen Sie? Welche nicht? Was assoziieren Sie mit diesen Automarken? Welche Marken sind Ihrer Meinung nach besser/schlechter? Welche Marken würden Sie fahren, wenn Geld keine Rolle spielen würde? Welche Marke würden Sie nicht fahren? Warum?

306 **Automatik oder manuelles Getriebe?**

90 Prozent aller Neuwagen werden in den USA und in Japan mit Automatikgetriebe verkauft. In Deutschland liegt die Quote seit Jahren um die 20 Prozent. Dass 80 Prozent der deutschen Autokäufer*innen auf Automatikgetriebe verzichten, hat nicht nur mit dem Preis sondern auch mit der Fahrkultur in Deutschland zu tun. Interessanterweise kaufen viel mehr Männer (24,3 Prozent) als Frauen (6,4 Prozent) Automatikgetriebe. Bei einigen Luxusmarken (darunter Bentley, Bugatti und Lamborghini) gibt es aber heutzutage gar keine manuellen Schaltgetriebe zu kaufen.

1) Zu zweit: Sprechen Sie über die Fragen.
   a) Gibt es mehr Automatikgetriebe in Deutschland oder in den USA?
   b) Warum kaufen Deutsche lieber Autos mit manuellem Schaltgetriebe?

2) Machen Sie eine Umfrage im Kurs.
   a) Wie viele Leute können mit manuellem Schaltgetriebe fahren?
   b) Wie viele Leute würden ein Auto mit manuellem Schaltgetriebe kaufen?

3) Präsentieren Sie Ihre Resultate im Kurs.

307 **Andere Länder, andere Modelle**

Manche VW-Modelle kennt man auf der ganzen Welt. Es gibt aber auch Autos, die VW nur für bestimmte Märkte produziert.

 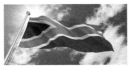  

1) Arbeiten Sie in 4er-Gruppen. Jede Person bekommt eine Karte mit Infos zu einem VW-Modell.
2) Jede Person präsentiert die wichtigsten Informationen über ihr Auto. Die anderen machen Notizen in der Tabelle.
3) Vergleichen Sie: Gibt es ähnliche Gründe, warum diese Modelle sich in den spezifischen Ländern gut verkaufen?

	Person 1	Person 2	Person 3
Modell-Name			
Produziert für			
Besondere Merkmale			
Warum erfolgreich in diesem Land?			

1) Welche Ausstattungselemente hat Ihr Traumauto? Schreiben Sie Nomen links in die Tabelle. Rechts schreiben Sie dann Adjektive, um die Ausstattung besser zu beschreiben. Sie finden ein paar Ideen für Adjektive unten.

Ausstattung (Nomen)	Adjektive
1. Motor	sparsam
2. Kofferraum	klein
3. Sitze	
4.	
5.	
6.	

Modell: *Ich möchte ein großes Auto mit einem sparsamen Motor und zu einem guten Preis. ...*

braun / rot / golden	schwarz – weiß	grün / gelb / blau	modern	zuverlässig
gemütlich	sparsam	günstig – teuer	neu – alt	umweltbewusst
groß – klein	sportlich	heizbar	niedrig / gering	...
großzügig	stark	leise – laut	schön	

2) Sprechen Sie nun über Ihr Traumauto mit anderen Studierenden. Sprechen Sie über Ihr eigenes Auto und fragen Sie die anderen Personen, wie ihre Traumautos aussehen.

309 Autofabrik der Zukunft

Im Jahre 2002 eröffnete Volkswagen eine neue Autofabrik in der Mitte von Dresden, um das neue Luxusauto „Phaeton" zu bauen. Das Gebäude ähnelte eher einem Museum als einer Fabrik. Mit einer Montagelinie[1] von 1,5 Kilometern verfügte die Fabrik über ein fahrerloses Transportsystem, das die Fahrzeugkarosserie und deren Autoteile[2] mit Hilfe von 60.000 Magneten automatisch bewegte[3]. Neu daran? Die Arbeiter*innen bewegen sich *mit* den Autos. Alle Autoteile und benötigtes Werkzeug werden automatisch von einem raffinierten computergesteuerten System an die richtige Stelle gebracht. Arbeiter*innen müssen auch nicht mehr über Stromkabel[4] stolpern, da das Werkzeug induktiv (und drahtlos) mit Strom versorgt wird. Die Arbeiter*innen müssen sich auch nicht bücken[5]. Die Autos hängen von Schienen und die Arbeiter*innen können das ganze Auto einfach mit einer Hand drehen.

Auch neu: Der gesamte Boden der Fabrik besteht aus kanadischem Ahornholz – fast 24.000 m^2 davon. Und mit seinen fast 28.000 m^2 Fenstern und Wänden aus Glas bekam die Fabrik den Namen „Transparente Fabrik". Kund*innen können sogar ihr neues Auto bei der Produktion beobachten. Was auch überraschte[6]: Statt Lastwagen bringt eine hauseigene Straßenbahn alles, was die Fabrik braucht. Die Phaeton-Produktion wurde 2016 eingestellt[7] und die Fabrik wurde zu einem Ausstellungsort[8] der Elektromobilität und Digitalisierung umgebaut. Nun bezeichnet man diese Produktionsweise von Autos als „Gläserne Manufaktur". Jetzt wird hier der e-Golf gebaut, der mit einem Synchronelektromotor fertiggestellt wird. Als neuen Service bietet die Gläserne Manufaktur eine Fertigungsbegleitung[9] an, wo Kund*innen sogar helfen dürfen, die letzten Teile ihres neuen Autos selbst zu montieren.

[1]*assembly line*   [2]*car parts*   [3]*moved*   [4]*power cords*   [5]*bend down*   [6]*surprised*   [7]*shut down*   [8]*exhibition space*   [9]*production guide/escort*

Zu zweit: Zu Hause haben Sie in LERNEN Fragen zu diesem Text nummeriert. Jetzt wählen Sie eine Seite und stellen einer anderen Person diese Fragen. Die Person antwortet. Dann fragt die Person Fragen von der anderen Seite und Sie beantworten sie. Zeigen Sie der anderen Person, wo Sie die Information gefunden haben.

Beispiele:

Person 1: Woraus besteht der Fabrikboden?

Person 2: Er besteht aus Ahornholz.

Person 2: Wo befindet sich die Fabrik?

Person 1: Die Fabrik befindet sich in Dresden.

310 Ohne könnte ich nicht leben!

1) Überlegen Sie: Welche Objekte, die Sie oft benutzen, wurden in den letzten 30 Jahren erfunden?

_____

2) Interview: Fragen Sie jetzt andere Personen im Kurs, was sie geschrieben haben. Machen Sie eine Liste. Wenn die Person etwas sagt, was sie schon haben, fragen Sie: „Was noch?":

Paula:	Welche Erfindung der letzten 30 Jahre benutzt du oft?
Paul:	Mein Handy.
Paula:	Handy habe ich schon auf meiner Liste. Was noch?
Paul:	Meine Bluetooth-Kopfhörer.
Paula:	Das habe ich noch nicht auf meiner Liste. Danke!

Erfindungen:

das Handy _____ _____ _____

_____ _____ _____ _____

_____ _____ _____ _____

_____ _____ _____ _____

3) Suchen Sie vier Erfindungen aus, ohne die Ihr Leben anders wäre. Schreiben Sie welche Erfindungen und was anders wäre.

Ohne Handy könnte ich mit meinen Freunden nicht gut kommunizieren. _____

_____

_____

_____

_____

311 Zurück in die Zukunft

1) In dem Film „Zurück in die Zukunft II" von 1985 reist Michael J. Fox als Marty McFly mit der Zeitreisemaschine DeLorean 30 Jahre in die Zukunft. Wie wird das Jahr 2015 Film dargestellt? Suchen Sie online nach Informationen zu „Zurück in die Zukunft II". Hier sind ein paar Innovationen, die im Film gezeigt werden. Kreuzen Sie an, was heute Realität ist:

Recherche

das Hoverboard	der Tablet-Computer
der Hydrator	die Videospiele ohne Handsteuerung
das fliegende Auto	der Splitscreen im Fernseher
die Zeitmaschine	die Sprachsteuerung von Geräten
der Flatscreen	der Mr. Fusion High Energy Reactor
der Videoanruf	die Selbstschnür-Sneakers
die Datenbrille	die Drohne
die Laserdisc	das 3D-Kino

2) Sprechen Sie zu zweit: Welche Erfindungen aus 311 1) haben und benutzen Sie? Wann und Warum?

3) Welche Erfindungen aus 311 1) hätten Sie gerne? Warum? Welche sind Quatsch? Warum?

312 Und im Jahr 2045?

1) Stellen Sie sich vor, dass Marty McFly weitere 30 Jahre in die Zukunft reist, in das Jahr 2045. Was hätten Sie gern im Jahr 2045? Denken Sie an 3 neue Erfindungen. Seien Sie kreativ. Wie heißen die Erfindungen? Was könnte man damit machen? Warum hätten Sie die Erfindungen gern in Ihrem Leben?

Name: _____

Was: *Man könnte damit* _____

Warum: *Ich hätte das gern, weil* _____

_____

Name: _____

Was: _____

Warum: _____

_____

Name: _____

Was: _____

Warum: _____

_____

2) Erzählen Sie einer anderen Person von Ihren 3 Ideen. Die andere Person sagt, welche Idee sie am besten findet.

3) Präsentieren Sie die beste Idee im Kurs: Was hätten Sie gern? Was könnte man damit machen?

313 Die Zukunft in anderen Serien und Filmen

1) Zu zweit: Kennen Sie andere Serien und Filme, die eine mögliche Zukunft zeigen? Sprechen Sie mit einer Person im Kurs über die Serien und Filme, die Sie kennen. Was gibt es in dieser Vision der Zukunft? Was ist positiv und was ist negativ? Möchten Sie in dieser Zukunft leben? Warum (nicht)?

2) Diskutieren Sie im Kurs.

314 **Wie sieht die Zukunft der Mobilität aus?**

1) Was meinen Sie? Beantworten Sie die Fragen alleine.

Wann wird man folgende Autos kaufen können?	kann man schon!	in 5 Jahren	in 10 Jahren	in 20 Jahren	in 21+ Jahren	nie
autonome Autos						
3D-Druck-Autos						
fliegende Autos						
Solarautos						
_____						

Was wird zu den 3 populärsten Antriebsarten zählen?	heute	in 5 Jahren	in 10 Jahren	in 20 Jahren	in 21+ Jahren	nie
Benzin						
Biogas						
Diesel						
Gas						
Solarzellen						
Strom						
Wasserstoff						

Womit werden wir am meisten … fahren?	heute	in 10 Jahren	in 20 Jahren
in der Großstadt	_____	_____	_____
in der Kleinstadt	_____	_____	_____
von Stadt zu Stadt	_____	_____	_____

z. B.: Auto, Bus, Bahn, Fahrrad, …

Wie viel Prozent der Leute werden …	heute	in 5 Jahren	in 10 Jahren	in 20 Jahren	in 21+ Jahren
ein Auto besitzen?	_____ %	_____ %	_____ %	_____ %	_____ %
mit einem Carsharing-Service fahren?	_____ %	_____ %	_____ %	_____ %	_____ %
_____	_____ %	_____ %	_____ %	_____ %	_____ %

2) Sprechen Sie jetzt mit einer anderen Person im Kurs und vergleichen Sie Ihre Zukunftsvisionen. Was ist gleich? Was ist ähnlich? Was ist anders? Gibt es andere Aspekte, die sich ändern werden?

3) Teilen Sie jetzt Ihre Ideen mit dem Kurs.

Mieten statt kaufen, nutzen statt besitzen

1) Viele haben ein eigenes Auto, aber Ridesharing und Carsharing werden immer beliebter. Welche Argumente sprechen für ein eigenes Auto, Ridesharing und Carsharing? Was spricht dagegen?
Sie bekommen eine Zahl von 1 bis 6 zugewiesen und suchen die entsprechenden Argumente:

1: Vorteile/Argumente für ein eigenes Auto   4: Nachteile/Argumente gegen ein eigenes Auto

2: Vorteile/Argumente für Ridesharing   5: Nachteile/Argumente gegen Ridesharing

3: Vorteile/Argumente für Carsharing   6: Nachteile/Argumente gegen Carsharing

Notizen: _____

_____

2) Setzen Sie sich jetzt mit den anderen Personen zusammen, die die gleiche Zahl haben. Wer hat welche Argumente gefunden? Machen Sie eine Liste mit allen Argumenten und bereiten Sie sich auf einen Gruppenvortrag vor.

3) Die sechs Gruppen präsentieren jetzt ihre Argumente. Wenn Sie nicht präsentieren, hören Sie zu und tragen Sie alle wichtigen Argumente in die Tabelle ein.

	Vorteile/Argumente dafür	Nachteile/Argumente dagegen
eigenes Auto		
Ridesharing	– besser für die Umwelt	
Carsharing		– relativ teuer

Wie wird sich das Leben verändern?

Stellen Sie sich vor, es ist das Jahr 2040. Erzählen Sie in einer Kleingruppe, wie Sie leben werden.

Mögliche Themen:

Wohnsituation: Wo werden Sie wohnen? Werden Sie in einer Großstadt wohnen? Auf dem Land?

Beruf: Was werden Sie beruflich machen? Werden Sie von zu Hause aus arbeiten oder in einem Büro?

Hobbys/Urlaub: Welche Hobbys werden Sie haben? Wohin werden Sie in Urlaub fahren? Mit wem?

Freunde/Familie: Mit wem werden Sie Ihre Zeit verbringen? Werden Sie Kinder haben? Haustiere?

Mobilität: Werden Sie ein eigenes Fahrzeug haben? Wenn nicht, wie werden Sie von Ort zu Ort kommen?

Andere Themen?

317 „Interessante" Erfindungen

1) Zu zweit: Schauen Sie sich diese Erfindungen an und beschreiben Sie, was man damit machen könnte oder wofür sie gut sind.

z. B.: Mit der Trinkkrawatte sind Sie immer gut hydriert am Arbeitsplatz. Menschen, die keine Zeit für Pausen haben, können trotzdem genug trinken. Auch für faule Menschen ist die Trinkkrawatte gut: Sie müssen nicht aufstehen, um sich Wasser aus der Küche zu holen.

das Einrad-Automobil

der Fisch-Walker

der Spaghetti-Bohrer

die Trinkkrawatte

der Baby-Mop

der Bananenschneider

der Privatsphären-Schal

die LED-Hausschuhe

das Multi-Tasking-Rad

2) Zu zweit: Welche dieser Erfindungen finden Sie praktisch/interessant? Welche sind Quatsch? Warum?

3) Im Kurs: Erstellen Sie im Kurs eine Statistik. Welche dieser Erfindungen findet der Kurs besonders praktisch/ interessant und welche besonders unpraktisch/komisch?

Benutzen Sie eine geeignete Skala.
Stimmen Sie ab.
Berechnen Sie Durchschnitte.
Visualisieren Sie die Ergebnisse.

318　Eine (lustige) Review

1) Lesen Sie diese Reviews und raten Sie, für welches Produkt die Review ist. (Tipp: 2 Produkte finden Sie links.)

Das Gerät ist teuer, aber die Qualität ist super! Was immer man druckt, es sieht hyperrealistisch aus. So habe ich die hohen Kosten reinbekommen, indem ich mein eigenes Geld damit gedruckt habe. Einen Ferrari konnte ich damit aber leider nicht kaufen, denn Ferrari akzeptiert keine Geldkoffer als Zahlungsmittel.

Wow, für Jahrhunderte musste man Bananen selbst schneiden oder wie ein Affe abbeißen. Mit diesem Produkt ist dies endlich vorbei. Dieses Produkt machte mich zum Bananen-Fan! Große Innovation! Minuspunkte gibt es, weil leider nicht klar ist, was man machen muss, wenn die Banane in die falsche Richtung gekrümmt ist. Auch der Telefonsupport hatte dafür keine Antwort.

Ich muss einfach sagen, dass ich ihn liebe! Ich habe eine Kita und habe ihn für alle meine Kinder gekauft. Meine Böden sind abends viel sauberer als vorher. Ganz sauber sind die Böden aber leider nicht, weil man keine Flüssigkeiten aufwischen kann. Man könnte aber versuchen, die Kinder mit Wasser einzusprühen, wenn sie krabbeln, vielleicht hilft das ja.

2) Suchen Sie links eine Erfindung aus und schreiben Sie eine lustige Review.

_____

_____

_____

_____

_____

_____

_____

319　Meine „interessante" Erfindung

1) Zu zweit: Überlegen Sie sich jetzt ein „interessantes" neues Produkt. Es kann mehr oder weniger Sinn machen.

Name: _____

Was: _____

_____

_____

Skizze:

2) Präsentieren Sie alle Produkte im Kurs und benutzen Sie das Futur. (Was wird es geben? Was wird es machen?) Wählen Sie am Ende die interessanteste Idee.

320 Jugend forscht: Die Talente von morgen

🔊 **Sie hören Informationen über die Stiftung *Jugend forscht*. In welcher Reihenfolge (1-6) hören Sie die Statements? Zwei Statements sagt die Sprecherin falsch. Notieren Sie unten die falschen Statements, die Sie hören.**

_____ *Jugend forscht* will Jugendliche für Mathematik, Informatik, Naturwissenschaften und Technik begeistern.

_____ Jugendliche bis 21 Jahre können bei *Jugend forscht* mitmachen.

_____ *Jugend forscht* ist Deutschlands bekanntester Nachwuchswettbewerb.

_____ Man muss sich selbst eine interessante Frage für ein Forschungsprojekt suchen.

_____ Pro Jahr gibt es bundesweit mehr als 110 Wettbewerbe.

_____ Die Gewinner bekommen Sach- und Geldpreise.

Falsche Statements:

1. _____

2. _____

321 Jugend forscht: Don't Spy – sichere Kommunikation in Ihrem Team

1) Lesen Sie den Text laut mit einer anderen Person.

Wer bei der Arbeit via Laptop, Smartphone oder Tablet im Team kommuniziert, der möchte nicht, dass ein fremder Lauscher mithört und so vielleicht an Firmengeheimnisse kommt. Um ein sicheres Chatten zu gewährleisten, haben Lukas Ruf und Mai Saito eine spezielle App namens „Don't Spy" entwickelt. Sie basiert auf mehreren cleveren Verschlüsselungsverfahren. Unter anderem werden alle Nachrichten sofort nach Abruf vom Server gelöscht. Zudem ist auf keinem der Geräte der Klartext – die unverschlüsselte Nachricht – gespeichert. Für jede neue Konversation generiert die App einen eigenen Schlüssel. Das Resultat: Hacker sind fast chancenlos und anders als bei Diensten wie Facebook oder Instagram bleibt das geistige Eigentum innerhalb der Firma.

Quelle: jugend-forscht.de (gekürzt und vereinfacht)

2) Zu Hause haben Sie wichtige Wörter im Wörterbuch nachgeschlagen. Jetzt sollen Sie Ihre Vokabelliste benutzen und eine andere Person Ihre Wörter abfragen. („Weißt du, was _____ bedeutet?") Wenn die Person das Wort kennt, sagt sie einen Satz damit. Wenn die Person das Wort nicht kennt, sagen Sie einen Satz.

Paula: Nino, was bedeutet Lauscher?

Nino: Lauscher? Ich bin mir nicht sicher. Kannst du mit dem Wort einen Satz bilden?

Paula: Ich telefoniere nie im Bus, weil ich Angst vor Lauschern habe. Ich will nicht, dass andere meine Gespräche hören.

3) Ein Marketing-Poster für „Don't Spy": Lukas Ruf und Mai Saito wollen ihre App verkaufen. Dafür brauchen sie ein Marketing-Poster für eine Präsentation bei Investor*innen. Nehmen Sie die Informationen aus dem Text und designen Sie ein Poster. Benutzen Sie eine Kombination aus Text und visuellen Elementen. Benutzen Sie auch Verbformen im Konjunktiv („Mit der App hätten Sie keine Probleme. Ihre Firma wäre sicherer.")

4) Rollenspiel: Benutzen Sie Ihr Poster und versuchen Sie, die App an andere Studierende zu „verkaufen". Sagen Sie der anderen Person, warum die App gut ist und was man damit machen kann. Die andere Person stellt kritische Fragen. Dann tauschen Sie die Rollen.

Tonja:	Das ist „Don't Spy", eine tolle App. Sie macht Chatten sicherer.
Samuel:	Sicheres Chatten? Warum ist das wichtig? Ich interessiere mich nicht dafür.
Tonja:	Das ist wichtig, weil …

322 Ideen für die Zukunft: Gut oder schlecht?

1) Erklären Sie wie in dem Beispiel die Bilder und die Bildunterschrift mit einem „los"-Adjektiv.

Arbeiten ohne Pause

pausenlose Arbeit

_____

Kommunikation
ohne Worte

_____

_____

Kaffeemaschine
ohne Filter

_____

_____

Autos ohne Fahrer

_____

_____

2) Wie finden Sie diese Ideen für die Zukunft? Sprechen Sie mit zwei anderen Personen.

Tonia:	Was hältst du von pausenloser Arbeit in der Zukunft?
Sia:	Ich finde pausenlose Arbeit eine ganz schlechte Idee, weil es im Leben wichtigere Dinge als Arbeit gibt.

323 Lehn- und Fremdwörter aus aller Welt

🔊 **1) Hören Sie die Aussagen und kreuzen Sie an, welche Wörter Sie hören.**

Schreiben Sie auf, wenn Sie noch andere Wörter hören: _____

_____

2) Hören Sie noch einmal und ordnen Sie nun die Hörtexte den Sprachen zu, aus denen die Lehn- und Fremdwörter stammen.

Aztekisch – Hörtext	Französisch – Hörtext	Türkisch – Hörtext
Englisch – Hörtext	Persisch/Farsi – Hörtext	Ungarisch – Hörtext *1*

3) Wissen Sie, aus welchen Sprachen die anderen Wörter oben kommen? Gibt es diese oder ähnliche Wörter auch im Englischen oder einer anderen Sprache, die Sie kennen? Teilen Sie die Wörter, die Sie in LERNEN gesammelt haben.

324 Jugendwörter des Jahres

1) Ordnen Sie erst die Jugendwörter des Jahres den Definitionen zu. Dann formulieren Sie Erklärungen. Sie können Relativsätze (... ist eine Person, die ...) und Sätze mit „wenn" (... ist, wenn man ...) benutzen.

glucose-haltig (2. Platz 2018)	a) sich selbst googeln
verbuggt (3. Platz 2018)	b) alt genug, um Tinder benutzen zu können
tinderjährig (3. Platz 2017)	c) Kombination aus Smartphone und Zombie/abgelenkt durch das Smartphone
fly sein (1. Platz 2016)	d) chillen, rumhängen, einfach nur atmen
rumoxidieren (3. Platz 2015)	e) aus dem Arabischen: Beeil dich! Lass uns gehen!
Smombie (1. Platz 2015)	f) süß
Yalla (3. Platz 2012)	g) jemand ist cool, abgefahren
Egosurfen (3. Platz 2010)	h) fehlerhaft

2) Jugendwörter sind kreative Spiegel unserer Zeit. Sie sind oft auch politisch. „Merkeln" heißt zum Beispiel, dass sich jemand nicht entscheiden kann, weil Leute oft sagen, dass Angela Merkel oft abwartet, bevor sie etwas tut. Sprechen Sie: Woher kommen die Jugendwörter aus der Liste oben vielleicht? Welche Einflüsse sehen Sie?

1) Die deutsche Sprache ist wie Lego, man kann immer neue Wörter zusammenbauen. Sie haben bereits einige Regeln kennengelernt, wie Sie Komposita bilden können und wie Sie aus Nomen und Verben Adjektive machen können. Unter www.klett-usa.com/impuls1links finden Sie einen Link zu Neologismen. Scrollen Sie durch die Seite und suchen Sie sich zwei Wörter aus.

Wort: _____

Bestandteile (Verb, Nomen, Adjektiv, …): _____

Herkunft (Sprachen): _____

Bedeutung: _____

Ich mag das Wort, weil _____

(z. B. es schön/lustig/interessant klingt)

Wort: _____

Bestandteile (Verb, Nomen, Adjektiv, …): _____

Herkunft (Sprachen): _____

Bedeutung: _____

Ich mag das Wort, weil _____

2) Und jetzt Sie: Erfinden Sie neue Wörter und lassen Sie die anderen raten, was sie bedeuten könnten.

_____

_____

---

326 **Musik-Ecke: „Wayne"**

Culcha Candela
Wayne

Culcha Candela ist eine deutsche Band, die einen Mix aus Reggae, Dancehall und Hip-Hop macht. Sie kommt aus Berlin. 2002 gründeten die Sänger Johnny Strange, Mateo Jasik (Itchyban) und Lafrotino die Band. Später kamen andere Mitglieder hinzu. Heute besteht die Band aus DJ Chino con Estilo und den Sängern Johnny Strange, Itchyban und Don Cali. Die unterschiedliche Herkunft der Mitglieder ist auch der Grund dafür, dass die Band Lieder auf Deutsch, Englisch, Spanisch und Patois macht. Manche Lieder sind politisch, andere Partyhits.

1) Hören Sie Culcha Candelas Lied „Wayne". Was ist Ihr erster Eindruck? Suchen Sie die Aussagen, denen Sie zustimmen.

Das Lied bringt alle zum Tanzen. – Ich mag den Beat. Ich bekomme Kopfschmerzen von dem Lied. – Das Lied ist ein Ohrwurm. – Das Lied ist monoton. – Der Musikstil gefällt mir nicht. – Das Lied macht gute Stimmung. – Die Sänger sind schlecht.

2) Hören Sie das Lied ein zweites Mal und schreiben Sie alle Anglizismen auf, die Sie hören.

_____

_____

_____

_____

_____

3) Sprechen Sie: Welchen Eindruck haben Sie von den Anglizismen? Warum benutzten Culcha Candela so viele englische Wörter?

100: Sprache Kreativ – Avantgarde

327 Die Avantgarde in der Kunst

1) Lesen Sie den Text und beantworten Sie die Fragen mit einer anderen Person.

> Die Kunst, die zu Beginn des 20. Jahrhunderts entstand, setzte sich mit dem technischen Fortschritt und später auch mit dem Krieg (1. Weltkrieg) und der ersten deutschen Demokratie (Weimarer Republik) oder auch den „Wilden 20ern" auseinander. Motive waren oft die Großstadt, Verkehr und die Massengesellschaft.
>
> Der Begriff „Avantgarde" kommt aus der französischen Militärsprache und heißt Vorhut (*advance party/vanguard*). In der Politik und Kunst meint Avantgarde neue und oft radikale, provokante Ideen. Eine der wichtigsten Avantgarde-Bewegungen in der Kunst waren die italienischen Futuristen. Sie verherrlichten den technischen Fortschritt, Geschwindigkeit, Simultanität, Kraft aber auch Aggressivität. In den deutschsprachigen Ländern gehörten vor allem Expressionismus und Dada zur Avantgarde. Auch diese Kunstrichtungen reagierten auf die technischen Neuerungen und die schneller werdende Zeit. Dada wurde von einer Künstlergruppe in Zürich gegründet und ist ein Quatschwort. Dada verstand sich als Anti-Kunst. Lautgedichte, die nur aus Lauten, nicht Wörtern, bestanden und Simultangedichte, bei denen mehrere Personen in verschiedenen Sprachen gleichzeitig reden, gehörten zum Repertoire. Auch der Expressionismus verstand sich als Protestkunst und Gegensatz zum Naturalismus.

- Heißt „verherrlichen", dass die Futuristen Technik gut oder schlecht finden?
- Heißt „Fortschritt", dass es nach vorne oder zurück geht?
- Sind Gedichte Prosa oder Poesie?
- Was ist das Besondere am Futurismus, Dada und Expressionismus? Was ist ungewöhnlich (*unusual*) bei Dada?
- Was sind Motive in der avantgardistischen Kunst?

2) Suchen Sie den Satz mit dem Partizip I und erklären Sie, was mit dem Satz gemeint ist.

328 Berlin – Die Sinfonie der Großstadt (1927)

1) Sie sehen Ausschnitte aus dem Film „Berlin – Die Sinfonie der Großstadt", den Walther Ruttmann 1927 in Berlin gedreht hat. Achten Sie auf das Tempo und notieren Sie, „langsam", „schnell", „schneller werdend" oder „langsamer werdend" für jeden Ausschnitt. Schreiben Sie auch die Tageszeit von der Szene und einen Satz darüber, was Sie sehen oder was passiert.

Szene	Tageszeit	Tempo	Handlung
1	_____	_____	_____
2	_____	_____	_____
3	_____	_____	_____
4	_____	_____	_____
5	_____	_____	_____
6	_____	_____	_____

2) Sprechen Sie über das Tempo: Wie zeigt der Film Schnelligkeit (technisch und bildlich)?

3) Partizip-Sätze bauen: Benutzen Sie die Sätze aus 1) und kombinieren Sie sie mit Sätzen von anderen Personen. Machen Sie aus den Verben Partizipien. Sie können Sätze zu diesen und anderen Nomen schreiben:

der Zug | die Menschen | die Straßen | die Lichter | die Häuser | die Straßenbahnen | die Autos

Beispiel: Der Zug rattert. Der Zug fährt schnell. Der Zug hupt.
Der Zug rattert. Der ratternde Zug fährt schnell. Der ratternde, schnell fahrende Zug hupt.

1) Lesen Sie das Lautgedicht „Karawane" von Hugo Ball erst leise. Dann lesen Sie es ein zweites Mal. Jetzt können Sie laut lesen (der ganze Kurs gleichzeitig).

> **Karawane**
>
> jolifanto bambla ô falli bambla
> *grossiga m'pfa habla horem*
> **égiga goramen**
> higo bloiko russula huju
> hollaka hollala
> *anlogo bung*
> blago bung
> blago bung
> **bosso fataka**
> **ü üü ü**
> schampa wulla wussa ólobo
> *hej tatta gôrem*
> eschige zunbada
> **wulubu ssubudu uluw ssubudu**
> tumba ba- umf
> *kusagauma*
> ba- umf

2) Bilden Sie Gruppen mit 4-6 Personen und stehen Sie im Kreis. Person 1 schaut Person 2 an. Person 3 steht hinter Person 2, Person 4 hinter Person 3 und so weiter (die letzte Person steht mit dem Rücken zum Rücken der ersten Person). Nun liest Person 1 „Karawane" Person 2 laut vor. Dann dreht sich Person 2 zu Person 3 um und liest das Gedicht laut vor. Dann liest Person 3 für Person 4 und so weiter. Es gibt keine richtige Version! Probieren Sie verschiedene Varianten!

3) Sprechen Sie: Was ist an „Karawane" ein Gedicht? Wie finden Sie es?

Machen Sie eine Bildsuche entweder zu „Käthe Kollwitz" und „Krieg" oder zu „Ludwig Meidner" und „Krieg" und sehen Sie sich ein Bild an. Beschreiben Sie es: Welche Farben sehen Sie? Welche Objekte/Motive? Wie ist die Stimmung? Kennen Sie andere Bilder, die Krieg behandeln? Was ist ähnlich? Was ist anders?

Machen Sie sich Notizen und erzählen Sie dann im Kurs von Ihren Eindrücken.

_____

_____

_____

_____

_____

_____

331 Utopie und Dystopie

Zu Hause haben Sie Filme, die utopisch und dystopisch sind, gesammelt. Machen Sie jetzt eine Liste von allen Filmen im Kurs. Dann denken Sie über typische Charakteristiken von Utopie/Dystopie nach: zum Beispiel Genre, Stilelemente, Inhalt etc.

Typische Utopien sind/haben _____ .

Typische Dystopien sind/haben _____ .

Markieren Sie in Ihrer Filmliste alle Science-Fiction-Filme. Wie definieren Sie Science-Fiction?

332 Science-Fiction

1) Lesen Sie den Text und beantworten Sie die Fragen mit einer anderen Person.

Der Begriff[1] „Science-Fiction" bringt Ideen von Technik, die denkbar[2] sind, mit spekulativer Fiktion zusammen. Science-Fiction spielt deshalb meist in der Zukunft oder in fiktiven Paralleluniversen. Das ist auch der Unterschied zum fantastischen Film oder zur Fantasy, die meist in vergangenen[3] Welten spielt oder magische Elemente hat. Aber dieser Unterschied ist manchmal schwer zu definieren. Leichter ist es, Science-Fiction mit typischen Elementen zu identifizieren: Raumschiffe[4], Zeitmaschinen[5], futuristische Gesellschaften[6] oder Cyborgs gibt es nur in diesem Genre.

Historisch ist die Science-Fiction ein Produkt aus dem 19. Jahrhundert. Besonders die Industrialisierung und die moderne Naturwissenschaft stellten die Frage: Was wird der technische Fortschritt bringen? Aber auch in der griechischen Mythologie gab es künstliche[7] Mensch-Maschinen, automatische Pferde und Vögel aus Stahl. 1818 schrieb Mary Shelley *Frankenstein* und damit das erste Buch der Science-Fiction.

Wichtig ist also der Konflikt zwischen dem Glauben an die Wissenschaft und der Angst vor der zukünftigen Technik. Die Zukunftstechnologien sind faszinierend, aber auch unheimlich[8]. Hier steckt das utopische Potenzial von Science-Fiction. Aber Science-Fiction arbeitet immer auch mit dem Kontext der Zeit: Die Filme projizieren[9] die Technik oder Ideen zur Technik ihrer Zeit auf die Zukunft. Deshalb scheinen alte Science-Fiction-Filme auch manchmal komisch.

[1]*term* [2]*imaginable* [3]*past* [4]*spaceship* [5]*time machine* [6]*society* [7]*artificial* [8]*scary, uncanny* [9]*to project*

Was sind Elemente von Science-Fiction?
Wo oder wann spielen Science-Fiction-Filme?
Was ist der Unterschied zu Fantasy-Filmen?
Was hat Technik mit Science-Fiction zu tun?
Sind Science-Fiction-Filme Technik immer positiv?

2) Sehen Sie sich nochmal Ihre Liste aus 331 an. Haben Sie alle Science-Fiction-Filme richtig identifiziert? Warum eignen sich Science-Fiction-Filme besonders gut für Utopien und Dystopien?

333 *Metropolis*: Eine Dystopie aus der Weimarer Republik (1927)

Thea von Harbou, eine Schauspielerin, Regisseurin und Autorin, schrieb 1925 den Roman *Metropolis*. Sie wollte, dass der Roman ein Film wird und schrieb auch das Drehbuch (*screenplay*). Ihr Mann, Fritz Lang, war der Regisseur des Filmes. Der Film war der erste lange Science-Fiction-Film.

1) Sie sehen jetzt den Trailer zu *Metropolis* (restaurierte Fassung von 2011). Machen Sie sich Notizen zu den folgenden Elemente. Wie sehen sie aus? Was machen sie?

Architektur: _____

Autos: _____

Maschinen: _____

Menschen: _____

Arbeit: _____

2) Erzählen Sie von Ihren Notizen. Benutzen Sie dabei auch das Partizip I.

Beispiel: Ich habe eine tanzende Frau gesehen.

3) Diskutieren Sie: Was ist utopisch und was ist dystopisch in dem Film? Was ist alt und modern an *Metropolis*? Das heißt, was gibt es jetzt und was gibt es noch nicht?

334 *Metropolis* kreativ

1) Stellen Sie sich vor, Sie drehen einen neuen Film, der *Metropolis* heißt und im Jahr 2100 spielt.

2) Überlegen Sie: Ist Ihr Film eine Utopie oder eine Dystopie? Wie sieht die Metropolis aus? Wie ist die Architektur, der Verkehr, die Menschen, andere Technologie?

3) Entwerfen Sie: Sie können ein Szenenbild zeichnen oder einige Sätze schreiben. Danach erzählen Sie im Kurs von Ihrer Idee. Benutzen Sie dabei die Grammatik aus diesem Kapitel. Zum Beispiel Futur (Die Häuser werden …), Konjunktiv (Die Autos könnten …) und sagen Sie auch, warum oder zu welchem Zweck diese Dinge so sind. (…, weil/…, um … zu/…, damit).

335 Innovative Sozialprojekte in Ihrem Umfeld

1) Zu dritt: Zu Hause haben Sie eine Liste mit sozialen Projekten gemacht. Jetzt arbeiten Sie mit zwei anderen Personen. Erzählen Sie von Ihren Projekten. Wem helfen diese Projekte? Und wie helfen sie?

2) Zu dritt: Diskutieren Sie, welche Projekte Sie am interessantesten finden und wählen Sie als Gruppe insgesamt drei Projekte aus (eins von jeder Person). Schreiben Sie die wichtigsten Informationen für diese drei Projekte in die Tabelle.

Projekt	Wem helfen sie?	Wie helfen sie?
KuB Berlin	Geflüchteten	Hilfe mit Dokumenten; Deutschkurse, Kunstprojekte

3) Präsentieren: Erzählen Sie den anderen Studierenden im Kurs von Ihren Projekten.

336 Coworking – Arbeiten mit Kind

1) Zu zweit: Dieses Bild ist ein Foto von einem Projekt „Coworking – Arbeiten mit Kind". Beschreiben Sie das Foto. Was sehen Sie? Benutzen Sie die Phrasen zur Bildbeschreibung aus Einheit 84.

2) Zu zweit: Spekulieren Sie, was das Ziel von diesem Projekt ist. Was denken Sie: Wem will diese Initiative helfen? Wie hilft sie?

3) Stellen Sie sich vor, Sie machen PR-Arbeit für dieses Projekt. Schreiben Sie einen kurzen PR-Text. Der Text soll erklären, was das Ziel von „Coworking – Arbeiten mit Kind" ist.

_____

_____

_____

_____

337 Projekt: Soziale Innovationen auf dem Campus

Auch auf Ihrem Campus gibt es bestimmt soziale Aspekte, die verbessert werden müssen. Ihre Aufgabe ist, ein soziales Problem auf dem Campus zu identifizieren und Ideen für ein Projekt zu finden, um das Problem zu lösen. Schreiben Sie Ihre Lösungsideen im Futur mit „werden" und benutzten Sie auch „um . . . zu"-Konstruktionen.

Unser Problem:

_____

_____

_____

Unser Projekt heißt: _____

Unsere Lösungsideen:

Wir werden ..., um Menschen mit ... zu helfen. _____

_____

_____

_____

_____

_____

_____

338 **Video-Ecke: Hassan spricht über seine Vision für das Auto der Zukunft.**

In diesem Video erzählt Hassan von seiner Vision für das Auto der Zukunft. Beantworten Sie die vier Fragen schriftlich.

1. Mit welchem Treibstoff wird das Auto der Zukunft fahren?

_____

_____

_____

2. Was wird die größte Innovation beim Auto der Zukunft sein?

_____

_____

3. Was kann man machen, wenn das Auto selbst fährt?

_____

_____

4. Welchen Vorteil sieht Hassan bei autonomen Autos?

_____

_____

339 Meine Erfindung für die Zukunft

Für dieses Projekt werden Sie etwas für die Zukunft erfinden und Ihre Erfindung einer Jury präsentieren, die darüber entscheidet, ob und wie viel „Geld" Sie für die Produktion Ihrer Erfindung bekommen. Sie können alleine oder mit einer anderen Person arbeiten.

Sie haben in diesem Kapitel zum Beispiel das Auto der Zukunft besprochen, aber auch über andere Erfindungen nachgedacht. Jetzt werden Sie kreativ: Was braucht man in der Zukunft?

Hier sind einige Schritte auf dem Weg zum *Höhle des Löwen*-Szenario – so heißt *Shark Tank* im deutschen Fernsehen.

1) **Entscheiden Sie, was für ein Objekt Sie verbessern/verändern oder ganz neu erfinden möchten.**

2) **Schreiben Sie fünf Sätze, was Ihr Objekt könnte/müsste/hätte . . .**

z. B. Mein Auto könnte fliegen. Es hätte einen Flatscreen und eine Popcornmaschine im Innenraum. Ich müsste es nicht tanken.

3) **Schreiben Sie drei Gründe, warum Ihr Objekt gut für die Zukunft ist.**

z. B. Mein Auto könnte ohne Treibstoff fahren, damit ich etwas für die Umwelt tun kann. Es hätte einen Flatscreen, damit mir nicht langweilig wird. Es könnte fliegen, damit wir weniger Straßen brauchen und es mehr Grünflächen gibt.

4) **Jetzt formulieren Sie Sätze im Futur, die Sie für Ihre Präsentation benutzen können.**

z. B. Das Auto der Zukunft wird umweltfreundlich ohne Benzin fahren. Es wird Sie immer unterhalten, weil es einen Fernseher hat. Das Auto der Zukunft wird blitzschnell durch die Lüfte fliegen und Sie schnell und sicher von einem Ort zum anderen bringen.

5) **Machen Sie eine Präsentation.**

Sie können einen Prototyp basteln oder ein Poster oder eine digitale Präsentation kreieren. Wichtig: Es darf nicht zu viel Text auf Ihrem Poster oder Ihrer digitalen Präsentation stehen - Sie werden so frei wie möglich sprechen. Ihre Präsentation wird nur 2 Minuten lang sein!

6) **In der Höhle des Löwen!**

Im Kurs bilden Sie Gruppen mit 6-8 Studierenden. Erst ist die eine Hälfte die Jury, dann die andere.

Schritt 1: Präsentation der Erfindungen (maximal 2 Minuten pro Erfindung)

Schritt 2: Fragen der Jury (jedes Jurymitglied stellt eine Frage) und Antworten der Erfinder*innen

Schritt 3: Wechseln Sie (die Erfinder*innen werden Jury und die Jury die Erfinder*innen).

Schritt 4: Präsentation der Erfindungen (maximal 2 Minuten pro Erfindung)

Schritt 5: Fragen der Jury (jedes Jurymitglied stellt eine Frage) und Antworten der Erfinder*innen

Schritt 6: Diskussion der Jury: Entscheiden Sie, welche Erfindung wie viel Geld bekommt. Jede Jury hat insgesamt 1.000.000 Euro zu vergeben. Sie können alles einer Erfindung geben oder das Geld verteilen.

Schritt 7: Aus jeder Gruppe präsentieren die Erfinder*innen, die das meiste „Geld" bekommen haben, ihre Erfindung dem ganzen Kurs.

Schritt 8: Der ganze Kurs entscheidet, welche Erfindung die *Höhle des Löwen* gewinnt.

INFORMATIONSSPIELE

20 Kostümparty (Seite 12)

Realität	Kostümparty
Heiko	Markus
19 Jahre alt	17 jahre alt
1,90 m groß	1,62 m groß
schlank	Dick
aus Wolfsburg	aus Hamburg
studiert Medizin	Studiert Medizin
freundlich	arrogant
humorvoll	
sportlich	faul

Beispiel:

Heißt er Heiko?
Nein, er heißt nicht Heiko. Er heißt …

Ist er 19 Jahre alt?
Nein, er ist nicht 19 Jahre alt. Er ist …

23 Was ist Mandy von Beruf? (Seite 15)

Name	Beruf
Christian	Arzt
Mandy	
Ahmed	
Julia	Lehrerin
Katharina	
Tobias	Anwalt
Justin	Polizist
Jaqueline	
Felix	Ingenieur

Beispiel:

Was ist Julia von Beruf?
Julia ist Lehrerin.

Als was arbeitet Julia?
Julia arbeitet als Lehrerin.

42 Ja? Nein? Ihr? Sein? Kein? (Seite 26)

Sandra

Alter:	17
Studium:	architektur
Herkunft:	München
Wohnort:	München
Hobbies:	reiten
	klettern
	Basketball spielen
Sprachen:	Deutsch
	Englisch
	Spanisch

Kai

Alter:	19
Studium:	Wirtschaft
Herkunft:	LA
Wohnort:	Hamburg
Hobbies:	programmieren
	Gitarre
	wandern
Sprachen:	
	chin
	Englisch

52 **Svens Woche (Seite 33)**

Montag	Dienstag	Mittwoch	Donnerstag	Freitag	Samstag	Sonntag
8:00 Uhr:		8:00 Uhr:				
10:00 Uhr: Mathematik	10:00 Uhr: Mathematik Übung		10:00 Uhr: Fertigungs-technik	10:00 Uhr:	11:00 Uhr	
12:00 Uhr:	12:00 Uhr:	12:00 Uhr:		12:00 Uhr: Fertigungs-technik Übung		
14:00 Uhr: Thermo-dynamik			14:00 Uhr: Thermo-dynamik Übung			16:00 Uhr Tae-Known-Do
	19:15 Uhr Tae-Known-Do	20:30 Uhr	19:15 Uhr Tae-Known-Do		22:00 Uhr	

Beispiel:

Was macht Sven am Montag um 8 Uhr.

Am Montag um 8 Uhr hat er einen Statistik Kurs.

70 **Das Wetter im Jahr (Seite 45)**

Land 1	Jan	Feb	Mär	Apr	Mai	Jun	Jul	Aug	Sep	Okt	Nov	Dez
MAX	13	14	17	20	25	30	33	34	29	24	19	15
MIN	7	7	9	12	16	21	24	24	20	16	12	9

Land 2	Jan	Feb	Mär	Apr	Mai	Jun	Jul	Aug	Sep	Okt	Nov	Dez
MAX	7	7	10	11	16	17	19	19	17	13	10	8
MIN	3	3	4	5	7	10	12	12	10	8	5	5

Land 3	Jan	Feb	Mär	Apr	Mai	Jun	Jul	Aug	Sep	Okt	Nov	Dez
MAX	28	28	27	25	22	20	19	21	23	25	26	28
MIN	19	19	18	16	13	10	9	10	12	15	17	18

Mittlere Jahrestemperatur in Berlin von 1900 bis 2017
Quelle: Institut für Meteorologie der Freien Universität Berlin

Jahr	Temperatur in °C	Jahr	Temperatur in °C	Jahr	Temperatur in °C
1900	8,8	1940	7,0	1980	7,9
1901	8,5	1941	7,7	1981	8,8
1902	7,3	1942	7,9	1982	9,6
1903	8,9	1943	9,7	1983	9,8
1904	8,9	1944	9,4	1984	8,6
1905	8,6	1945	9,5	1985	8,1
1906	9,1	1946	9,2	1986	8,6
1907	8,2	1947	8,8	1987	7,8
1908	8,2	1948	9,9	1988	9,7
1909	7,8	1949	9,9	1989	10,4
1910	9,0	1950	9,3	1990	10,3
1911	9,7	1951	9,7	1991	9,1
1912	8,2	1952	8,4	1992	10,1
1913	9,3	1953	10,0	1993	9,1
1914	9,4	1954	8,2	1994	10,1
1915	8,4	1955	9,1	1995	9,4
1916	9,2	1956	7,5	1996	7,8
1917	8,4	1957	9,3	1997	9,7
1918	9,2	1958	8,7	1998	9,8
1919	7,7	1959	9,6	1999	10,4
1920	9,1	1960	9,0	2000	10,5
1921	9,6	1961	9,4	2001	9,2
1922	7,5	1962	7,8	2002	10,0
1923	8,3	1963	8,0	2003	9,9
1924	8,0	1964	8,6	2004	9,6
1925	9,2	1965	8,1	2005	9,7
1926	9,3	1966	9,0	2006	10,2
1927	8,4	1967	9,7	2007	10,6
1928	8,6	1968	9,0	2008	10,4
1929	7,8	1969	8,1	2009	9,6
1930	9,3	1970	8,1	2010	8,2
1931	8,2	1971	9,4	2011	10,0
1932	9,1	1972	8,6	2012	9,5
1933	8,2	1973	8,9	2013	9,3
1934	10,5	1974	9,5	2014	11,0
1935	9,1	1975	9,7	2015	10,7
1936	9,2	1976	8,9	2016	10,2
1937	9,2	1977	9,3	2017	10,1
1938	9,6	1978	8,6	2018	
1939	9,2	1979	8,2	2019	

Jannik: Im Jahr 1903 waren es in Berlin 8,9 Grad. Wie warm war es in Wien und Basel?
Irina: In Wien waren es 9,3 Grad
Julia: In Basel waren es 8,9 Grad.
Jannik: Ah! Im Jahr 1903 war es in Basel so warm wie in Berlin. In Wien war es wärmer als in Basel und in Berlin.

Irina: Im Jahr 1951 waren es in Wien 10,3 Grad. Wie warm war es in Berlin und Basel?
Jannik: In Berlin waren es 9,7 Grad
Julia: In Basel waren es 9,6 Grad.
Irina: Ah! Im Jahr 1951 war es in Berlin wärmer als in Basel und in Wien (war es) wärmer als in Berlin. Es war in Wien am wärmsten. In Basel war es am kältesten.

Kaffee kochen (Seite 84)

Person 1: Wo sind die Kaffeelöffel?
Person 2: Die Kaffeelöffel sind in der Schublade unter dem Toaster.

Hohe Bestände (Seite 98)

Kurs	Studierende	Bücher
Deutsch I	115	
Elementargeometrie	45	50
Filmtheorie	240	
Mikroökonomik	180	200
Weltliteratur	45	42
Internationale Politik		30
Statistik I	480	500
Kunstgeschichte		5

Beispiel:

Wie viele Studierende sind in „Deutsch I"
115 Studierende sind in „Deutsch I".

Wie viele Bücher hat die Bibliothek für „Deutsch I?"
Die Bibliothek hat 150 Bücher für „Deutsch I."

164 **Eine Hose auf dem Kopf (Seite 109)**

	Joyce	Norbert
auf dem Kopf:	einen Hut	_____
um den Hals:	eine Kette	_____
am Oberkörper:	_____	ein T-Shirt.
an den Händen:	Handschuhe	_____
am Unterkörper:	_____	_____
an den Füßen:	Schuhe	eine Sandale

Beispiel:

Was trägt Joyce auf dem Kopf?
Sie trägt einen Hut auf dem Kopf.

229 **Die Gebrüder Grimm (Seite 146)**

Jahr	Wer?	Was?	Wo?
1785	Jacob	ist zur Welt gekommen	Hanau
1786	Wilhelm	ist zur Welt gekommen	Hanau
1789	Familie	ist umgezogen	von Hanau nach Steinau
1796	Vater	ist gestorben	Steinau
1798	Jacob und Wilhelm	sind umgezogen, haben das Gymnasium besucht	Kassel
1802 1803	Jacob Wilhelm	haben Rechtswissenschaften studiert	an der Philipps-Unversitat Marburg
1806	Jacob und Wilhelm	sind nach Kassel zurückgekehrt	Kassel
1806–1815	Jacob und Wilhelm	haben mit Menschen gesprochen, haben die Märchen aufgeschrieben und bearbeitet	Kassel

Beispiel: Jacob ist 1785 in Hanau zur Welt gekommen

238 **Schneewittchen – Schneewittchen und die 7 Zwerge – Snow White and the Huntsman (Seite 151)**

Schneewittchen (1812)

Produktionsjahr: 1812
Autor/Produzent: Die Gebrüder Grimm
Genre: Kinder- und Hausmärchen
Wie heißt die Protagonistin? Schneewittchen
Wer ist die böse Person? Eine böse Königin

251 **Österreich: Welche Bundesländer gibt es dort? (Seite 159)**

Beschreiben Sie, wo diese vier Bundesländer (von der Steiermark aus gesehen) liegen:

Burgenland, Niederösterreich, Salzburg, Tirol

274 **Technische Daten (Seite 172)**

2016	Flötzersteig	Simmeringer Haide	Spittelau
Jährliche Müllverwertung (in Tonnen)	194.807 t		
Stromproduktion (in Megawattstunden)	579.442 MWh		
Haushalte mit Fernwärme versorgt	56.000		
Output thermischer Energie (in Megawattstunden)	425.789 MWh		

304 **Autoquartett-Schreidiktat (Seite 189)**

	1) BMW M850i Cabrio	2) Mercedes B180	3) Bentley Bentayga	4) Dodge Ram 1500
Baujahr	2018	2019	2016	2015
Preis (€)	133.700	29.780	289.900	52.900
Hubraum (cm^3)	4.395	1.332	5.950	5.654
Leistung (kW/PS)	390 / 530	100 / 136	447 / 608	295 / 401
Zylinder	8	4	12	8
Leergewicht (kg)	2.090	1.405	2.440	2.556
Geschwindigkeit (km/h)	250	212	301	170
Beschleunigung (s)	3,9	9,4	4,1	7,0
Verbrauch (l/100 km)	10,0	4,2	12,8	14,9
Länge (mm)	4.851	4.419	5.141	5.309
CO$_2$-Emission (g/km)	229	123	296	325

Kostümparty (Seite 12)

Realität	Kostümparty
Heiko	_____
19 Jahre alt	17 Jahre alt
1,90 m groß	_____
schlank	dick
aus Wolfsburg	_____
studiert Medizin	studiert Deutsch
freundlich	_____
humorvoll	langweilig
sportlich	_____

Beispiel:

Heißt er Heiko?
Nein, er heißt nicht Heiko. Er heißt …

Ist er 19 Jahre alt?
Nein, er ist nicht 19 Jahre alt. Er ist …

Was ist Mandy von Beruf? (Seite 15)

Name	Beruf
Christian	_____
Mandy	Ingenieurin
Ahmed	Friseur
Julia	_____
Katharina	Ärztin
Tobias	_____
Justin	_____
Jaqueline	Informatikerin
Felix	_____

Beispiel:

Was ist Julia von Beruf?
Julia ist Lehrerin.

Als was arbeitet Julia?
Julia arbeitet als Lehrerin.

Ja? Nein? Ihr? Sein? Kein? (Seite 26)

Sandra
Alter:	_____
Studium:	Architektur
Herkunft:	_____
Wohnort:	München
Hobbies:	reiten
	klettern
	_____
	_____
Sprachen:	_____
	_____

Kai
Alter:	19
Studium:	_____
Herkunft:	Los Angeles
Wohnort:	_____
Hobbies:	programmieren
	Gitarre spielen
	wandern
Sprachen:	Chinesisch
	Englisch

52 Svens Woche (Seite 33)

Montag	Dienstag	Mittwoch	Donnerstag	Freitag	Samstag	Sonntag
8:00 Uhr: Statistik		8:00 Uhr: Statistik Übung				
10:00 Uhr:	10:00 Uhr:		10:00 Uhr:	10:00 Uhr: Technische Mechanik Übung	11:00 Uhr Englisch für Ingenieure	
12:00 Uhr: Werkstoff-kunde	12:00 Uhr: Technische Mechanik	12:00 Uhr: Werkstoff-Kunde Übung		12:00 Uhr:		
14:00 Uhr:			14:00 Uhr:			16:00 Uhr
	19:15 Uhr	20:30 Uhr Kinoabend	19:15 Uhr		22:00 Uhr Karaoke	

Beispiel:

Was macht Sven am Montag um 8 Uhr.

Am Montag um 8 Uhr hat er einen Statistik Kurs.

70 Das Wetter im Jahr (Seite 45)

Land 4	Jan	Feb	Mär	Apr	Mai	Jun	Jul	Aug	Sep	Okt	Nov	Dez
MAX	2	3	4	12	19	24	27	26	22	17	9	4
MIN	-7	-6	-2	3	9	14	17	17	13	8	2	-4

Land 5	Jan	Feb	Mär	Apr	Mai	Jun	Jul	Aug	Sep	Okt	Nov	Dez
MAX	-5	-10	-17	-21	-22	-23	-24	-24	-23	-19	-12	-6
MIN	-9	-14	-22	-26	-28	-29	-30	-31	-30	-25	-17	-10

Land 6	Jan	Feb	Mär	Apr	Mai	Jun	Jul	Aug	Sep	Okt	Nov	Dez
MAX	31	32	32	30	29	28	28	28	29	30	30	30
MIN	18	18	19	19	19	18	17	17	17	18	18	18

Mittlere Jahrestemperatur in Wien von 1900 bis 2017
Quelle: ZAMG/HISTALP

Jahr	Temperatur in °C	Jahr	Temperatur in °C	Jahr	Temperatur in °C
1900	9,4	1940	7,2	1980	8,8
1901	9,0	1941	8,0	1981	10,2
1902	8,0	1942	8,2	1982	10,0
1903	9,3	1943	9,7	1983	10,8
1904	9,4	1944	9,2	1984	9,5
1905	9,2	1945	10,0	1985	9,1
1906	9,2	1946	9,8	1986	9,6
1907	9,0	1947	9,7	1987	9,3
1908	8,5	1948	10,0	1988	10,5
1909	8,5	1949	10,1	1989	10,7
1910	9,3	1950	10,0	1990	10,9
1911	9,7	1951	10,3	1991	9,7
1912	8,5	1952	9,4	1992	11,1
1913	9,1	1953	10,0	1993	10,1
1914	8,7	1954	8,7	1994	11,5
1915	9,1	1955	8,9	1995	10,3
1916	10,0	1956	8,3	1996	8,9
1917	8,8	1957	9,9	1997	10,0
1918	9,5	1958	9,8	1998	10,7
1919	8,6	1959	9,9	1999	10,7
1920	9,5	1960	9,6	2000	11,7
1921	10,0	1961	10,2	2001	10,6
1922	8,4	1962	8,7	2002	11,3
1923	9,3	1963	8,7	2003	11,0
1924	8,4	1964	9,2	2004	10,5
1925	9,3	1965	8,7	2005	10,2
1926	9,7	1966	10,1	2006	10,7
1927	9,4	1967	10,3	2007	11,7
1928	9,5	1968	9,7	2008	11,4
1929	8,3	1969	9,2	2009	11,0
1930	9,9	1970	9,2	2010	9,9
1931	8,7	1971	9,7	2011	11,1
1932	9,4	1972	9,4	2012	11,3
1933	8,4	1973	9,7	2013	10,9
1934	10,8	1974	10,4	2014	12,0
1935	9,3	1975	10,2	2015	12,1
1936	9,6	1976	9,7	2016	11,5
1937	9,7	1977	10,2	2017	11,6
1938	9,6	1978	9,2	2018	
1939	9,4	1979	9,6	2019	

Jannik: Im Jahr 1903 waren es in Berlin 8,9 Grad. Wie warm war es in Wien und Basel?
Irina: In Wien waren es 9,3 Grad
Julia: In Basel waren es 8,9 Grad.
Jannik: Ah! Im Jahr 1903 war es in Basel so warm wie in Berlin. In Wien war es wärmer als in Basel und in Berlin.

Irina: Im Jahr 1951 waren es in Wien 10,3 Grad. Wie warm war es in Berlin und Basel?
Jannik: In Berlin waren es 9,7 Grad
Julia: In Basel waren es 9,6 Grad.
Irina: Ah! Im Jahr 1951 war es in Berlin wärmer als in Basel und in Wien (war es) wärmer als in Berlin. Es war in Wien am wärmsten. In Basel war es am kältesten.

125 **Kaffee kochen (Seite 84)**

Person 1: Wo sind die Kaffeelöffel?
Person 2: Die Kaffeelöffel sind in der Schublade unter dem Toaster.

150 **Hohe Bestände (Seite 98)**

Kurs	Studierende	Bücher
Deutsch I	115	150
Elementargeometrie		50
Filmtheorie	240	130
Mikroökonomik		200
Weltliteratur	45	
Internationale Politik	60	30
Statistik I	480	
Kunstgeschichte	45	5

Beispiel:

Wie viele Studierende sind in „Deutsch I"
115 Studierende sind in „Deutsch I".

Wie viele Bücher hat die Bibliothek für „Deutsch I?"
Die Bibliothek hat 150 Bücher für „Deutsch I."

238 **Schneewittchen – Schneewittchen und die 7 Zwerge – Snow White and the Huntsman (Seite 151)**

Schneewittchen und die 7 Zwerge (1938)

Produktionsjahr: 1937/1938
Autor/Produzent: Walt Disney
Genre: Zeichentrickfilm
Wie heißt die Protagonistin? Schneewittchen
Wer ist die böse Person? Die böse Stiefmutter

274 Technische Daten (Seite 172)

2016	Flötzersteig	Simmeringer Haide	Spittelau
Jährliche Müllverwertung (in Tonnen)		395.978 t	
Stromproduktion (in Megawattstunden)		839.979 MWh	
Haushalte mit Fernwärme versorgt		48.000	
Output thermischer Energie (in Megawattstunden)		365.269 MWh	

229 Die Gebrüder Grimm (Seite 146)

Jahr	Wer?	Was?	Wo?
1812	Brüder Grimm	haben den ersten Band von „Kinder- und Hausmärchen" herausgegeben	Kassel
1815	Brüder Grimm	haben den zweiten Band von „Kinder- und Hausmärchen" veröffentlicht	Kassel
1819	Brüder Grimm	haben beide Bände überarbeitet und illustriert	Kassel
1830	Jacob Wilhelm	hat als Professor gearbeitet hat als Bibliothekar gearbeitet	Universität Göttingen
1835	Wilhelm	ist auch Professor geworden	Universität Göttingen
1838	Brüder Grimm	haben die Arbeit an einem großen deutschen Wörterbuch begonnen	Göttingen
1840	König Friedrich Wilhelm IV. (der Vierte)	hat die Brüder nach Berlin geholt	Berlin
1859 1863	Wilhelm Jacob	ist gestorben ist gestorben	Berlin

Beispiel: Die Brüder haben 1812 den ersten Band von „Kinder- und Hausmärchen" herausgegeben.

Mittlere Jahrestemperatur in Basel von 1900 bis 2017
Quelle: MeteoSchweiz

Jahr	Temperatur in °C	Jahr	Temperatur in °C	Jahr	Temperatur in °C
1900	9,5	1940	8,2	1980	8,9
1901	8,3	1941	8,4	1981	9,6
1902	8,5	1942	8,8	1982	10,3
1903	8,9	1943	10,2	1983	10,3
1904	9,4	1944	9,3	1984	9,5
1905	8,7	1945	10,0	1985	9,0
1906	9,1	1946	9,5	1986	9,4
1907	8,7	1947	10,5	1987	9,5
1908	8,2	1948	9,9	1988	10,5
1909	8,2	1949	10,4	1989	10,6
1910	9,0	1950	10,0	1990	10,9
1911	9,8	1951	9,6	1991	10,0
1912	8,8	1952	9,7	1992	10,7
1913	9,3	1953	9,6	1993	10,2
1914	8,9	1954	9,0	1994	11,5
1915	9,1	1955	9,1	1995	10,5
1916	9,4	1956	7,9	1996	9,4
1917	8,3	1957	9,4	1997	10,6
1918	9,2	1958	9,6	1998	10,6
1919	8,7	1959	10,2	1999	10,7
1920	9,4	1960	9,6	2000	11,4
1921	9,9	1961	10,5	2001	10,6
1922	8,5	1962	8,6	2002	11,2
1923	9,5	1963	8,5	2003	11,4
1924	8,6	1964	9,8	2004	10,6
1925	9,0	1965	9,2	2005	10,4
1926	9,7	1966	9,8	2006	10,9
1927	9,4	1967	9,8	2007	11,3
1928	9,9	1968	9,3	2008	10,8
1929	8,9	1969	9,0	2009	11,1
1930	9,8	1970	9,2	2010	9,9
1931	8,5	1971	9,3	2011	11,6
1932	8,9	1972	8,9	2012	10,9
1933	8,8	1973	9,2	2013	10,3
1934	9,9	1974	10,0	2014	11,9
1935	9,4	1975	9,7	2015	11,7
1936	9,5	1976	10,0	2016	10,9
1937	9,8	1977	9,9	2017	11,4
1938	9,3	1978	9,0	2018	
1939	9,1	1979	9,5	2019	

Jannik: Im Jahr 1903 waren es in Berlin 8,9 Grad. Wie warm war es in Wien und Basel?
Irina: In Wien waren es 9,3 Grad
Julia: In Basel waren es 8,9 Grad.
Jannik: Ah! Im Jahr 1903 war es in Basel so warm wie in Berlin. In Wien war es wärmer als in Basel und in Berlin.

Irina: Im Jahr 1951 waren es in Wien 10,3 Grad. Wie warm war es in Berlin und Basel?
Jannik: In Berlin waren es 9,7 Grad
Julia: In Basel waren es 9,6 Grad.
Irina: Ah! Im Jahr 1951 war es in Berlin wärmer als in Basel und in Wien (war es) wärmer als in Berlin. Es war in Wien am wärmsten. In Basel war es am kältesten.

164 Eine Hose auf dem Kopf (Seite 109)

	Joyce	Norbert
auf dem Kopf:	_____	eine Hose
um den Hals:	_____	einen Schal
am Oberkörper:	einen Pullover	_____
an den Händen:	_____	Socken
am Unterkörper:	nichts	eine Jeans
an den Füßen:	_____	

Beispiel:

Was trägt Joyce auf dem Kopf?
Sie trägt einen Hut auf dem Kopf.

238 Schneewittchen – Schneewittchen und die 7 Zwerge – Snow White and the Huntsman (Seite 151)

Snow White and the Huntsman (2012)

Produktionsjahr: 2012
Autor/Produzent: Rupert Sanders (Direktor) Evan Daugherty, John Lee Hancock, Hossein Amini (Drehbuch)
Genre: Fantasy Film
Wie heißt die Protagonistin? Snow White
Wer ist die böse Person? Königin Ravenna

251 Österreich: Welche Bundesländer gibt es dort? (Seite 159)

Beschreiben Sie, wo diese vier Bundesländer (von der Steiermark aus gesehen) liegen:

Wien, Kärnten, Vorarlberg, Oberösterreich

274 Technische Daten (Seite 172)

2016	Flötzersteig	Simmeringer Haide	Spittelau
Jährliche Müllverwertung (in Tonnen)			253.147 t
Stromproduktion (in Megawattstunden)			734.958 MWh
Haushalte mit Fernwärme versorgt			60.000
Output thermischer Energie (in Megawattstunden)			507.916 MWh

304 Autoquartett-Schreidiktat (Seite 189)

	5) McLaren 600LT	6) Audi Q7 50 TDI	7) Suzuki Vitara 1.0	8) Jeep Wrangler
Baujahr	2018	2015	2018	2018
Preis (Euro)	230.000	67.300	18.650	53.000
Hubraum (l)	3.799	2.967	998	2.143
Leistung (kW/PS)	441 / 600	210 / 286	82 / 112	147 / 200
Zylinder	8	6	3	4
Leergewicht (kg)	1.356	2.145	1.160	2.086
Geschwindigkeit (km/h)	328	241	180	160
Beschleunigung (Sek.)	2,9	6,3	11,5	9,6
Verbrauch (l)	11,7	6,6	5,3	7,4
Länge (m)	4.604	5.052	4.170	4.334
CO_2-Emission (g/km)	266	216	121	195

GRAMMATIK-
TABELLEN

NOUNS

1 Definite Articles

	Nominative	Accusative	Dative
masculine	**der** Mann	**den** Mann	**dem** Mann
neuter	**das** Kind	**das** Kind	**dem** Kind
feminine	**die** Frau	**die** Frau	**der** Frau
plural	**die** Kinder	**die** Kinder	**den** Kindern

2 Indefinite, Negative and Possessive Articles

	Nominative	Accusative	Dative
masculine	**ein** Mann **kein** Mann **mein** Mann	**einen** Mann **keinen** Mann **meinen** Mann	**einem** Mann **einem** Mann **einem** Mann
neuter	**ein** Kind **kein** Kind **mein** Kind	**ein** Kind **kein** Kind **mein** Kind	**einem** Kind **keinem** Kind **meinem** Kind
feminine	**eine** Frau **keine** Frau **meine** Frau	**eine** Frau **keine** Frau **meine** Frau	**einer** Frau **keiner** Frau **meiner** Frau
plural	— Kinder **keine** Kinder **meine** Kinder	— Kinder **keine** Kinder **meine** Kinder	— Kindern **keinen** Kindern **meinen** Kindern

PRONOUNS

3 Personal Pronouns

Nominative	Accusative	Dative
ich	mich	mir
du	dich	dir
er	ihn	ihm
es	es	ihm
sie	sie	ihr

Nominative	Accusative	Dative
wir	uns	uns
ihr	euch	euch
Sie	Sie	Ihnen
sie	sie	ihnen

4 Relative Pronouns

	Nominative	Accusative	Dative
masculine	Mann, **der**	Mann, **den**	Mann, **dem**
neuter	Kind, **das**	Kind, **das**	Kind, **dem**
feminine	Frau, **die**	Frau, **die**	Frau, **der**
plural	Kinder, **die**	Kinder, **die**	Kindern, **denen**

VERBS

5 **The Present Tense**

	regular		vowel change		irregular	auxiliary		
ich	heiße	wohne	trage	spreche	weiß	bin	habe	werde
du	heißt	wohnst	trägst	sprichst	weißt	bist	hast	wirst
er	heißt	wohnt	trägt	spricht	weiß	ist	hat	wird
es	heißt	wohnt	trägt	spricht	weiß	ist	hat	wird
sie	heißt	wohnt	trägt	spricht	weiß	ist	hat	wird

	regular		vowel change		irregular	auxiliary		
wir	heißen	wohnen	tragen	sprechen	wissen	sind	haben	werden
ihr	heißt	wohnt	tragt	sprecht	wisst	seid	habt	werdet
Sie	heißen	wohnen	tragen	sprechen	wissen	sind	haben	werden
sie	heißen	wohnen	tragen	sprechen	wissen	sind	haben	werden

6 **The Conversational Past (*Perfekt*)**

auxiliary   +   past participle

	auxiliary	
ich	bin	habe
du	bist	hast
er	ist	hat
es	ist	hat
sie	ist	hat

weak pp		strong pp		mixed pp
gespielt	gearbeitet	gefahren	geschwommen	gewusst
gespielt	gearbeitet	gefahren	geschwommen	gewusst
gespielt	gearbeitet	gefahren	geschwommen	gewusst
gespielt	gearbeitet	gefahren	geschwommen	gewusst
gespielt	gearbeitet	gefahren	geschwommen	gewusst

	auxiliary	
wir	sind	haben
ihr	seid	habt
Sie	sind	haben
sie	sind	haben

weak pp		strong pp		mixed pp
gespielt	gearbeitet	gefahren	geschwommen	gewusst
gespielt	gearbeitet	gefahren	geschwommen	gewusst
gespielt	gearbeitet	gefahren	geschwommen	gewusst
gespielt	gearbeitet	gefahren	geschwommen	gewusst

7 ***Sein* for *Perfekt*: Common Verbs**

aufwachen	ist aufgewacht	**kommen**	ist gekommen
aufstehen	ist aufgestanden	**laufen**	ist gelaufen
ankommen	ist angekommen	**reisen**	ist gereist
aussteigen	ist ausgestiegen	**rennen**	ist gerannt
bleiben	ist geblieben	**schwimmen**	ist geschwommen
einschlafen	ist eingeschlafen	**sein**	ist gewesen
einsteigen	ist eingestiegen	**springen**	ist gesprungen
fahren	ist gefahren	**sterben**	ist gestorben
fallen	ist gefallen	**wandern**	ist gewandert
fliegen	ist geflogen	**werden**	ist geworden
gehen	ist gegangen		

8 The Narrative Past (*Präteritum*)

	sein	haben	modal verbs					
ich	war	hatte	musste	konnte	durfte	sollte	wollte	mochte
du	warst	hattest	musstest	konntest	durftest	solltest	wolltest	mochtest
er	war	hatte	musste	konnte	durfte	sollte	wollte	mochte
es	war	hatte	musste	konnte	durfte	sollte	wollte	mochte
sie	war	hatte	musste	konnte	durfte	sollte	wollte	mochte

	sein	haben	modal verbs					
wir	waren	hatten	mussten	konnten	durften	sollten	wollten	mochten
ihr	wart	hattet	musstet	konntet	durftet	solltet	wolltet	mochtet
Sie	waren	hatten	mussten	konnten	durften	sollten	wollten	mochten
sie	waren	hatten	mussten	konnten	durften	sollten	wollten	mochten

9 The Subjunctive II Mood

	sein	haben	modal verbs					
ich	wäre	hätte	müsste	könnte	dürfte	sollte	wollte	möchte
du	wärst	hättest	müsstest	könntest	dürftest	solltest	wolltest	möchtest
er	wäre	hätte	müsste	könnte	dürfte	sollte	wollte	möchte
es	wäre	hätte	müsste	könnte	dürfte	sollte	wollte	möchte
sie	wäre	hätte	müsste	könnte	dürfte	sollte	wollte	möchte

	sein	haben	modal verbs					
wir	wären	hätten	müssten	könnten	dürften	sollten	wollten	möchten
ihr	wäret	hättet	müsstet	könntet	dürftet	sollet	wolltet	möchtet
Sie	wären	hätten	müssten	könnten	dürften	sollten	wollten	möchten
sie	wären	hätten	müssten	könnten	dürften	sollten	wollten	möchten

10 The Future Tense

	werden
ich	werde
du	wirst
er	wird
es	wird
sie	wird

+ infinitive

	werden
wir	werden
ihr	werdet
Sie	werden
sie	werden

11 The Imperative Mood

	sein	kommen	gehen	kaufen	essen
informal singular (du-form w/o ending)	**sei**	komm	geh	kauf	iss
informal plural (ihr-form)	**seid**	kommt	geht	kauft	esst
formal (invert subject and verb)	**seien** Sie	kommen Sie	gehen Sie	kaufen Sie	essen Sie

12 List of Essential Strong/Mixed/Irregular Verbs

Infinitive	er/es/sie-Form	Perfekt	Meaning
anfangen	fängt … an	hat angefangen	to begin / to start
einladen	lädt … ein	hat eingeladen	to invite
fahren	fährt	**ist** gefahren	to drive, to ride
halten	hält	hat gehalten	to stop, to hold something
laufen	läuft	**ist** gelaufen	to run (sometimes to walk)
schlafen	schläft	hat geschlafen	to sleep
tragen	trägt	hat getragen	to carry, to wear (clothes)
waschen	wäscht	hat gewaschen	to wash
essen	isst	hat ge**g**essen	to eat
geben	gibt	hat gegeben	to give
sehen	sieht	hat gesehen	to see
fernsehen	sieht … fern	hat ferngesehen	to watch TV
lesen	liest	hat gelesen	to read
vergessen	vergisst	hat vergessen	to forget
helfen	hilft	hat geholfen	to help
nehmen	nimmt	hat geno**m**men	to take
sprechen	spricht	hat gesprochen	to speak
treffen	trifft	hat getroffen	to meet, to run into
schreiben	schreibt	hat geschrieben	to write
bleiben	bleibt	ist geblieben	to stay
trinken	trinkt	hat getrunken	to drink
singen	singt	hat gesungen	to sing
bringen	bringt	hat gebracht	to bring
denken	denkt	hat gedacht	to think
kennen	kennt	hat gekannt	to know (a person), to be familiar with
kommen	kommt	**ist** gekommen	to come
bekommen	bekommt	hat bekommen	to receive, to get
aufstehen	steht … auf	**ist** aufgestanden	to get up
gehen	geht	**ist** gegangen	to go (on foot)
verstehen	versteht	hat verstanden	to understand
wissen	weiß	hat gewusst	to know (a fact)
anrufen	ruft … an	hat angerufen	to call on the phone

ADJECTIVES

13 Comperative and Superlative

Comparative A > B or A < B	adjective +**er als**
Comparative A = B	**(genau)so** adjective **wie**
Superlative A > B, C, ... A < B, C, ...	**am** adjective +**sten** In the superlative, adjectives ending in **-t, -d** or a vowel add an e before **sten**: intelligent → **am** intelligente**sten**

14 Adjective Endings

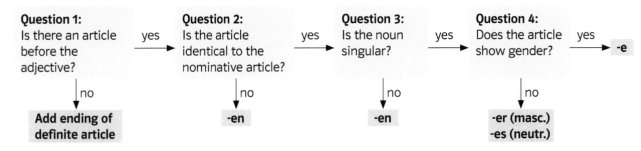

Question 1:
Is there an article before the adjective? → yes →
Question 2:
Is the article identical to the nominative article? → yes →
Question 3:
Is the noun singular? → yes →
Question 4:
Does the article show gender? → yes → **-e**

↓ no
Add ending of definite article

↓ no
-en

↓ no
-en

↓ no
-er (masc.)
-es (neutr.)

15 Adjective Endings in the Comparative and the Superlative

Comparative	adjective + **er** + **adjective ending**
Superlative	adjective + **(e)st** + **adjective ending**

PREPOSITIONS

16 Prepositions

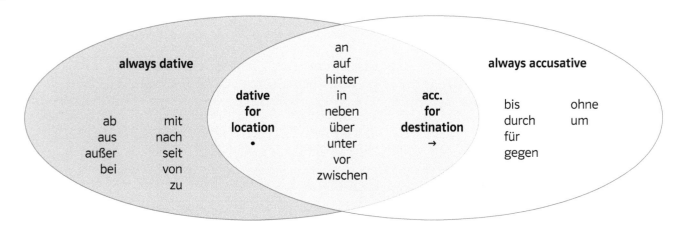

always dative

ab   mit
aus   nach
außer   seit
bei   von
          zu

dative for location
•

an
auf
hinter
in
neben
über
unter
vor
zwischen

acc. for destination
→

always accusative

bis   ohne
durch   um
für
gegen

GLOSSAR

The following list contains German words that appear in *Impuls Deutsch 1*. Please note that these words may have other meanings, depending on their context.

For each word, we have provided the English translation best suited for the context in which it is used. Some words may also appear in one of the vocabulary lists preceding a unit in the **LERNEN** workbook (the unit number is listed in parentheses).

die **1950er** 1950s
der **3/4-Takt** 3/4 time
der **3D-Druck** 3D printing (96)
die **80er** (*pl.*) 80s

A

A wie Anton A as in Anton
ab (+ *dat.*) from (55)
ab·beißen, biss … ab, hat … abgebissen to bite off
ab·biegen (in + *akk.*)**, bog … ab, ist …**
abgebogen to turn into (82)
ab·fahren, fährt … ab to leave; depart (15)
ab·fragen to quiz (98)
ab·geben (gibt … ab) to submit (47)
ab·holen to pick up
ab·lehnen to reject
ab·messen, misst … ab to measure
ab·schlecken to lick clean
ab·spülen to rinse (37)
ab·stimmen to vote (59)
ab·tropfen to drain (37)
ab·warten to wait (99)
ab·werfen (wirft … ab) to shed
der **Abend, -e** evening (0)
das **Abendessen, -** dinner; supper (30)
das **Abendkleid, -er** gown
die **Abendroutine, -n** evening routine
abends in the evenings (17)
das **Abenteuer, -** adventure (69)
der **Abenteuerfilm, -e** adventure movie
aber but
der **Abfall, -e** waste (62)
die **Abfallbehandlung, -en** waste treatment/management (85)
abgefahren funky (99)
abgeleitet derived
abgelenkt distracted
der **Ablauf, -e** procedure
der **Absatz, -e** paragraph
der **Abschnitt, -e** paragraph
absolut absolute(ly) (59)
abstrakt abstract (86)
abwechselnd alternating
die **Abwehrkraft, -e** body›s defense (31)
achten (auf + *akk.*) to pay attention to (60)
Achtung! Watch out! (8)
die **Adaption, -en** adaption
der **Adel** nobility (88)
das **Adjektiv, -e** adjective
der **Adoptivsohn, -e** adopted son (8)
die **Adoptivtochter, -** adopted daughter (8)
afghanisch Afghan
(das) **Afrika** Africa (55)
afrikanisch African
der/das **Agar-Agar** agar-agar
der **Aggregatzustand, -e** state of matter
aggressiv aggressive (25)
ägyptisch Egyptian
ähneln (+ *dat.*) to resemble
ähnlich similar
das **Ahornholz** maple wood
aktiv active (71)

der **Aktivist, -en** activist (*male*) (57)
die **Aktivistin, -nen** activist (*female*) (57)
die **Aktivität, -en** activity (5)
das **Album, Alben** album
die **Alge, -n** alga
das **Algin** algin
der **Alkohol, -e** alcohol (68)
alle all; every (12)
allegorisch allegorical (86)
alleine alone
alleinstehend single (8)
die **Allergie, -n** allergy (38)
alles everything
der **Allesesser, -** omnivore (*male*) (38)
die **Allesesserin, -nen** omnivore (*female*) (38)
die **Alliteration, -en** alliteration
der **Alltag** everyday life
die **Alpen** (*pl.*) Alps
das **Alphabet, -e** alphabet (2)
alt old (4)
das **Alter** age (4)
alternativ alternative (57)
die **Alternative, -n** alternative
die **Altersstufe, -n** age bracket
altmodisch old-fashioned
am Abend in the evening (21)
am Ende at the end; finally
am ersten Mai on the first of May (21)
am ersten Weihnachtstag on Christmas Day
am liebsten the most; best (27)
am Montag on Monday (15)
am Rhein on the Rhine
am Wochenende over the weekend (15)
amerikanisch American (27)
das **Ammoniak** ammonia
die **Ampel, -n** traffic light (82)
an on (*vertical/horizontal boundary*); in; at (41)
an der Uni at the university (47)
an welchem Tag? on what day? (21)
an·fangen (fängt … an) to start; begin (15)
an·gehen to go on (44)
an·kommen (kommt … an) to arrive (15)
an·kreuzen (kreuzt … an) to check
an·machen to turn on (46)
an·nehmen (nimmt … an), nahm … an, hat … angenommen to take on; to assume
sich (*akk.*) **an·passen (an** + *akk.*) to adjust (to)
an·rufen (ruft … an) to call someone (15)
(sich) **an·schauen** to watch; look at
(sich) **an·sehen** to face; to look at
sich (*akk.*) **an·stecken (bei)** to catch a disease (from)
an·steigen, stieg … an, ist … angestiegen to rise (81)
an·ziehen (zieht … an) to put on (clothes) (15)
analysieren analyze
die **Ananas, -se** pineapple (34)
der **Anarchist, -en** anarchist (*male*)
ander- other; different
(sich) **ändern** to change
anders different
anerkannt recognized
der **Anfänger, -** beginner (*male*) (37)

die **Angel, -n** fishing rod
angenehm pleasant; comfortable
der **Anglizismus, Anglizismen** Anglicism (99)
Angst (vor + *dat.*) **haben** to be afraid (of) (98)
die **Angst, -e** fear
die **Anlage, -n** facility; plant (85)
der **Anlass, -e** occasion (54)
die **Anleitung, -en** manual (75)
annektieren to annex
der **Anruf, -e** phone call
die **Antarktis** Antarctic
der **Anteil, -e** amount; share
die **Antike** antiquity
die **Anti-Rutsch-Socken** (*pl.*) anti-slip socks (92)
antizipieren to anticipate
die **Antriebsart, -en** propulsion method
die **Antwort, -en** answer
der **Anwalt, -e** lawyer (*male*) (6)
die **Anwältin, -nen** lawyer (*female*) (6)
die **Anzahl** amount
der **Anzug, -e** suit (16)
der **Apfel, -** apple (28)
die **App, -s** app (98)
(der) **April** April (21)
das **Äquivalent, -e** equivalent
die **Arbeit, -en** work; job
arbeiten (als + *nom.*) to work (as a) (6)
der **Arbeiter, -** worker (*male*) (55)
die **Arbeiterin, -nen** worker (*female*) (55)
das **Arbeitsleben, -** professional life
die **Arbeitsplatte, -n** countertop (45)
der **Arbeitsplatz, -e** workspace; job (5)
der **Arbeitsprozess, -e** work process
das **Arbeitszimmer, -** office (44)
der **Architekt, -en** architect (*male*)
architektonisch architectural
die **Architektur, -en** architecture
argentinisch Argentinian
sich (*akk.*) **ärgern (über** + *akk.*) to be annoyed (at) (63)
das **Argument, -e** argument; point (44)
der **Arm, -e** arm
arrogant arrogant (5)
-artig -esque; -like
der **Artikel, -** article
der **Arzt, -e** doctor (*male*) (6)
asiatisch Asian
assoziieren to associate
der **Asylbewerber, -** asylum seeker (*male*)
die **Asylpolitik** asylum policy
die **Atemmuskulatur, -en** muscles of respiration
atmen to breathe
die **Atmosphäre, -n** atmosphere
das **Atom, -e** atom
attraktiv attractive (84)
das **Attribut, -e** attribute
auch also; too; as well (18)
auf on top of (*horizontal surface/area*) (41)
auf alle Fälle by all means
auf dem Campus on campus
auf dem Land in the country (40)
auf Deutsch in German
Auf Wiederschauen! Goodbye! (1)

Auf Wiedersehen! Goodbye! (1)
auf·bauen to build (49)
auf·fallen (fällt ... auf) to catch one›s eye
auf·lösen to dissolve (37)
auf·machen to open (47)
auf·nehmen (nimmt ... auf), nahm ... auf, hat ... aufgenommen to record
auf·passen to watch out
auf·räumen (räumt ... auf) to clean (up) (15)
auf·sagen to recite
auf·schreiben to write down
auf·setzen (setzt ... auf) to put on (20)
auf·splitten to split up (57)
auf·stehen (steht ... auf) to get up (15)
auf·steigen to soar
auf·teilen (in + *akk.*) to divide (into)
auf·treten (tritt ... auf), trat ... auf, ist ... aufgetreten to perform (65)
auf·wachen (wacht ... auf) to wake up (15)
auf·wachsen (wächst ... auf), wuchs ... auf, ist ... aufgewachsen to grow up (72)
auf·wischen to mop up
auf·zeigen to raise one›s hand
der Aufenthalt, -e stay; layover (68)
die Aufgabe, -n exercise
aufregend exciting (69)
der Aufsatz, -e essay
der Auftrag, -e assignment
die Aufwärmübung, -en warm-up activity
das Auge, -n eye (31)
die Augenfarbe, -n eye color
(der) August August (21)
aus from
das Aus end (57)
aus (+ *dat.*) from (*location, city, country*); out of (55)
aus aller Welt from around the world (25)
aus·drucken to print out (47)
aus·füllen to fill in
aus·geben, gibt ... aus to spend
aus·gehen (geht ... aus) to go out (15)
aus·leihen to borrow
aus·misten to declutter (60)
aus·packen (packt ... aus) to unpack; unwrap
aus·räumen to clear out
aus·rechnen (rechnet ... aus) to calculate
aus·rutschen to slip (45)
aus·sehen (wie) to look (like)
aus·steigen (aus + *dat.*), stieg ... aus, ist ... ausgestiegen to get off (81)
aus·stoßen (stößt ... aus), stieß ... aus, hat ... ausgestoßen to emit (93)
aus·suchen to pick (42)
aus·wählen to choose (75)
sich (*akk.*) aus·ziehen to get undressed (46)
die Ausdauer endurance (49)
sich (*akk.*) auseinander·setzen (mit + *dat.*) to deal with; to grapple with (100)
der Ausflug, -e trip
die Ausgabe, -n espense
ausgewogen balanced
ausgezeichnet excellent (33)
der Ausländer, - foreigner (*male*)
ausländisch foreign (80)
die Ausnahme, -n exception (68)
die Aussage, -n statement
der Ausschnitt, -e excerpt
außen outside; externally
die Außensohle, -n outsole (55)
der Außenspiegel, - side mirror (93)
außer (+ *dat.*) apart from; except (55)
außerdem moreover
die Aussprache, -n pronunciation
die Ausstattung, -en features
der Aussteller, - exhibitor (*male*)
die Ausstellung, -en exhibition

die Ausstiegshaltestelle, -n exit stop (81)
Australien Australia
australisch Australian
der Auszug, -e excerpt
das Auto, -s car
die Autobahn, -en interstate highway (85)
die Autoindustrie, -n automobile industry (52)
die Automarke, -n car make (93)
das Automatikgetriebe, - automatic transmission (93)
das Automobil, -e automobile (92)
autonom autonomous (96)
der Autor, -en author (*male*) (74)
das Autoteil, -e car part (93)
die Autowäsche, -n car wash (54)
die Autowerkstatt, -en auto repair shop (60)
die Avantgarde, -n avant-garde (100)
avantgardistisch avant-garde (100)
die Avocado, -s avocado
(das) Aztekisch Nahuatl

B

das Baby, -s baby
backen to bake (30)
das Backen baking
die Bäckerei, -en bakery (30)
die Backform, -en baking dish (41)
der Backofen, - oven (34)
das Backpulver, - baking powder (34)
die Badehose, -n swim trunks (16)
baden to bathe
der Badesee, -n bathing lake
der Badetag, -e bath day
die Badewanne, -n bathtub (44)
das Badezimmer, - bathroom (44)
das Baguette, -s baguette (28)
die Bahn, -en railroad; train (55)
der Bahnhof, -e train station (82)
das/die Baklava, -s baklava
bakteriell bacterial (66)
der Ball, -e ball (71)
der Ballast ballast
der Ballaststoff, -e fiber (31)
die Ballkultur, -en ball culture
die Ballrobe, -n ball gown
die Ballsaison, -s/-en ball season
die Balltradition, -en ball tradition
die Banane, -n banana (28)
die Bananenschale, -n banana peel (63)
(das) Bangladesch Bangladesh
die Bank, -en bank
das Bankdrücken bench press (49)
der Bär, -en bear (69)
die Bar-Mizwa, -s Bar Mitzvah
der Barock baroque
basieren (auf + *dat.*) to be based (on)
basierend (auf + *dat.*) based (on)
der Basketball basketball (5)
die Bat-Mizwa, -s Bat Mitzvah
der Bau, -ten construction
der Bauch, -e belly
bauen to build
der Bauer, -n farmer (*male*) (63)
das Bauernhaus, -er farm house (40)
das Bauhaus Bauhaus
das Baujahr, -e model year (*year of manufacture*) (93)
der Baum, -e tree (18)
die Baumwolle cotton (55)
(das) Bayern Bavaria (68)
der Beamte, -n civil servant (*male*)
beantworten to answer
der Beat, -s beat
die Beatmungsmaschine, -n respiration machine

der Becher, - cup; beaker
bedeuten to mean (31)
die Bedeutung, -en meaning
die Bedienung, -en service (33)
beenden to end (47)
sich (*akk.*) befinden, befand, hat ... befunden to be located (93)
die Beförderung, -en promotion (54)
befragen to interview; interrogate
befürworten to support; endorse
der Befürworter, - proponent (*male*)
die Befürworterin, -nen proponent (*female*)
begehren to desire
begeistern to inspire, fill with enthusiasm (98)
beginnen to begin
begraben (begräbt), begrub, hat ... begraben to bury (84)
der Begriff, -e term
begrüßen to greet (1)
behandeln to address (100)
bei at; on; with
bei (+ *dat.*) at; near (55)
bei Raumtemperatur at room temperature
bei·bringen, brachte ... bei, hat ... beigebracht to teach (93)
bei·tragen (trägt ... bei)(zu + *dat.*), trug ... bei, hat ... beigetragen to contribute (to) (92)
beide both
die Beilage, -n side (27)
das Bein, -e leg
das Beispiel, -e example (0)
der Beitrag, -e piece (*article, report, posting, etc.*) (95)
bekannt famous; known
bekommen to get (10)
belegen to occupy; attend
beliebt popular
benutzen to use
das Benzin gasoline (93)
die Beobachtung, -en observation
bequem convenient
das Beratungsunternehmen, - consulting firm
berechnen to calculate
bereits already (99)
der Berg, -e mountain
die Berghütte, -n mountain cabin (40)
berichten to report; tell
der Beruf, -e occupation; profession (5)
das Berufsfeld, -er occupational field (63)
berühmt famous
beschimpfen to berate
beschleunigen to accelerate (93)
die Beschleunigung, -en acceleration (93)
beschließen, beschloss, hat ... beschlossen to decide
beschreiben to describe (9)
die Beschreibung, -en description
beschriften to label
besichtigen to visit for sightseeing (82)
besingen to sing about (90)
besitzen to possess (96)
der Besitzer, - owner (*male*)
die Besitzerin, -nen owner (*female*)
die Besonderheit, -en specialty (75)
besonders particularly; especially
besprechen (bespricht), besprach, hat ... besprochen to discuss
besser better (22)
der Bestand, -e stock; holdings
der Bestandteil, -e component; part (55)
das Besteck silverware (41)
bestehen (aus + *dat.*) to cosist (of)
bestellen to order (33)
bestimmen to determine (75)
bestimmt certain
besuchen to visit (18)

der **Besucher, -** visitor (*male*) (25)
die **Besucherin, -nen** visitor (*female*) (25)
die **Betriebswirtschaftslehre (BWL)** business (2)
das **Bett, -en** bed (44)
der **Beutel, -** pouch; bag
die **Bevölkerung, -en** population (80)
sich (*akk.*) **bewegen** to move (73)
die **Bewegung, -en** movement
bewerten to assess (59)
die **Bewertung, -en** review (86)
der **Bewohner, -** resident (*male*) (73)
die **Bewohnerin, -nen** resident (*female*) (73)
bewölkt cloudy; overcast (17)
bewundern to admire (86)
bezahlen to pay (33)
bezaubernd charming (86)
der **Bezirk, -e** district (80)
die **Bibliothek, -en** library
die **Biene, -n** bee (59)
das **Bild, -er** picture
bilden to form
bildlich pictorial (100)
die **Bildunterschrift, -en** caption (98)
die **Bim** streetcar (Austria) (81)
Bio- organic (60)
biochemisch biochemical
das **Biogas** biogas (96)
die **Biologie** biology (2)
der **Biomüll** biodegradable waste (62)
die **Birke, -n** birch
bis until
bis zur Hälfte up to 50%
bisexuell bisexual
bisschen little bit
bitte please (10)
bitte schön here you go (30)
bitten to ask
bitter bitter (28)
blau blue (16)
bleiben to stay
blitzen to flash (17)
blitzschnell blazingly fast
blockieren to block
der **Blogeintrag, -e** blog entry
die **Blume, -n** flower (41)
die **Blumenwiese, -n** flower meadow
die **Bluse, -n** blouse (16)
die **Blutbildung** hematopoiesis; blood formation (31)
die **Blutinfusion, -en** blood infusion
bodenlang floor-length
der **Bonus, -se** bonus
das **Boot, -e** boat (69)
böse evil (69)
(das) **Bosnien-Herzegowina** Bosnia-Herzegowina
die **Botschaft, -en** message (25)
die **Box, -en** box
die **Branche, -n** sector; industry
brasilianisch Brazilian
(das) **Brasilien** Brazil
braten, brät to fry
die **Bratkartoffel, -n** home fries (33)
brauchen to need (28)
braun brown (16)
die **Bremse, -n** brake (93)
brennen to burn (45)
die **Brennstoffzelle, -n** fuel cell
das **Brettspiel, -e** board game (54)
die/das **Brezel, -n** pretzel (27)
der **Brief, -e** letter (63)
die **Brille, -n** glasses (6)
das **Brillenglas, -er** eyeglass lens (92)
der **Brokkoli, -s** broccoli (31)
das **Brot, -e** bread (28)

das **Brötchen, -** bread roll (35)
der **Bruder, -** brother (8)
die **Brühe, n** broth (34)
der **Brummkreisel, -** humming top
die **Brutalität** brutality
das **Buch, -er** book
der **Buchdruck, -e** letterpress printing (92)
das **Bücherregal, -e** bookshelf
der **Buchstabe, -n** letter
der **Buchstabensalat, -e** letter salad
buchstabieren to spell (2)
die **Buchtel, -n** filled yeast pastry (Austria)
das **Bund, -e** bunch (30)
das **Bundesland, -er** (federal) state (78)
bunt colorful
die **Burg, -en** castle
der **Bus, -se** bus (47) (81)
die **Bushaltestelle, -n** bus stop (47)
die **Butter** butter (34)
das **Butylen** butylene

C

das **Café, -s** café (88)
die **Cafeteria, -s** cafeteria
der **Calcit, -e** calcite
das **Calciumchlorid** calcium chloride
der **Campus, -** campus
die **Castingshow, -s** casting show
der **Caterer, -** caterer (*male*)
die **CD, -s** CD
Celsius Celsius
der **Cent, -s** cent
die **Chance, -n** chance
die **Chanukka** Chanukka (21)
das **Chaos** chaos
der **Charakter, -e** character
die **Charts** (*pl.*) charts (65)
der **Chat, -s** chat (98)
chatten to chat (*instant messaging*) (98)
checken to check (46)
die **Checkliste, -n** checklist
die **Chemie** chemistry (35)
die **Chemikalie, -n** chemical (52)
der **Chemiker, -** chemist (*male*)
chemisch chemical
chillen to chill (99)
(das) **China** China (55)
(das) **Chinesisch** Chinese (*languages*) (2)
chronologisch chronological
Ciao! Bye! (*inform.*) (1)
circa circa
clever clever (59)
der **Coach, (e)s** coach
der **Code, -s** code
die **Collage, -n** collage (9)
der **Comic, -s** comic
der **Computer, -** computer (6)
computergesteuert computer-operated
das **Computerspiel, -e** computer game
der **Container, -** container (63)
cool cool (54)
das/der **Cornflake, -s** cornflake
die **Couch, -s** couch (42)
der **Cousin, -s** cousin (*male*) (8)
die **Cousine, -n** cousin (*female*) (8)
das **Cover, -** cover
covern to cover
das **Cracking** cracking
das **Curry, -s** curry
die **Currywurst, -e** currywurst (27)
der **Cyborg, -s** cyborg

D

da drin in there (31)
dabei sein to be involved
das **Dach, -er** roof
der **Dada** Dada
dafür for it; in exchange (58)
damals back then
die **Dame, -n** lady
damit with it (58); so that (93)
danach afterwards (34)
dank thanks to
Danke! Thank you!
danken (+ *dat.*) to give thanks to (59)
dann then
dar·stellen to depict
darauf on it (58)
daraus out of it (58)
Das war's. That›s it. (30)
die **Datei, -en** file
die **Daten** (*pl.*) data (80)
das **Datum, Daten** date (21)
dauern to last (37)
der **Daumen, -** thumb
dazu in addition (to that)
dazu·geben, gibt … dazu to add
die **DDR (Deutsche Demokratische Republik)** GDR (German Democratic Republic) (65)
die **Decke, -n** ceiling; blanket (42)
der **Deckel, -** lid (41)
dein(e) your (*inform. sg.*)
die **Deko, -s** decoration
der **Dekonstruktivismus** deconstructivism
die **Dekoration, -en** decoration
dekorieren to decorate
demokratisch democratic (84)
der **Demonstrant, -en** demonstrator (*male*)
den zweiten Platz belegen to get second place
denken (**an** + *akk.*) to think (of)
das **Denkmal, -er** monument (82)
denn so (*interest*); still (*impatience*) (58)
der Reihe nach in sequence
das **Design, -s** design
die **Destillation, -en** destillation
destillieren to distill
das **Detail, -s** detail
(das) **Deutsch** German (*language*) (2)
der **Deutschkurs, -e** German class
Deutschland Germany
deutschsprachig German speaking
(der) **Dezember** December (21)
das **Diagramm, -e** diagram (80); graph; chart
der **Dialog, -e** dialogue
die **Dichte, -n** concentration (57)
der **Dichter, -** poet; writer (*male*)
dick overweight (5)
die (*def. art., fem. nom./akk., pl. nom./akk.*) the; (*rel. pron., fem. nom./akk., pl. nom./akk.*) which, who(m)
Die Sonne scheint. The sun is shining. (17)
die Spülmaschine ausräumen to empty the dishwasher
(der) **Dienstag, -e** Tuesday (15)
der **Diesel** diesel (96)
die **Differenz, -en** difference
das **Diktat, -e** dictation
diktieren to dictate
das **Ding, -e** thing
direkt direct(ly) (47)
der **Direktor, -en** director (*male*)
der **Dirigent, -en** conductor (*male*) (90)
die **Dirigentin, -nen** conductor (*female*) (90)
dirigieren to conduct (90)
das **Disaccharid, -e** disaccharide
die **Disko, -s** disco

diskutieren to discuss (12)
die **Distanz, -en** distance
sich (akk.) **distanzieren (von** + dat.) to disassociate oneself (from) (86)
doch! yes (on the contrary)! (5)
der **Dom, -e** cathedral (82)
dominant dominant
das **Domino-Spiel, -e** domino (65)
der **Döner, -** doner (27)
der **Donner** thunder (17)
donnern to thunder (17)
(der) **Donnerstag, -e** Thursday (15)
das **Doppelhaus, -er** duplex (40)
die **Doppelmonarchie, -n** Dual Monarchy
die **Doppelseite, -n** double page
das **Dorf, -er** village
dort there (17)
die **Dose, -n** can (58)
der **Dosierlöffel, -** dosing spoon
der **Drache, -n** dragon (69)
die **Dragqueen, -s** drag queen (90)
das **Drama, Dramen** drama
dran sein to have a turn (75); to be next
der **Dreck** dirt
sich (akk.) **drehen** to spin (65); to turn; spin around
einen Film **drehen** to shoot a movie/film (100)
die **Drehung, -en** turn
der **Dreierpack, -s** hat-trick
die **Dreierreihe, -n** three times table
das **Dreiländereck, -e** border tripoint
der **Dresscode, -s** dress code
drin (inform.) inside (31)
die **Drohne, -n** drone (95)
drucken to print
drücken to push (65)
der **Drucker, -** printer
du you (inform. sg.) (0)
dumm stupid (5)
dunkel dark (25)
der **Dunstabzug, -e** exhaust hood (41)
(geteilt) **durch** through; divided by (4)
durch (+ akk.) through (30)
durch·laufen (läuft ... durch), lief ... durch, ist ... durchgelaufen to run through
das **Durcheinander** mess (12)
der **Durchschnitt, -e** average (22)
durchschnittlich (on) average (22)
die **durchschnittliche Jahrestemperatur** average annual temperatur
die **Durchschnittsgröße, -n** average size (22)
dürfen, darf to be allowed to (46)
die **Dürre, -n** drought
die **Dusche, -n** shower (44)
duschen to take a shower (15)
düster gloomy; dark (18)
die **Dystopie, -n** dystopia
dystopisch dystopian

E

echt real (66)
die **Ecke, -n** corner
der **Effekt, -e** effect
effektiv effective (59)
effizient efficient (47)
die **Ehe, -n** marriage
eher rather (93)
der **Ehrengast, -e** guest of honor
das **Ei, -er** egg (34)
(das) **Eid al-Fitr** Eid al-Fitr
die **Eigenschaft, -en** trait; characteristic (71)
eigentlich actually (57)
sich (akk.) **eignen (für** + akk.) to be suited (for)
ein·bauen to incorporate (68)
ein·binden to bind

sich (akk.) **ein·cremen** to apply lotion (46)
ein·fallen (fällt ... ein) (+ dat.), fiel ... ein, ist ... eingefallen to come into sb.›s mind
ein·füllen to pour in
ein·geben (gibt ... ein), gab ... ein, hat ... eingegeben to enter
ein·kaufen (kauft ... ein) to shop (15)
ein·kleiden (kleidet ... ein) to clothe
ein·kreisen to circle
ein·laden (lädt ... ein) to invite
sich **ein·loggen** to log onself in (47)
ein·marschieren to invade
ein·nehmen (nimmt ... ein), nahm ... ein, hat ... eingenommen to take on/in; adopt
ein·rühren to stir in (34)
ein·setzen to insert
ein·sprühen to spray
ein·steigen (in + akk.), **stieg ... ein, ist ... eingestiegen** to get on (81)
ein·tragen (trägt ... ein) to enter (into a list, etc.)
der **Eindruck, -e** impression
der **Einfachzucker, -** simple sugar
das **Einfamilienhaus, -er** single-family home (40)
der **Einfluss, -e** influence (86)
die **Einführung, -en** introduction
die **Einheit, -en** unit
das **Einhorn, -er** unicorn (69)
einkaufen gehen to go shopping
die **Einkaufsliste, -n** shopping list
das **Einkaufszentrum, -zentren** shopping mall (52)
die **Einladung, -en** invitation
einmal once (25)
einmal in der Woche once a week
das **Einmaleins** multiplication table
einst long ago (72)
die **Einstiegshaltestelle, -n** boarding stop (81)
der **Eintrag, -e** entry
die **Einwanderungsstadt, -e** immigration city
das **Einwegprodukt, -e** disposable product (62)
der **Einzelhandel** retail
das **Eis** ice; ice cream
die **Eisdiele, -n** ice cream parlor
das **Eisen, -** iron (31)
die **Eisenbahn, -en** train (65)
eiskalt freezing; icecold (20)
das **Eiweiß, -** protein; egg white (31)
der **Elefant, -en** elephant
elegant elegant (74)
die **elektrische Stromstärke, -n** electric current
das **Element, -e** element
der **Elf, -en** elf (male) (69)
die **Elfe, -n** elf (female) (69)
eliminieren to eliminate
die **Eltern** (pl.) parents (8)
emigrieren to emigrate
die **Emotion, -en** emotion (65)
empfehlen, empfiehlt to recommend (62)
die **Empfehlung, -en** recommendation (62)
das **Ende, -n** end
endogen endogenous
die **Endzone, -n** end zone
die **Energie, -n** energy
der **Energy-Drink, -s** energy drink
engagieren to hire
(das) **Englisch** English (language) (2)
der **Enkelsohn, -e** grandson (8)
die **Enkeltochter, -** granddaughter (8)
entdecken to discover
die **Entdeckung, -en** discovery (92)
die **Ente, -n** duck
der **Entertainer, -** entertainer (male)
entlang·gehen, ging ... entlang, ist ... entlanggegangen to walk along (82)

entrümpeln to declutter
entscheiden to decide
die **Entscheidung, -en** decision
das **Entspannen** relaxing
entstehen to emerge; form
entweder ... oder either ... or
entweichen to escape
entwerfen, entwirft, entwarf, hat ... entworfen to draft
das **Enzym, -e** enzyme
die **Epoche, -n** epoch
er he (0)
die **Erbsensuppe, -n** pea soup (33)
das **Erdbeben, -** earthquake
die **Erdbeere, -n** strawberry (28)
das **Erdgeschoss, -e** ground/first floor (44)
das **Erdinnere** Earth›s interior
die **Erdoberfläche** Earth›s surface
das **Erdöl, -e** crude oil (57)
der **Erdrutsch, -e** landslide
das **Ereignis, -se** event
die **Erfahrung, -en** experience
erfinden to invent (37)
der **Erfinder, -** inventor (male) (92)
die **Erfinderin, -nen** inventor (female) (92)
die **Erfindung, -en** invention (92)
der **Erfolg, -e** success
erfolgreich successful
ergänzen to add
das **Ergebnis, -se** result
erhitzen to heat (46)
sich **erinnern (an** + akk.) to remember
erklären to explain
die **Erklärung, -en** explanation
erleben to experience; undergo (69)
die **Ermordung, -en** murder; killing (84)
ernähren to feed; nourish
die **Ernährungsweise, -n** dietary habit (38)
eröffnen to open (60)
der **Eröffnungstanz, -e** opening dance
erraten, errät to guess
erreichen to reach (65)
erscheinen, erschien, ist ... erschienen to be released; published (65)
ersetzen to replace (58)
erst first (100)
erstellen to create
Erster Weltkrieg World War One
erwachsen mature; grown up (74)
erwähnen to mention
erzählen to tell; to narrate; to recount (9)
es it (0)
Es gibt There is/are (28)
Es regnet. It is raining. (17)
Es schneit. It is snowing. (17)
Es sind 18 Grad. It is 18 degrees. (17)
Es war einmal ... Once upon a time ... (69)
der **Esel, -** donkey
das **Essen, -** food; meal (27)
essen, isst to eat (27)
der **Essensrest, -e** leftover food (63)
essentiell essential (57)
der **Essig, -e** vinegar
die **Essigsäure, -n** acedic acid
das **Esszimmer, -** dining room (44)
etc. etc.
die **Ethnie, -n** ethnicity
der **Ethnograf, -en** ethnographer (male)
die **Ethnografie, -n** ethnography
die **Ethnografin, -nen** ethnographer (female)
ethnografisch ethnographic
das **Ethylen** ethylene
etwa about; approximately
etwas something (28)
die **EU** EU (short for European Union)
der **Euro, -s** euro

der **Eurodance** Eurodance
(das) **Europa** Europe
der/das **Event, -s** event
der **Event-Verleih, -e** renting agency for events
existieren to exist
die **Exkursion, -en** excursion
exogen exogenous
die **Expansion, -en** expansion
das **Experiment, -e** experiment
experimentieren to experiment
das **Exponat, -e** exhibit
der **Export, -e** export (63)
exportieren to export
der **Exportschlager, -** export hit (75)
der **Expressionismus** expressionism
expressionistisch expressionistic
extrem extreme (59)

F

das **Fabelwesen, -** mythical creature
die **Fabrik, -en** factory (55)
das **Fachwerkhaus, -er** half-timbered house (40)
das **Fahren** driving (93)
fahrerlos driverless
das **Fahrzeug, -e** vehicle (96)
fair fair
Fairtrade fair trade
der **Fakt, -en** fact
die **Fakultät, -en** faculty
fallen, fällt to fall
falls if
das **Fallschirmpaket, -e** collapsable parachute (92)
falsch incorrect; wrong
der **Faltplan, -e** folding map (84)
die **Familie, -n** family (8)
der **Familienstand, -e** marital status
die **Fantasie, -n** imagination
fantasieren to dream up
die **Fantasiewelt, -en** fantasy world
die **Fantastik** speculative fiction
fantastisch fantastic (69)
die **Fantasy** fantasy
die **Farbe, -n** color (16)
(das) **Farsi** Farsi
der **Fasching, -s/-e** carnival
die **Fassade, -n** facade; front of a building (85)
die **Fassung, -en** version
fast almost (17)
das **Fast Food** fast food
fast immer almost always (17)
faszinierend fascinating
fasziniert fascinated (18)
faul lazy (5)
das **Feature, -s** feature
(der) **Februar** February (21)
fehlen to lack; to be missing (8)
fehlend missing
der **Fehler, -** mistake (42)
fehlerhaft defective
feiern to celebrate (21)
der **Feiertag, -e** holiday (21)
fein fine (37)
das **Feld, -er** space (75)
das **Fenster, -** window
das **Ferienheim, -e** vacation home
die **Ferienstraße, -n** holiday route
fern·sehen (sieht ... fern) to watch TV (15)
der **Fernseher, -** TV (42)
die **Fernwärme** district heating (85)
das **Fernwärmenetz, -e** district heating network
sich (*akk.*) **fertig machen** to get ready (46)
fest solid

die **Festwoche, -n** festival week
das **Fett, -e** fat (31)
der **Fiaker, -** horse-drawn carriage (*Austria*) (81)
fiktiv fictional
einen **Film drehen** to shoot a movie/film (100)
die **Finanzen** (*pl.*) finances (52)
finden to find
die **Firma, Firmen** company
der **Fisch, -e** fish (12)
fischen to fish
das **Fitnesstraining, -s** fitness training
der **Flaschensammler, -** person (*male*) who collects deposit bottles to earn money
die **Flaschensammlerin, -nen** person (*female*) who collects deposit bottles to earn money
der **Flatscreen, -s** flatscreen (95)
das **Fleisch** meat (31)
flexibel flexible
die **Fliege, -n** bow tie; fly
der **Flip-Flop, -s** flip-flop (16)
die **Flucht, -en** escape; flight
der **Flug, -e** flight (80)
der **Flügel, -** wing
der **Flughafen, -** airport (80)
die **Fluglinie, -n** airline
das **Flugzeug, -e** plane (55)
der **Flugzeugbau** aircraft construction (85)
der **Flur, -e** hallway (44)
der **Fluss, -e** river (69)
flüssig liquid
die **Flüssigkeit, -en** liquid
föderal federal
der **Fokus, -se** focus
die **Folge, -n** episode
folgen to follow
folgend following
der **Fön, -e** hair dryer (45)
das/die **Fondue, -s** fondue (27)
fordern to demand
die **Form, -en** mold; form
das **Format, -e** format
formatieren to format (47)
die **Formel, -n** formula
formell formal
formulieren to phrase
forschen to do research (98)
der **Forscher, -** researcher (*male*) (57)
die **Forscherin, -nen** researcher (*female*) (57)
das **Forschungsprojekt, -e** research project (98)
fortgeschritten advanced
der **Fortschritt, -e** progress (100)
das **Foto, -s** photo
der **Fotoapparat, -e** camera (6)
der **Fotograf, -en** photographer (*male*)
fotografieren to take pictures (5)
die **Fotografin, -nen** photographer (*female*)
der **Frack, -e** tailcoat
die **Frage, -n** question
fragen to ask (0)
fragen (nach + *dat.*) to ask (about)
Fragen stellen to ask questions (12)
der **Fragetyp, -en** question type
(das) **Frankreich** France
(das) **Französisch** French (*language*) (2)
die **Frau, -en** woman; Mrs.; Ms. (1)
die **(Ehe)frau, -en** wife (8)
freigegeben approved
die **Freiheit, -en** freedom (86)
(der) **Freitag, -e** Friday (15)
das **Fremdwort, -er** foreign word (99)
fressen, frisst to devour; to eat (animal)
sich (*akk.*) (über + *akk.*) **freuen** to be happy (about) (63)
der **Freund, -e** friend (*male*); boyfriend (8)
die **Freundin, -nen** friend (*female*); girlfriend (8)

freundlich friendly (5)
die **Freundschaft, -en** friendship
der **Friedhof, -e** cemetery (84)
friedlich peaceful (18)
der **Friseur, -e** hairdresser (*male*) (6)
die **Friseurin, -nen** hairdresser (*female*) (6)
fröhlich cheerful; happy (18)
der **Frosch, -e** frog
der **Frost** frost
der **Fruchtzucker, -** fruit sugar
früher in the past; earlier (65)
der **Frühling, -e** spring (17)
im **Frühling** in the spring (17)
frühstücken to have breakfast (15)
die **Fruktose** fructose
frutarisch frutarian (38)
führen to lead; to guide; to conduct
der **Führerschein, -e** driver›s license (93)
die **Führung, -en** guided tour (86)
füllen to fill
funktional functional
der **Funktionalismus** functionalism
funktionieren to function; work
für (+ *akk.*) for
sich (*akk.*) **fürchten (vor)** to be afraid (of) (69)
der **Fuß, -e** foot
der **Fußball** soccer
das **Fußballfeld, -er** soccer field
das **Futter, -** lining (55)
füttern to feed (65)
das **Futur** future tense
der **Futurismus** futurism (100)
der **Futurist, -en** futurist (*male*)
die **Futuristin, -nen** futurist (*female*)

G

die **Gabel, -n** fork (41)
die **Gangschaltung, -en** stick shift (93)
der **Gänsebraten, -** roast goose (33)
ganz whole, complete(ly)
Ganz meinerseits. My pleasure. (1)
gar nicht not at all (59)
die **Garage, -n** garage (44)
der **Garten, -** garden (42)
das **Gas** natural gas (85)
gasförmig gas
das **Gaspedal, -e** gas pedal (93)
der **Gast, -e** guest (33)
die **Gaststätte, -n** restaurant; tavern (68)
das **Gebäude, -** building
geben, gibt to give
geboren born
geboren werden to be born
die **Gebrüder** (*pl.*) brothers (71)
die **Geburt, -en** birth
das **Geburtsland, -er** country of birth
die **Geburtsregion, -en** birth region (55)
der **Geburtstag, -e** birthday (21)
das **Gedicht, -e** poem (18)
geeignet suitable
die **Gefahr, -en** hazard (45)
gefallen (+ *dat.*)**, gefällt** to be pleasing to (59)
der/die **Geflüchtete, -n** person who fled (12)
das **Geflügel** poultry (31)
der **Gefrierschrank, -e** freezer (41)
gegen (+ *akk.*) against (30)
der **Gegensatz, -e** opposite (100)
im **Gegensatz zu ...** as opposed to ...
gegenseitig mutual(ly)
der **Gegenstand, -e** item; thing
das **Gegenteil, -e** opposite (90)
gegenüber (+ *dat.*) opposite
gegenüber (von + *dat.*) across from
die **Gegenwart** present
das **Gehalt, -er** salary

gehen to go; to walk (28)
das Gehirn, -e brain (31)
gehören (+ dat.) to belong to (59)
gehören (zu + dat.) to belong (to)
der Geist, -er ghost (42)
der Geiz greed
gekrümmt curved
gelb yellow (16)
das Geld, -er money
das Gemälde, - painting (18)
die Gemeinde, -n community (84)
gemeinsam joint
die Gemeinsamkeit, -en commonality
das Gemüse, - vegetable (28)
gemütlich cozy (69)
Genau! Exactly! (5)
generell general (45)
die Genesung, -en recovery (54)
die Genmanipulation, -en genetic modification
das Genre, -s genre (69)
genug enough
geometrisch geometric (86)
das Gepäck luggage (60)
geprägt sein (von + dat.) to be characterized (by)
geradeaus straight (82)
das Gerät, -e appliance (41)
das Gericht, -e dish (27)
der Germknödel, - yeast dumpling with plum sauce (33)
gern(e), lieber, am liebsten gladly; like (5) (27)
Gesamt- total
der Gesang vocals (65)
das Geschäft, -e shop (54)
geschehen (geschieht), geschah, ist . . .
geschehen to occur (72)
das Geschenk, -e gift (21)
die Geschenkidee, -n idea for a gift (54)
die Geschichte, -n story; history (71)
geschieden divorced (8)
das Geschirr dishes
der Geschirrspüler, - dishwasher (41)
die Geschlechterrolle, -n gender role (71)
der Geschmack, -er taste (88)
die Geschwindigkeit, -en velocity; speed (93)
die Geschwister (pl.) siblings (8)
die Gesellschaft, -en society (90)
das Gesellschaftsspiel, -e parlor game (75)
das Gesetz, -e law
das Gesicht, -er face
das Gespräch, -e conversation
gestalten to design
gestern yesterday
gestreift striped (16)
gesund healthy (31)
die Gesundheit health (31)
das Getränk, -e beverage (27)
der Getränkemarkt, -e beverage store
das Getreidekorn, -er grain kernel
getrennt separate (33)
das Gewichtheben weightlifting (49)
gewinnen to win
das Gewitter, - thunderstorm (17)
das Gewürz, -e seasoning (41)
gießen to pour
giftig poisonous (74)
die Gitarre guitar (12)
das Glas, -er glass (41)
das Glatteis black ice
glauben to believe; think
gleich immediately; similar (65)
die Gleichstellung, -en equality
gleichzeitig simultaneous(ly) (100)
das Gleis, -e platform (15)
das Gleitflugzeug, -e glider (92)
global global(ly) (25)

die Glückszahl, -en lucky number (4)
die Glukose glucose
das Gluten, -e gluten (28)
golden gold (82)
sich (dat.) gönnen to treat oneself to (88)
googeln to google (99)
die Gotik Gothic period
der Grad, -e degree (17)
die Grafik, en graph (80)
das Gramm gram (31)
die Grammatik, en grammar
die Grapefruit, -s grapefruit (28)
das Gras, -er grass
grau gray (16)
das Graubrot, -e mixed wheat and rye bread (35)
greifen to grasp; to take hold of
grenzen (an + akk.) to border
Griechenland Greece
(das) Griechisch Greek (language) (2)
grillen to have a barbecue
grimm wrathful
groß tall; big (5)
groß, größer, am größten big; tall (22)
(das) Großbritannien Great Britain
die Größe, -n size (4)
der Großhandel, - wholesale
die Großmutter, - grandmother (8)
die Großstadt, -e big city (44)
der Großvater, - grandfather (8)
großzügig generous
Grüezi! Hello! (Switzerland) (1)
grün green (16)
der Grund, -e reason (38)
der Grundbegriff, -e basic term
gründen to erstablish; found
der Gründer, - founder (male) (60)
die Gründerin, -nen founder (female) (60)
die Grundgröße, -n base item
der Grundschritt, -e basic step
die Grundschule, -n elementary school (68)
die Gruppe, -n group
das Gruppenprojekt, -e group project
Grüß Gott! Hello!; Good afternoon! (form.; Southern Germany, Austria) (1)
der Gruß, -e greeting (65)
die Guacamole, -n guacamole
der/das Gummi, -s rubber (55)
günstig cheap (33)
die Gurke, -n cucumber (28)
der Gürtel, - belt (16)
gut, besser, am besten good; well (22)
Guten Morgen! Good morning! (0)
das Gymnasium, Gymnasien high school (preparing for university) (85)
die Gymnastik, -en gymnastics
das Gyros, - gyro

H

das Haar, -e hair
haben to have (9)
die Habsburger (pl.) Habsburgs
das Hackbällchen, - meat ball (27)
das Hackfleisch ground meat (30)
der Hafen, - port
der Hagel hail
der Hahn, -e rooster
die Hähnchenbrust, -e chicken breast (30)
häkeln to crochet
halal halal (27)
halb half (15)
der Halbbruder, - half brother (8)
die Halbschwester, -n half sister (8)
die Halbsphäre, -n half sphere
die Hälfte, -n half

Hallo! Hello! (0)
das Halloween Halloween (21)
der Hals, -e neck; throat
halten (von + dat.), hält, hielt, hat . . .
gehalten to think (of)
die Haltestelle, -n stop; station (81)
-haltig containing . . .
der Hammer, - hammer
der Hamster, - hamster (12)
die Hand, -e hand
der Handball, -e handball (5)
der Handel trade
sich handeln (um + akk.) to deal (with)
der Handelsweg, -e trade route
das Händeschütteln handshake
handgemacht handmade (54)
der Handschuh, -e glove (16)
das Handy, -s mobile phone (4)
die Handynummer, -n cell phone number (4)
hängen to hang; be hanging (42)
(das) Hannover Hanover
das Happy End, -s happy ending
hart hard (28)
hassen to hate
Haupt- main
der Hauptbahnhof, -e main station
die Hauptfigur, -en main character (71)
das Hauptgericht, -e main dish (27)
hauptsächlich mainly (86)
der Hauptsatz, -e independent clause
der Hauptsitz, -e headquarters (52)
die Hauptstadt, -e capital (80)
das Haus, -er house (40)
die Hausaufgabe, -n homework
das Hausboot, -e houseboat (40)
hausgemacht homemade
der Haushalt, -e household
der Haushaltsmüll household waste (62)
der Haushaltszucker, - table sugar
das Haustier, -e pet
die Haut, -e skin
heben to raise
das Heft, -e booklet; notebook (65)
der Heiligabend Christmas Eve (21)
die Heimat home
das Heimatland, -er home country
die Heimatstadt, -e hometown (81)
heiraten to marry
heiß hot (20)
heißen to be called, be named (0)
der Heißluftballon, -e hot-air balloon
heiter bright; sunny (17)
heizbar heatable
heizen to heat (85)
die Heizung, -en heater (47)
helfen (+ dat.), hilft to (give) help (to) (59)
hell bright (18); light (35)
das Hemd, -en shirt (16)
her·stellen to manufacture (55)
heraus·finden (findet . . . heraus), fand heraus,
hat . . . gerausgefunden to find out; to learn
der Herausforderer, - challenger (male)
das Herbizid, -e herbicide
der Herbst, -e fall (17)
der Herd, -e stove(top) (41)
die Herkunft, -e origin (2)
das Herkunftsland, -er country of origin (55)
Herr Ober! Waiter! (88)
der Herr, -en gentleman; Mr. (1)
der Hersteller, - manufacturer (55)
das Herz, -en heart (49)
(das) Hessen Hesse (92)
heute today
heute Abend tonight (15)
die Hexe, -n witch (73)
die Hilfe, -n help

das **Hilfsverb, -en** auxiliary verb
der **Himmel, -** sky; heaven
hin und her back and forth
hin·schreiben to write down
(das) **Hindi** Hindi (language) (2)
der **Hinflug, -e** outbound flight (80)
hinter behind (41)
der **Hintergrund, -e** background (84)
hinzu·fügen to add
der **Hip-Hop** hip-hop
der **Hipster, -** hipster (33)
historisch historical(ly)
die **Hitzewelle, -n** heatwave
das **Hobby, -s** hobby (5)
hoch, höher, am höchsten high (22)
hoch·fahren (fährt … hoch) to boot (47)
hoch·laden (lädt … hoch) to upload (47)
(das) **Hochdeutsch** standard German
das **Hochhaus, -er** highrise building (40)
das **Hochwasser, -** flood
die **Hochzeit, -en** wedding
der **Höhepunkt, -e** peak (86)
höher stellen to turn up (47)
die **Höhle, -n** cave
höllisch hellish
der **Holocaust** holocaust
das **Holz** wood (85)
der **Holzbaustein, -e** wooden building block (65)
der **Honig, -e** honey (59)
hören to hear
das **Hörspiel, -e** audio play
die **Hose, -n** pants (16)
das **Hoverboard, -s** hoverboard (95)
der **Hubraum, -e** engine displacement (93)
der **Hubschrauber, -** helicopter (92)
humorvoll humorous (5)
der **Hund, -e** dog
der **Hunger** hunger (30)
Hunger haben to be hungry (30)
die **Hupe, -n** horn (93)
hupen to honk (93)

I

ich I (0)
Ich bin 1999 geboren. I was born in 1999.
Ich hätte gern … I would like to have … (30)
Ich möchte gern … I would like … (30)
ideal ideal
idealisieren to idealize
die **Idee, -n** idea
identifizieren to identify
identisch identical (42)
die **Identität, -en** identity
ihr you (*inform. pl.*)
ihr(e) her (8)
Ihr(e) your (*form.*)
die **Illustration, -en** illustration
imaginär imaginary
der **Imbiss, -e** diner (33)
der **Imbisswagen, -** food truck (33)
immateriell intangible
immer always (17)
immer wenn every time; whenever (65)
der **Imperativ, -e** imperative
impfen to vaccinate (66)
der **Impfstoff, -e** vaccine (66)
der **Importeur, -e** importer
der **Impressionismus** impressionism
impressionistisch impressionistic
das **Improvisationstheater, -** improvisational theater
improvisieren to improvise
in in; into (41)
in den Bergen wandern to hike in the

mountains
in der Nacht at night (17)
in die Luft gehen to go ballistic
in Klammern in parentheses
in Ordnung all right (75)
in Richtung towards (82)
(das) **Indien** India (55)
indisch Indian
individuell individual
indonesisch Indonesian
die **Industrialisierung, -en** industrialization
die **Industrie, -n** industry
industriell industrial(ly)
die **Infektion, -en** infection (66)
der **Infinitiv, -e** infinitive
infizieren to infect (66)
die **Informatik** computer science (2)
der **Informatiker, -** computer scientist (*male*) (6)
die **Informatikerin, nen** computer scientist (*female*) (6)
die **Information, -en** information (6)
die **Informationstechnik (IT)** information technology (IT) (52)
informell informal
der **Ingenieur, -e** engineer (*male*) (6)
die **Ingenieurin, -nen** engineer (*female*) (6)
der **Ingwer** ginger (28)
der **Inhalt, -e** content
die **Initiative, -n** initiative (102)
inkludieren to include
der **Innenraum, -e** interior
die **Innensohle, -n** insole (55)
innerlich internal(ly)
die **Innovation, -en** innovation (95)
innovativ innovative
ins Bett gehen to go to bed (15)
ins Kino gehen to go to the movies (15)
insgesamt in total (102)
sich **inspirieren lassen (von + *dat.*)** to draw (one's) inspiration (from)
inspiriert (von) inspired (by)
das **Instrument, -e** instrument (37)
integrieren to incorporate
die/der **Intellektuelle, -n** intellectual
die **Intelligenz, -en** intelligence (71)
die **Intention, -en** intention
interaktiv interactive
interessant interesting (25)
interessanterweise interestingly
das **Interesse, -n** interest (12)
interessieren to interest
interkonfessionell interdenominational (84)
international international (27)
Internationale Beziehungen (*pl.*) international relations (2)
im Internet surfen to surf the internet (46)
der **Interpret, -en** performer (*male*)
die **Interpretation, -en** interpretation
interpretieren to interpret
die **Interpretin, -er** performer (*female*)
das **Interview, -s** interview
interviewen to interview
die **Intonation, -en** intonation
der **Investor, -en** investor (*male*) (98)
die **Investorin, -nen** investor (*female*) (98)
irgendein any/some
Irland Ireland
irritieren to irritate
isolieren to isolate
das **Isomalt** isomalt
Ist hier noch frei? Is this table/seat available? (33)
Italien Italy (78)
(das) **Italienisch** Italian (*language*) (2)
Italienisch Italian

J

ja yes (5)
die **Jacke, -n** jacket (16)
das **Jahr, -e** year
Jahre alt years old (4)
das **Jahresmittel, -** annual average
die **Jahreszahl, -en** year
die **Jahreszeit, -en** season (17)
die **Jahrgangsstufe, -n** grade
das **Jahrhundert, -e** century (66)
der **Jahrmarkt, -e** fair (68)
das **Jahrzehnt, -e** decade
der **Jänner, -** January (*Austria*)
(der) **Januar** January (21)
im Januar in January (21)
(das) **Japanisch** Japanese (*language*) (2)
jawohl yes
der **Jazz** jazz
die **Jeans, -** jeans (16)
jeden Tag every day (12)
jemand someone (38)
jetzt now
jeweilig respective
jeweils respectively
jodeln to yodel (90)
joggen to jog (5)
der/das **Joghurt, -s** yogurt (34)
das **Jo-Jo, -s** yo-yo (65)
der **Jude, -n** Jew (*male*) (84)
die **Jüdin, -nen** Jew (*female*) (84)
jüdisch Jewish (84)
die **Jugend** youth (98)
das **Jugendbuch, -er** young adult book
jugendgefährdend liable to corrupt the young
der/die **Jugendliche, -n** adolescent (63)
die **Jugendliteratur, -en** young-adult literature
der **Jugendstil** art nouveau
die **Jugendsünde, -n** youthful/folly
die **Jugendweihe, -e** youth initiation ceremony (*especially in the GDR*)
(der) **Juli** July (21)
(der) **Juni** June (21)
der **Juror, -en** jury member (*male*)
die **Jurorin, -nen** jury member (*female*)
die **Jury, -s** jury

K

k.u.k. (*kaiserlich und königlich, von: Kaiser von Österreich und König von Ungarn*) imperial and royal
die **K.u.k.-Monarchie** Austrian-Hungarian Monarchy
das **Kabel, -** cord (45)
Kaffee kochen to make coffee
der **Kaffee, -s** coffee (6)
der **Kaffeebecher, -** coffee mug (62)
die **Kaffeebohne, -n** coffee bean (41)
der **Kaffeefilter, -** coffee filter (41)
das **Kaffeehaus, -er** coffeehouse (88)
die **Kaffeehauskultur, -en** coffeehouse culture
die **Kaffeekanne, -n** coffee pot (41)
der **Kaffeelöffel, -** coffee spoon (41)
die **Kaffeemaschine, -n** coffee maker (41)
die **Kaffeemühle, -n** coffee grinder (41)
die **Kaffeetasse, -n** coffee cup (41)
der **Kaiser, -** emperor
die **Kaiserin, -nen** empress
der **Kaiserschmarren, -** Kaiserschmarrn
kalkulieren to calculate (93)
die **Kalorie, -n** calorie (49)
kalt cold (20)
das **Kalzium** calcium (31)
das **Kalziumlactat** calcium lactate
der **Kamin, -e** fireplace

sich (*akk.*) **kämmen** to comb (46)
der **Kampf, -e** battle (69)
kämpfen to fight (74)
kanadisch Canadian
der **Kanal, -e** channel
der **Kandidat, -en** contestant (*male*)
die **Kandidatin, -nen** contestant (*female*)
das **Kapital, -e** capital
das **Kapitel, -** chapter
die **Kappe, -n** cap; hat (16)
kaputt broken (45)
kaputt·machen to break
die **Karawane, -n** caravan (100)
karibisch Caribbean
kariert plaid (16)
die **Karriere, -n** career
die **Karte, -n** card; map
das **Kartenspiel, -e** card game (75)
die **Kartoffel, -n** potato (31)
der **Kartoffelsalat, -e** potato salad (28)
der **Karton, -s** cardboard box (58)
der **Käse, -** cheese (28)
die **Käsespätzle** (*pl.*) cheese spaetzle (27)
die **Kategorie, -n** category
der **Kater, -** tomcat (73)
die **Katze, -n** cat (12)
kauen to chew
kaufen to buy (28)
die **Kaufentscheidung, -en** decision to buy (59)
der **Kaufladen, -** shop
der/das **Kaugummi, -s** chewing gum
kaum barely (66)
der **Kaviar** caviar
kein(e) no; none (10)
der **Keller, -** basement
Kenia Kenya
kennen to know (6)
kennen·lernen to meet, get acquainted with
der **Kenner, -** connoisseur (*male*) (75)
die **Kette, -n** chain
die **KFZ-Steuer, -n** car tax (93)
das **Kilo, -s** kilo (30)
das **Kind, -er** child (6)
das **Kinderbuch, -er** children›s book (69)
die **Kinderlähmung** polio (66)
die **Kinderliteratur, -en** children›s literature
das **Kinderzimmer, -** children›s room (44)
die **Kindheit, -en** childhood (65)
kindlich childlike (74)
die **Kinokarte, -n** movie ticket (54)
die **Kirche, -n** church
die **Kiste, -n** case; box (*made out of wood or strong cardboard*) (58)
kitschig corny
die **Kiwi, -s** kiwi (28)
klar clear
die **Klasse, -n** class; grade
der **Klassensprecher, -** class representative (*male*)
die **Klassensprecherin, -nen** class representative (*female*)
der **Klassiker, -** classic
der **Klassizismus** classicism
das **Klebeband, -er** adhesive tape (6)
das **Kleid, -er** dress (16)
die **Kleiderordnung, -en** dress code
der **Kleiderschrank, -e** wardrobe (44)
die **Kleidung** clothes (16)
der **Kleidungsstil, -e** clothing style
das **Kleidungsstück, -e** piece of clothing
klein, kleiner, am kleinsten small; short (22)
die **Kleinigkeit, -en** small thing
eine **Kleinigkeit essen** to have a snack (88)
die **Kleinstadt, -e** small town (44)
das **Klettern** climbing
der **Klimawandel** climate change

der **Klimmzug, -e** pull-up (49)
klingen to sound (63)
das **Knäckebrot, e** crispbread (35)
kneten to knead (34)
die **Kniebeuge, -n** squat (49)
der **Knoblauch** garlic (30)
der **Knöchel, -** ankle
der **Knochen, -** bone (31)
der **Knödel, -** dumpling (33)
der **Knopf, -e** button (66)
knusprig crispy (35)
der **Koch, -e** chef (*male*) (37)
das **Kochbuch, -er** cookbook (34)
kochen to cook (5)
der **Kochlöffel, -** wooden cooking spoon (41)
der **Koffer, -** suitcase
der **Kofferraum, -e** trunk (93)
die **Kohle, -n** coal (85)
das **Kohlendioxid** carbon dioxide
das **Kohlenhydrat, -e** carbohydrate (31)
der **Kohlenstoff, -e** carbon
der **Kohlenwasserstoff, -e** hydrocarbon (57)
der **Kolbenmotor, -en** piston engine (93)
kollaborieren to collaborate
der **Kollege, -n** colleague (*male*) (55)
die **Kollegin, -nen** colleague (*female*) (55)
kolonial colonial
kombinieren to combine (12)
komisch odd; funny
kommen (aus + *dat.*) to come (from) (2)
die **Kommunikation, -en** communication (51)
die **Kommunion, -en** communion
kommunizieren to communicate (95)
die **Komödie, -n** comedy
komplett complete
komplex complex
der **Komponist, -en** composer (*male*) (90)
die **Komponistin, -nen** composer (*female*) (90)
das **Kompositum, Komposita** compound word (99)
der **Komposthaufen, -** compost pile (60)
kompostieren to compost (60)
das **Kompott, -e** stewed fruit
die **Konditorei, -en** pastry shop
konfessionslos undenominational (84)
die **Konfirmation, -en** confirmation
der **Konflikt, -e** conflict
konfrontieren to confront (74)
die **Königin, -nen** queen (74)
der **Konjunktiv, -e** subjunctive
konkret specific; concrete
können, kann to be able (to); can; may (18)
der **Konsens, -e** consensus
konservativ conservative (90)
die **Konstruktion, -en** construction (102)
der **Konsument, -en** consumer (*male*)
das **Konsumentenverhalten** consumer behavior
die **Konsumentin, -nen** consumer (*female*)
der **Kontext, -e** context
kontrovers controversial
konventionell conventional(ly) (62)
das **Konzept, -e** concept
das **Konzert, -e** concert (65)
konzipieren to conceive
der **Kopf, -e** head
der **Kopfhörer, -** headphone (6)
der **Kopfschmerz, -en** headache (99)
das **Kopftuch, -er** headscarf (16)
die **Kopie, -n** copy
kopieren to copy
koreanisch Korean
das **Korn, -er** grain (35)
das **Kornfeld, -er** cornfield
der **Körper, -** body
die **Körpersprache, -n** body language

das **Körperteil, -e** body part
korrekt correct (5)
die **Korrektur, -en** correction
die **Korsage, -n** corsage
koscher kosher (27)
kosten to cost (30)
kostenlos free (88)
das **Kostüm, -e** costume (5)
krabbeln to crawl
die **Kraft, -e** force; strength
krank ill; sick (54)
das **Krankenhaus, -er** hospital (66)
die **Krankenpflege** nursing (2)
die **Krankheit, -en** disease (66)
die **Krawatte, -n** tie (16)
kreativ creative
kreditieren to credit
kreieren to create
die **Kreuzung, -en** intersection (82)
der **Krieg, -e** war
Kritik üben (an + *dat.*) to criticize; level criticism (at)
der **Kritiker, -** critic (*male*)
die **Kritikerin, -nen** critic (*female*)
kritisieren to criticize (65)
(das) **Kroatien** Croatia
kroatisch Croatian
die **Krone, -n** krone (*former Austrian currency*); crown
krumm crooked (28)
die **Kruste, -n** crust (35)
kubanisch Cuban
der **Kubikmeter, -** cubic meter
die **Küche, -n** kitchen; cuisine
der **Kuchen, -** cake (30)
der **Kuckuck, -e** cuckoo
der **Kühlschrank, -e** refrigerator (41)
der **Kultstatus, -** cult status (88)
die **Kultur, -en** culture (81)
das **Kulturerbe** cultural heritage
der **Kulturpunkt, -e** cultural point
sich (**um + *akk.***) **kümmern** to take care (of) (46)
der **Kunde, -n** customer (*male*) (30)
die **Kundin, -nen** customer (*female*) (30)
die **Kunst, -e** art (18)
das **Kunstleder, -** synthetic leather (55)
der **Künstler, -** artist (*male*) (18)
die **Künstlerin, -nen** artist (*female*)
die **Künstlerkolonie** artists' colony
die **Künstlervereinigung, -en** artists› association
die **Kunstrichtung, -en** art movement (100)
die **Kunstschule, -n** school of arts
der **Kunststoff, -e** synthetic material; plastic (57)
das **Kunstwerk, -e** work of art; artwork (18)
die **Kupplung, -en** clutch (93)
der **Kurs, -e** class; course
kurz short
die **Kurzbiografie, -n** short biography
die **kurze Hose, -n** shorts (16)
die **Kurznachricht, -en** text message
das **Kuscheltier, -e** stuffed animal (66)
der **Kuss, -e** kiss (73)
küssen to kiss (74)

L

das **Label, -s** label (31)
das **Labor, -e** laboratory (47)
lachen to laugh
der **Laden, -** store (54)
das **Lager, -** stock; warehouse
die **Lähmung, -en** paralysis (66)
die **Laktose, -n** lactose (38)
die **Lampe, -n** lamp (10)

das **Land, -er** country
das **Länderkürzel, -** country code
die **Landeshauptstadt, -e** state capital (78)
die **Landschaft, -en** landscape (18)
die **Landwirtschaft, -en** agriculture (63)
lang long (20)
langärmelig long-sleeved
das **Langarmshirt, -s** long-sleeve shirt (16)
lange a long time
die **Länge, -n** length (93)
der **Langhantel-Curl, -s** barbell curl (49)
langsam slow(ly)
langweilig boring (5)
der **Laptop, -s** laptop (6)
lassen, lässt to let (37)
der **Lastwagen, -** truck (55)
lateinisch Latin
die **Laterne, -n** lantern
laufen, läuft to run (20)
das **Laugenbrötchen, -** pretzel roll (35)
laut loud
das **Lautgedicht, -e** sound poem (100)
die **Lawine, -n** avalanche
das **Leben, -** life (8)
das **Lebensgefühl, -e** attitude towards life (88)
das **Lebensmittel, -** food; groceries (28)
die **Lebenspartnerschaft, -en** civil partnership (8)
lebenswert livable (80)
lebhaft vivid (84)
leblos lifeless (74)
lecker tasty; delicious (33)
das **Leder, -** leather (55)
der **Lederschuh, -e** leather shoe (16)
ledig not married; single (8)
leer empty
das **Leergewicht, -e** curb weight (93)
legen to place; to put (horizontal) (42)
das **Legespiel, -e** tile-based game (75)
das **Lehnwort, -er** loanword (99)
das **Lehrbuch, -er** textbook
der **Lehrer, -** teacher (male) (6)
die **Lehrerin, -nen** teacher (female) (6)
das **Lehrjahr, -e** year of apprenticeship
leicht easy; easily (57)
leichtgewichtig lightweight (92)
das **Leiden, -** suffering (84)
leider unfortunately (30)
leihen to borrow
die **Leistung** output power (93)
die **Leistung, -en** achievement
die **Leiter, -n** ladder (45)
die **Leitfrage, -n** guiding question
die **Leitung, -en** management
das **Leitungswasser** tap water (88)
das **Lenkrad, -er** steering wheel (93)
lernen to learn; study (12)
die **Lernplattform, -en** learning platform
lesbisch lesbian (90)
lesen, liest to read (1)
die **Lesestrategie, -n** reading strategy
letzt- last
die **LGBTQ-Community, -s** LGBTQ community (90)
libanesisch Lebanese
die **Lichtstärke, -n** luminous intensity
liebe(r, s) dear (in emails, letters, etc.) (65)
lieben to love
lieber rather; prefer (27)
der **Liebesfilm, -e** love movie
das **Liebesgedicht, -e** love poem
die **Liebesgeschichte, -n** love story (74)
Lieblings- favorite (25)
das **Lieblingsbild, -er** favorite picture (25)
das **Lieblingsessen** favorite dish (27)
das **Lied, -er** song

der **Liedermacher, -** songwriter (male)
liegen to be located (18); to lie; be lying (42)
der **Liegestütz, e** push-up (49)
lila purple (16)
die **Linie, -n** line; route (81)
links left (82)
die **Liste, -n** list
die **Literatur, -en** literature (2)
der **Literaturnobelpreis, -e** Nobel Prize for Literature
die **Locken** (pl.) curls
der **Löffel, -** spoon (41)
der **Lohn, -e** wage
sich (akk.) **lohnen** to be worthwhile
-los -less (98)
lösen to solve (102)
die **Lösung, -en** solution (37)
der **Löwe, -n** lion
die **Lücke, -n** gap
die **Luft** air
die **Lupe, -n** magnifying glass (6)
lustig funny (69)
die **Lyrik** poetry (100)

M

machen to do; to make (5)
die **Macht, -e** power; authority (59)
das **Magazin, -e** magazine
die **Magie, -n** magic (71)
magisch magical (69)
der **magische Realismus** magical realism
der **Magister, -** magister
der **Magnet, -en** magnet
das **Mahnmal, -e** memorial (84)
(der) Mai May (21)
der **Mais** corn (28)
mal times (4)
malen to draw; paint (18)
der **Maler, -** painter (male) (66)
die **Malerin, -nen** painter (female) (66)
man one; you
manchmal sometimes (17)
die **Mango, -s** mango
manipulieren to manipulate
der **Mann, -er** man (8)
der **(Ehe)mann, -er** husband (8)
der **Mantel, -** coat (16)
manuell manual(ly) (93)
die **Manufaktur, -en** manufacture (55)
das **Märchen, -** fairy tale (69)
die **Margarine, -n** margarine (34)
die **Marke, -n** brand (52)
das **Marketing** marketing (59)
markieren to mark (18)
der **Markt, -e** market (28)
das **Marmeladenglas, -er** jam jar (63)
marokkanisch Moroccan
(der) März March (21)
die **Maschine, -n** machine
der **Maschinenbau** mechanical engineering (2)
der **Maschinenbauingenieur, -e** mechanical engineer (male) (6)
die **Maschinenbauingenieurin, -nen** mechanical engineer (female) (6)
die **Masse, -n** mass
die **Massengesellschaft, -en** mass society
das **Material, -ien** material
die **Mathematik** mathematics (2)
das **Matjesfilet, -s** fillet of herring with apples and onions (33)
die **Maus, -e** mouse (6)
das **Maximum, Maxima** maximum
die **Mayo, s** mayo (34)
die **Mechanikerin, -nen** mechanic (female)
(das) Mecklenburg-Vorpommern Mecklenburg-

Western Pomerania (92)
mediterran Mediterranean
die **Medizin** medicine (2)
die **Meeresforscherin, -nen** marine researcher (female)
das **Mehl** flour (34)
die **Mehltüte, -n** flour bag
mehr more
mehrere several
das **Mehrfamilienhaus, -er** multi-family home (40)
das **Mehrkornbrötchen, -** multi-grain roll (35)
die **Mehrwegflasche, -n** reusable bottle
die **Meile, -n** mile
mein(e) my (8)
meinen to be of the opinion (54)
meistens mostly; usually (17)
der **Meister, -** master (male)
melancholisch melancholic (86)
die **Melange, -n** coffee with hot milk (Austria) (88)
die **Melone, -n** melon (28)
der **Mensch, -en** human; person (5)
menschlich human (86)
die **Mentalität, -en** mentality
das **Menü, -s** menu
sich (dat.) **merken** to remember (63)
das **Merkmal, -e** feature
die **Message, -s** message
die **Messe, -n** trade fair
das **Messer, -** knife (41)
das **Metall, -e** metal (58)
metaphorisch metaphorical(ly) (60)
der **Meter, -** meter
das **Methan** methane
die **Methode, -n** method
die **Metzgerei, -en** butchery (30)
mexikanisch Mexican
mich (akk.) me
mieten to rent (96)
der **Migrant, -en** migrant (male)
die **Migrantin, -nen** migrant (female)
der/das/die **Mikroplastikpartikel, -** microplastic particle (57)
die **Mikrowelle, -n** microwave (41)
die **Milch** milk (34)
der **Milchkarton, -s** milk carton (63)
mild mild (20)
das **Militär** military
die **Militärsprache, -n** military language
die **Minderheit, -en** minority
mindestens at least
der **Mineralstoff, -e** mineral
das **Mineralwasser, -** sparkling water (37)
das **Minimum, Minima** minimum
minus minus (4)
die **Minute, -n** minute
mischen to mix (34)
missen to miss
mit with
mit (+ dat.) by (means of transportation); with (55)
mit Hilfe (von + dat.**)** with the aid (of)
mit·bringen, brachte … mit, hat … mitgebracht to bring (along) (66)
mit·machen to participate (86)
mit·nehmen (nimmt … mit) to take along
der **Mitarbeiter, -** staff member (male) (30)
die **Mitarbeiterin, -nen** staff member (female) (30)
der **Mitbewohner, -** roommate (male) (8)
die **Mitbewohnerin, -nen** roommate (female) (8)
miteinander with each other (25)
das **Mitglied, -er** member
der **Mitschüler, -** classmate (male) (12)

die **Mitschülerin, -nen** classmate (*female*) (12)
das **Mittagessen, -** lunch (30)
mittags at lunchtime
(der) **Mittwoch, -e** Wednesday (15)
die **Mixtur, -en** mixture
die **Möbel** (*pl.*) furniture (44)
die **Mobilität** mobility (96)
der/das/die **Modalpartikel, -** modal particle
das **Modalverb, -en** modal verb
das **Modell, -e** model (93)
der **Moderator, -en** show host (*male*)
die **Moderatorin, -nen** show host (*female*)
modern modern
modifiziert modified
mögen, mag to like (16)
möglichst ... as ... as possible
der **Mohn** poppy (35)
die **Möhre, -n** carrot (30)
Moin! Hello! (*Northern Germany*)
die **molare Konzentration, -en** amount of substance concentration
das **Molekül, -e** molecule
molekular molecular
die **Molekularküche, -n** molecular cuisine (37)
die **Molekularstruktur, -en** molecular structure
Moment! Wait!
momentan current(ly)
die **Monarchie, -n** monarchy
der **Monat, -e** month (21)
das **Monchhichi, -s** Monchhichi
das **Monopol, -e** monopoly (71)
das **Monosaccharid, -e** monosaccharide
monoton monotonous (99)
(der) **Montag, -e** Monday (15)
(das) **Montenegro** Montenegro
das **Moor, -e** bog
der **Mord (an +** *dat.*) murder; assassination (of)
morgen früh tomorrow morning (15)
der **Morgen, -** morning (0)
die **Morgenroutine, -n** morning routine (46)
morgens in the morning (17)
das **Motiv, -e** theme; motive
die **Motivation, -en** motivation
motivieren to motivate
der **Motor, -en** engine (93)
die **Motorhaube, -e** hood (93)
das **Motto, -s** motto (90)
das **Mousepad, -s** mousepad (6)
das **MP3-Format, -e** MP3 format (92)
müde tired (31)
der **Muffin, -s** muffin
sich (*dat.*) **Mühe geben** to make an effort
der **Müll** trash
Müll trennen to separate waste (63)
der **Mülleimer, -** garbage bin
die **Mülltonne, -n** garbage bin (60)
die **Mülltrennung** garbage separation (63)
die **Müllverbrennung** waste incineration (85)
multikulti multiculti
(das) **München** Munich (92)
der **Mund, -er** mouth
das **Museum, Museen** museum
das **Musical, -s** musical
Musik hören to listen to music (15)
die **Musikbranche** music industry
der **Musiker, -** musician (*male*)
die **Musikgeschichte** history of music
die **Musikrichtung, -en** music genre
der **Musikstil, -e** style of music
die **Musikszene** music scene
der **Musikunterricht** music lessons (54)
das **Musikvideo, -s** music video
die **Musikwissenschaft** musicology (2)
der **Muskel, -n** muscle (31) (49)
das **Muskeltraining, -s** muscle training (49)
der **Müsliriegel, -** granola bar (31)

müssen, muss to have to; must (46)
das **Muster, -** pattern (16)
mutig brave
die **Mutter, -** mother (8)
der **Muttertag, -e** Mother›s Day (21)
das **Mutterunternehmen, -** parent company (52)
die **Mütze, -n** hat; beanie (16)
(das) **Myanmar** Myanmar
mysteriös mysterious (74)
die **Mythologie, -n** mythology
der **Mythos, Mythen** myth (69)

N

nach to
nach (+ *dat.*) to (*cities and countries without an article*); after (55)
nach·denken (über), dachte ... nach, hat ... nachgedacht to reflect (on)
nach·erzählen to recount
nach·fragen to check
nach·machen to mimic
nach·schlagen (schlägt ... nach), schlug ... nach, hat ... nachgeschlagen to look up (98)
nach·spielen to reenact
das **Nachbarland, -er** neigboring country
der **Nachmittag, -e** afternoon (15)
nachmittags in the afternoons (17)
die **Nachricht, -en** message
die **Nacht, -e** night (17)
der **Nachteil, -e** disadvantage (38)
der **Nachtisch, -e** dessert (27)
nachts at night (17)
Nachwuchs- junior (98)
nähen to sew (65)
die **Nähmaschine, -n** sewing machine (66)
der **Name, -n** name (0)
der **Namenstag, -e** name day; saint›s day (54)
nämlich that is to say; because (69)
die **Nase, -n** nose
die **Nation, -en** nation
national national
der **Nationalismus** nationalism
die **Nationalität, -en** nationality
der **Nationalsozialist, -en** National Socialist (*male*)
die **Nationalsozialistin, -nen** National Socialist (*female*)
der **Nationalstaat, -en** nation state
das **Natriumalginat, -e** sodium alginate
das **Natron** baking soda; sodium hydrogen carbonate
der **Naturalismus** naturalism (100)
die **Naturkatastrophe** natural disaster
natürlich natural (35)
die **Naturwissenschaft, -en** natural sciences
die **Navigationssoftware** navigation software
der **Nazi, -s** Nazi
die **NDW** (*Neue Deutsche Welle*) «New German Wave"
der **Nebel, -** fog (17)
neben next to (41)
die **Nebenfigur, -en** supporting character (71)
nebensächlich incidental (93)
der **Nebensatz, -e** dependent clause
neblig foggy (17)
der **Neffe, -n** nephew (8)
negativ negative (74)
nehmen, nimmt to take (25)
nein no (5)
nennen to name; call
der **Neoklassizismus** neoclassicism
der **Nerv, -en** nerve (31)
Nett, Sie kennenzulernen. Nice to meet you. (1)
neu new (9)

die **Neuerung, -en** innovation
neutral neutral (71)
der **Neuwagen, -** new car
nicht not (5)
nicht mehr no longer
die **Nichte, -n** niece (8)
nichts nothing (47)
nie never
(das) **Niederländisch** Dutch (language) (2)
(das) **Niedersachsen** Lower Saxony (92)
nirgends nowhere (88)
nix nothing (*inform.* for nichts)
noch still (18)
noch einmal once more
Noch etwas? Anything else? (30)
(das) **Nordamerika** North America
der **Norden** north (17)
im Norden (von) in the north (of) (17)
nördlich north (adj.) (78)
der **Nordosten** northeast (17)
(das) **Nordrhein-Westfalen** North Rhine-Westphalia (92)
die **Nordsee** North Sea
die **Nordseekrabbe, -n** North Sea shrimp (33)
der **Nordwesten** northwest (17)
normalerweise usually (37)
notieren to note down
nötig necessary (47)
die **Notiz, -en** note
das **Notizbuch, -er** notebook
Notizen (zu + *dat.*) **machen** to take notes (of)
der **Notizzettel, -** notepad; slip of paper (6)
(der) **November** November (21)
die **Nudel, -n** pasta
der **Nudelsalat, -e** pasta salad (28)
die **Nummer, -n** number (4)
nummerieren to number
das **Nummernschild, -er** license plate (4)
nur only (18)
die **Nuss, -e** nut (31)
nutzen to use
nützlich useful

O

oben above; on top (12)
der **Ober, -** waiter; garçon (88)
die **Oberfläche, -n** area; surface
die **Oberhitze** top heat
der **Oberkörper, -** upper body
das **Oberleder, -** upper leather (55)
das **Obermaterial, -ien** upper [of a shoe] (55)
die **Oberschule, -n** secondary/high school
das **Objekt, -e** object
das **Obst** fruit (28)
oder or
der **Ofen, -** stove (73)
öffentliche Verkehrsmittel (*pl.*) public transportation (81)
offiziell official(ly)
oft often (17)
ohne (+ *akk.*) without (28) (30)
das **Ohr, -en** ear
der **Ohrwurm, -er** earworm (99)
(der) **Oktober** October (21)
das **Öl, -e** oil (41)
die **Ölfarbe, -n** oil-based paint (86)
das **Oligosaccharid, -e** oligosaccharide
die **Oma, -s** grandma (8)
der **Onkel, -** uncle (8)
online online
der **Opa, -s** grandpa (8)
das **Opfer, -** victim (84)
optimal optimal
optimieren optimize (40)
die **Option, -en** option

orange orange
die Orange, -n orange (28)
der Orangensaft, -e orange juice (31)
die Orangenschale, -n orange peel (63)
das Orchester, - orchestra (90)
organisieren to organize
orientalisch oriental
das Origami origami
das Original, -e original
der Orkan, -e hurricane
der Ort, -e place; site
(das) Ostdeutschland East Germany (65)
der Osten east (17)
die Osteoporose, -n osteoporosis
das Ostern Easter (21)
Österreich Austria
der Österreicher, - Austrian (male) (78)
die Österreicherin, -nen Austrian (female) (78)
österreichisch Austrian
östlich east (adj.) (78)
das Outfit, -s outfit
oval oval (28)
der Ozean, -e ocean
das Paar, -e couple; pair (54)

P

das Päckchen, - parcel; small package (58)
packen to pack
die Packung, -en packet (58)
die Pädagogik education (2)
die Paella, -s paella
pakistanisch Pakistani
die Pantomime, -n pantomime
das Papier, -e paper (6) (63)
die Pappe, -n cardboard (58)
die Paprika, -s bell pepper (28)
parallel parallel
das Paralleluniversum,
Paralleluniversen parallel universe
der Park, -s park (73)
der Parkplatz, -e parking lot
das Parlament, -e parliament
parodieren to parody
die Partei, -en party
der/das/die Partikel, - particle (57)
das Partizip Perfekt, Partizipien Perfekt past
participle
der Partner, - partner (male) (8)
die Partnerarbeit, -en partner work (12)
die Partnerin, -nen partner (female) (8)
die Party, -s party (5)
passen (+ dat.) to be a good fit for (59)
passend appropriate; fitting (20)
passieren to happen
das Passiertuch, -er cloth strainer
passiv passive
(das) Patois Patois
die Pause, -n break (98)
pausenlos without break (98)
das PDF, -s PDF
die Peperoni, -s hot pepper
die Periode, -n period (86)
das Periodensystem, -e periodic table
persisch Persian
die Person, -en person
das Personal staff
persönlich personal
die Persönlichkeit, en personality
die Perspektive, -n perspective
der Pescetarier, - pescetarian (38)
das Pessach Passover (21)
das Pestizid, -e pesticide
die Petersilie, -n parsley (30)
die Pfandflasche, -n deposit bottle
die Pfanne, -n pan (41)

der Pfannkuchen, - pancake (35)
der Pfeffer, - pepper (41)
das Pferd horse (12)
die Pferdekutsche, -n horse-drawn carriage
(81)
die Pflanze, -n plant (6)
die Pflaume, -n plum (28)
das Pfund, -e pound (30)
das Phänomen, -e phenomenon (25)
der Pharmakant, -en skilled worker (male) in
pharmacy sector
die Pharmakantin, -nen skilled worker (female)
in pharmacy sector
die Pharmazie pharmacy (2)
phonetisch phonetic
die Photosynthese photosynthesis
die Phrase, -n phrase
der Physiotherapeut, -en physical therapist
(male)
die Physiotherapeutin, -nen physical therapist
(male)
der Pilz, -e mushroom (male)
die Pilzin, -nen mushroom (female)
der Pin, -s pin
pink pink (16)
die Pipette, -n pipette (37)
die Pizza, -s pizza (27)
das Plakat, -e poster
sich (dat.) einen Plan machen to work out a
plan (63)
planen to plan
die Plantage, -n plantation
das Plastik plastic (57)
der Plastikmüll plastic waste
der Platz, -e place; seat; space
platzieren to place
plausibel plausible
der Plosiv, -e plosive
plus plus (4)
das Poesiealbum, Poesiealben friendship book
der Poet, -en poet (male)
(das) Polen Poland
die Polio polio
der Politiker, - politician (male) (25)
die Politikerin, -nen politician (female) (25)
die Politikwissenschaft political science (2)
politisch political (84)
der Polizist, -en police officer (male) (6)
die Polizistin, -nen police officer (female) (6)
(das) Polnisch Polish (language) (2)
das Poloshirt, -s polo shirt
der Polyester, - polyester (55)
das Polysaccharid, -e polysaccharide
die Pommes (pl.) fries (inform.) (33)
der Pop pop
populär popular
das Portemonnaie, -s wallet (6)
die Portion, -en serving (31)
portugiesisch Portuguese
die Position, -en position
positiv positive (74)
das Poster, - poster
die Postkarte, -n postcard
die Postmoderne postmodernism
das Potenzial, -e potential
prachtvoll magnificent (86)
die Präferenz, -en preference
praktisch practical; handy
die Praline, -n chocolates (in a box) (54)
das Präsens present tense
präsent present
die Präsentation, -en presentation
präsentieren to present
die Präsenz, -en presence
das Präteritum simple past
der Preis, -e price (33)

der Prinz, -en prince (71)
die Priorität, -en priority
privat private(ly)
die Privatsphäre, -n private sphere
das Privileg, -ien privilege
pro per
probieren to try; sample
das Problem, -e problem (25)
das Produkt, -e product
die Produktion, -en production
produktiv productive
der Produktname, -n product name
der Produzent, -en producer (male)
die Produzentin, -nen producer (female)
produzieren to produce
der Professor, en professor (male) (6)
die Professorin, -nen professor (female) (6)
die Prognose, -n prediction
programmieren to program (5)
das Projekt, -e project
das Pronomen, - pronoun
das Propylen propylene
die Prosa prose (100)
der Protagonist, -en protagonist (male) (74)
die Protagonistin, -nen protagonist (female)
(74)
das Protein, -e protein
der Protest, -e protest
der Prototyp, -en prototype
provokativ provocative
das Prozent, -e percentage
prozentual on a percentage basis (40)
der Prozess, -e process (37)
die Prozessübererfüllung excess processing
das PS, - (Pferdestärke) HP (horsepower) (93)
das Publikum audience
der Pullover, - sweater (16)
der Punk punk
der Punkt, -e point
die Puppe, -n doll; puppet (65)
das Puppentheater, - puppet theater
der Puppenwagen, - doll buggy
pürieren to mash (37)
das Putzmittel, - cleaner (45)

Q

das Quadrat, -e square (25)
der Quadratmeter, - square meter (40)
die Qualität, -en quality (35)
das Quartett, -e quartet (card game) (65)
der Quatsch nonsense (95)
die Quelle, -n source
die Quote, -n quota

R

der Rabe, -n raven
das/die Raclette, -s raclette (27)
das Rad, -er wheel (93)
das Radfahren cycling
radikal radical
der Ramadan Ramadan (21)
die Rangliste, -n ranking list
das Ranking, -s ranking
der Rap rap
sich (akk.) rasieren to shave (46)
der Rasierer, - razor (58)
der Rassismus, Rassismen racism
das Rasthaus, -er highway restaurant (85)
die/das Ratatouille, -s ratatouille
raten, rät to guess
der Ratschlag, -e advice (31)
rattern to rattle (100)
rauchen to smoke (68)
der Raum, -e room (44)

räumen to put away
die **Raumtemperatur, -en** room temperature
reagieren to react
die **Reaktion, -en** reaction
real real (69)
realistisch realistic (49)
die **Realität, -en** reality
die **Recherche, -n** search
recherchieren to search
das **Recht, -e** right (68)
rechts (on the) right; right (82)
rechtspopulistisch right-wing populist
recyceln to recycle (58)
das **Redemittel, -** useful phrase
reden to speak (100)
die **Redewendung, -en** idiom
reduzieren to reduce (60)
reduziert reduced
reflektieren to reflect
das **Regal, -e** shelf (44)
die **Regel, -n** rule
der **Regen** rain (17)
der **Regenschirm, -e** umbrella
die **Regentschaft, -en** reign
die **Regie, -n** direction (71)
regieren to govern
die **Regierung, -en** government
regional local; regional
der **Regisseur, -e** director (*male*) (66)
die **Regisseurin, -nen** director (*female*) (66)
regnen to rain (17)
regnerisch rainy (17)
regulär regular; mainstream
reiben to grate (34)
das **Reich, -e** realm; empire
reichen to suffice; to be enough (69)
reichen (bis an + *akk.* / **bis zu** + *dat.*) to come
down (to)
der **Reifen, -** tire (93)
die **Reihe, -n** row
die **Reihenfolge, -n** order
reihum in turn (75)
rein pure
der **Reis, -e** rice
reisen to travel (18)
der **Reisepasse, -** passport (for travelling)
die **Reiseroute, -n** travel route (72)
rekonstruieren to reconstruct
relativ relative(ly)
das **Relativpronomen, -** relative pronoun
der **Relativsatz, -e** relative clause
die **Religion, -en** religion (84)
die **Religionsgemeinschaft, -en** religious
community (84)
religiös religious
die **Renaissance** renaissance
der **Rentner, -** pensioner (*male*)
die **Rentnerin, -nen** pensioner (*female*)
der **Reparaturservice, -s** repair service
reparieren to repair (60)
das **Repertoire, -s** repertoire (100)
der **Report, -e** report
der **Reporter, -** reporter (*male*)
die **Reporterin, -nen** reporter (*female*)
repräsentieren to represent
der **Rest, -e** rest (37)
das **Restaurant, -s** restaurant (27)
restauriert restored
der **Restmüll** residual waste (63)
das **Resultat, -e** result
retten to save
die **Review, -s** review
die **Revolution, -en** revolution
das **Rezept, -e** recipe (30)
das **Rhabarberleder, -** rhubarb leather (92)
der **Rhein** Rhine

(das) **Rheinland-Pfalz** Rhineland-Palatinate
(92)
richtig correct; right (5)
die **Richtung, -en** direction (82)
riechen to smell
der **Riese, -n** giant (69)
das **Riesenrad, -er** Ferris wheel (82)
riesig huge (86)
das **Rinderhack** ground beef (30)
die **Rinderroulade, -n** beef roll (33)
das **Rindfleisch** beef (31)
der **Ring, -e** ring
das **Risiko, Risiken** risk (37)
riskant risky
riskieren to risk
der **Roboter, -** robot (55)
der **Rock** rock
der **Rock, -e** skirt (16)
das **Rohbenzin, -e** petroleum (57)
die **Rohkost** uncooked vegetarian food (38)
der **Rohstoff, -e** raw material
die **Rolle, -n** role
das **Rollenspiel, -e** role play
der **Rollstuhlfahrer, -** wheelchair user (*male*)
(45)
die **Romantik** romanticism
romantisch romantic (54)
die **Röntgenstrahlen** (*pl.*) X-rays (92)
rosa rose (16)
die **Rostbratwurst, -e** rostbratwurst (33)
die **Rösti, -s** Swiss hash browns (27)
rot red (16)
der **Rotkohl** red cabbage (33)
der **Rücken, -** back (49)
der **Rückflug, -e** return flight (80)
der **Rucksack, -e** backpack (12)
Rücksicht nehmen (auf + *akk.*) to be
considerate (of)
die **Rücksicht, -en** consideration
der **Ruhestand, -e** retirement (54)
ruhig calm; quiet (18)
rühren to stir (34)
rum·hängen, hing … rum, hat …
rumgehangen to hang out (99)
(das) **Rumänien** Romania
rund around; roughly; round (28)
die **Runde, -n** round (75)
russisch Russian

S

die **Saccharose, -n** sucrose
die **Sache, -n** thing
sachlich factual
der **Sachpreis, -e** valuable (*non-cash*) prize (98)
(das) **Sachsen** Saxony (92)
(das) **Sachsen-Anhalt** Saxony-Anhalt (92)
der **Sack, -e** sack; bag (30) (63)
der **Saft, -e** juice (37)
saftig juicy (28)
der **Saftkarton, -s** juice carton (63)
sagen to say
das **Sakko, -s** jacket; sports coat (16)
der **Salat, -e** salat (28)
das **Salz, -e** salt (31) (41)
salzig salty (28)
sammeln to collect
die **Sammlung, -en** collection
(der) **Samstag, -e** Saturday (15)
die **Sandsturm, -e** sandstorm
die **Sanduhr, -en** hourglass
der **Sänger, -** singer (*male*)
die **Sängerin, -nen** singer (*female*)
der **Satz, -e** sentence
die **Satzfrage, -n** yes-no question
sauer sour (28)

der **Sauerbraten, -** marinated pot roast (33)
das **Sauerkraut** sauerkraut (33)
der **Sauerstoff** oxygen
die **Säule, -n** pillar (82)
das **Schach** chess
die **Schachtel, -n** small box (*for chocolates,
matches, etc.*) (58)
schade too bad (86)
der **Schadstoff, -e** pollutant
das **Schaf, -e** sheep
der **Schal, -s** scarf (16)
das **Schaltgetriebe, -** manual transmission
die **Scham** shame
scharf sharp; spicy (28)
der **Schatten, -** shadow (73)
das **Schaubild** chart; graph; diagram
schauen to look
schaukeln to rock (65)
das **Schaukelpferd, -e** rocking horse (65)
der **Schaum, -e** foam (55)
schäumen to foam
schaumig frothy; foamy
der **Schauspieler, -** actor
die **Schauspielerin, -nen** actress
die **Scheibe, -n** slice (35)
scheinen to shine (17)
der **Scheinwerfer, -** headlight (93)
das **Schema, -s** model
schenken to give a gift (54)
schick fashionable; fancy
schicken to send
das **Schicksal, -e** fate
die **Schienem -n** track
das **Schiff, -e** ship (55)
das **Schild, -er** sign
die **Schimpfkanonade, -n** rant
der **Schirm, -e** umbrella
der **Schlaf** sleep (73)
schlafen, schläft to sleep (5)
schlaflos sleepless (98)
das **Schlafzimmer, -** bedroom (44)
schlagen, schlägt to whip; to beat (34)
das **Schlagzeug, -e** drums
die **Schlammverwertung, -en** mud processing
schlank slim (5)
die **schlanke Produktion** lean production
schlecht bad (25)
schlimm bad; severe (66)
der **Schlitten, -** sleigh
das **Schloss, -er** castle (40)
der **Schlossgarten, -** castle garden
schmecken (+ *dat.*) to taste; to be to
somebody's liking (33)
der **Schmerz, -en** pain (66)
sich (*akk.*) **schminken** to put on makeup (46)
der **Schmuck** jewelry
der **Schnee** snow (17)
die **Schneehöhe, -n** depth of snow
der **Schneesturm, -e** blizzard; snowstorm
der **Schneetag, -e** snow day
schneiden to cut (34)
sich (*akk.*) **schneiden** to cut oneself (45)
schneien to snow (17)
schnell fast (20)
die **Schnelligkeit, -en** speed; quickness (100)
das **Schnitzel, -** schnitzel (33)
der **Schnürsenkel, -** lace (55)
die **Schoah** Shoah (84)
die **Schokolade, -n** chocolate (34)
die **Schokoladenmousse, -s** chocolate mousse
der **Schokoriegel, -** chocolate bar (31)
schon already (25)
schön beautiful (25)
der **Schrank, -e** cabinet (41)
der **Schraubenzieher, -** screwdriver (12)
schreiben to write (1)

der **Schreibtisch, -e** desk (44)
der **Schriftsteller, -** author (*male*)
die **Schriftstellerin, -nen** author (*female*)
schriftlich in writing, written (102)
schriftstellerisch literary
der **Schritt, -e** step (38)
die **Schublade, -n** drawer (41)
der **Schuh, -e** shoe (16)
der **Schüler, -** pupil (*male*) (68)
die **Schülerin, -nen** pupil (*female*) (68)
die **Schulordnung, -en** school regulations
der **Schultag, -e** schoolday
die **Schulter, -n** shoulder
die **Schüssel, -** bowl (41)
der **Schutz** protection
der **Schwager, -** brother-in-law (8)
die **Schwägerin, nen** sister-in-law (8)
schwarz black (16)
das **Schwarzbrot, -e** dark rye bread (35)
der **Schwarzwald** Black Forest (55)
(das) **Schweden** Sweden
das **Schwein, -e** pig
die **Schweinshaxe, -n** knuckle of pork (33)
die **Schweiz** Switzerland
schweizerisch Swiss
die **Schwester, -n** sister (8)
die **Schwiegermutter, -** mother-in-law (8)
der **Schwiegervater, -** father-in-law (8)
schwimmen to swim (5)
schwul gay (90)
die **Science-Fiction** science fiction
der **Screenshot, -s** screenshot
scrollen to scroll (99)
der **See, -n** lake
sehen, sieht to see
die **Sehenswürdigkeit, -en** sight; attraction
(72); point of interest (82)
sein(e) his (8)
sein, ist to be (4)
seit (+ *dat.*) since (*time*); for (55)
seitdem since then
die **Seite, -n** page (1)
die **Sekunde, -n** second
selbst machen to do oneself
die **Selbstbedienung, -en** self-service (33)
die **Selbstbestimmung, -en** self-determination;
autonomy
selbstgemacht homemade (54)
die **Selbstkontrolle, -n** self-control
der **Selbstmord, -e** suicide
das **Selfie, -s** selfie
selten rare(ly) (17)
(der) **September** September (21)
(das) **Serbien** Serbia
die **Serie, -n** series
Servus! Hello!; Goodbye! (*inform.*; *Southern
Germany, Austria*) (1)
der **Sesam** sesame (35)
der **Sessel, -** armchair (44)
setzen to set down (42)
sich (*akk.*) **setzen** to sit down (46)
der **Sex** sex
sexy sexy
das **Shampoo, -s** shampoo
shoppen to shop (*inform.*) (5)
die **Show, -s** show
sicher safe (45)
sich (*dat.*) **sicher sein** to be sure of (63)
der **Sicherheitsgurt, -e** seatbelt (93)
sie she; they (0)
Sie selbst yourself (*form.*)
Sie wird nur 31 Jahre alt. She only reaches the
age of 31.
das **Sieb, -e** sieve; strainer (37)
der **Sieblöffel, -** sifter spoon

der **Siedler, -** settler (*male*) (75)
die **Silbe, -n** syllable
das **Silikonröhrchen, -** silicon tube (37)
das **Silvester** New Years Eve (21)
die **Sinfonie, -n** symphony
singen to sing (5)
die **Single, -s** single
sinken to sink; decrease
der **Sinn, -e** sense
sinnvoll meaningful; sensible (62)
die **Situation, -en** situation
der **Sitz, -e** seat (93)
sitzen to sit; to be sitting (42)
die **Skala, Skalen** scale
skandalös scandalous
Ski fahren to ski
das **Skifahren** skiing
die **Skizze, -n** sketch (25)
skizzieren to sketch
slawisch Slavic
die **Slide, -s** slide
die **Slowakei** Slovakia (78)
(das) **Slowenien** Slovenia (78)
das **Smarthome, -s** smarthome (44)
der **Smoking, -s** tuxedo
der **Snack, -s** snack (31)
der **Sneaker, -s** sneaker
so so; like this
so alt wie as old as (22)
die **Socke, -n** sock (16)
das **Sofa, -s** sofa (44)
sofort immediately (33)
die **Software, -s** software (52)
sogar even (57)
der **Sohn, -e** son (8)
das **Sojalecithin** soy lecithin
die **Solarenergie** solar energy
die **Solarzelle, -n** solar cell (96)
sollen, soll should; to be supposed to
sollten, sollte should; ought to (31)
der **Sommer, -** summer (17)
der **Song, -s** song
der **Songtext, -e** lyrics
der **Songwriter, -** songwriter (*male*)
die **Songwriterin, -nen** songwriter (*female*)
die **Sonne, -n** sun (17)
die **Sonnenbrille, -n** sunglasses (16)
das **Sonnenlicht** sunlight
der **Sonnenschein** sunshine (17)
der **Sonnenuntergang, -e** sunset
sonnig sunny (17)
(der) **Sonntag, -e** Sunday (15)
das **Sorbet, -s** sorbet
die **Sorge, -n** concern
sortieren to sort
das **Soufflé, -s** soufflé
das **Souvenir, -s** souvenir
die **sozialen Medien** (*pl.*) social media
sozialistisch socialist
die **Spaghetti, -** spaghetti
(das) **Spanisch** Spanish (*language*) (2)
die **Spanische Hofreitschule** Spanish Riding
School
spannend thrilling; gripping (74)
sparen to save
sparsam thrifty (88)
Spaß machen to be fun (47)
der **Spaß, -e** fun (47)
spät late (15)
später later
spätestens at the latest (46)
der **Spaziergang, -e** stroll
der **Speck, e** bacon (34)
die **Speise, -n** dish
die **Speisekarte, -n** menu (27)
spekulativ speculative

spekulieren to speculate
der **Sperrmüll** bulk trash (62)
die **Spezialität, -en** specialty (88)
speziell particular; especially
spezifisch specific
der **Spiegel, -** mirror (93)
spielen to play (5)
die **Spielhalle, -n** arcade
der **Spielplan, -e** gameboard (75)
die **Spielsachen** (*pl.*) toys (65)
die **Spielwarenmesse, -n** toy fair
die **Spielzeit, -en** season (*theater, sports*)
das **Spielzeug, -e** toy (45)
der **Sport** sport; exercise (49)
Sport machen to work out; exercise (49)
die **Sportart, -en** type of sport (49)
der **Sportler, -** athlete (*male*) (49)
die **Sportlerin, -nen** athlete (*female*) (49)
sportlich athletic (5)
die **Sprache, -n** language (2)
die **Sprachsteuerung, -en** voice control (95)
sprechen, spricht to speak (2)
der **Sprit** gasoline (*coll.*) (93)
die **Spritze, -n** syringe (37)
spuken to haunt (42)
die **Spüle, -n** sink (41)
die **Spur, -en** trace
die **Staatsbürgerschaft, -en** citizenship (80)
die **Staatsoper, -n** state opera
stabil stable (45)
die **Stadt, -e** town; city (27)
die **Stadtplanung, -en** urban planning
der **Stahl** steel (52)
der **Stammbaum, -e** family tree (9)
der **Standort, -e** site; location (57)
das **Stangenbrot, -e** French bread (35)
der **Star, -s** celebrity
stark strong
das **Statement, -s** statement
das **Starter-Set, -s** starter kit
die **Statistik** statistic; statistics (80)
die **Statistik, -en** statistic (27)
statt instead
statt·finden (**findet ... statt**) to take place (25)
stattdessen instead (75)
die **Statue, -n** statue
der **Staudensellerie, -s** celery (30)
die **Steckdose, -n** (electrical) outlet (41)
stehen to stand; be standing (42)
stehen (**für** + *akk.*) to stand (for)
steigen to rise (60)
Stell dir vor ... Imagine ... (*inform. sg.*) (44)
die **Stelle, -n** position; job
stellen to place; to put (*base*) (42)
sich (*akk.*) **stellen** to go stand (at) (47)
sterben, stirbt to die (18) (45)
das **Stereotyp, -en** stereotype
stereotypisch stereotypical
die **Steuerung, -en** control (95)
das **Stichwort, -e** cue
der **Stickstoff** nitrogen
der **Stiefel, -** boot (16)
die **Stiefmutter, -** stepmother (8)
die **Stiefschwester, -n** stepsister
der **Stiefsohn, -e** stepson (8)
die **Stieftochter, -** stepdaughter (8)
der **Stiefvater, -** stepfather (8)
der **Stift, -e** pen (6)
der **Stil, -e** style (86)
die **Stilfigur, -en** stylistic device
stimmen (**für/gegen** + *akk.*) to vote (for/
against)
Stimmt so. Keep the change. (30)
die **Stimmung, -en** mood; atmosphere (18)
das **Stockwerk, -e** story; floor (44)
die **Stoffmenge, -n** amount of substance

die **Stofftasche, -n** cloth bag (60)
das **Stofftier, -e** stuffed animal (66)
stolpern to stumble
stopp! stop!
stoppen to stop
die **Strafe, -n** punishment (68)
die **Straßenbahn, -en** streetcar; tram; trolley (81)
streichen to paint (44)
die **Strichliste, -n** tally chart (85)
die **Strickjacke, -n** cardigan (16)
das **Stroh** straw (73)
der **Strohhalm, -e** straw (57)
der **Strom** electricity (85)
der **Stromschlag, -e** electric shock (45)
einen **Stromschlag bekommen** to receive an electric shock (45)
die **Struktur, -en** structure
das **Stück, -e** piece
das **Studentenfutter** trail mix (31)
das **Studentenwohnheim, -e** dormitory (40)
die **Studie, -n** research study
der **Studienabschluss -e** graduation (54)
der **Studiengang, -e** degree program (2)
studieren to major in (2)
der/die **Studierende, -n** student
das **Studium** study (2)
das **Studium, Studien** majors
der **Stuhl, -e** chair (42)
die **Stunde, -n** lesson; hour
stundenlang for hours
der **Stundenplan, -e** schedule
der **Sturm, -e** storm (17)
stürmisch stormy (17)
der **Sturz, -e** fall (45)
der **Suchbegriff, -e** search keyword
suchen to look for (10)
die **Suchmaschine, -n** search engine
(das) **Südafrika** South Africa
(das) **Südamerika** South America (55)
der **Süden** south (17)
südlich south (*adj.*) (78)
der **Südosten** southeast (17)
der **Südwesten** southwest (17)
super super
supergeil super awesome (*coll.*)
der **Supermarkt, -e** supermarket (30)
die **Suppe, -n** soup (30)
das **Sushi, -s** sushi
süß sweet (28)
das **Symbol, -e** symbol
symbolhaft symbolic (86)
symbolisch symbolic (71)
das **Symptom, -e** symptom (66)
die **Synagoge, -n** synagogue (84)
die **Synchronsprecherin, -nen** voice actress
die **Synthese, -n** synthesis
systematisch systematic (84)
das **Szenenbild, -er** production design

T

die **Tabelle, -n** chart; table (80)
das **Tablet, -s** tablet (6)
der **Tacker, -** stapler (6)
die **Tafel, -n** board (10)
der **Tag, -e** day (0) (15)
das **Tagebuch, -er** journal; diary (58)
der **Tagesplan, -e** plan for the day (47)
der **Tagesverdienst, -e** daily earnings
die **Tageszeitung, -en** daily newspaper (88)
täglich everyday
die **Tagline, -s** tagline
das **Talent, -e** talent
tanken to refuel (93)
das **Tanktop, -s** tanktop

die **Tante, -n** aunt (8)
tanzen to dance (5)
der **Tapetenwechsel, -** change of scenery (*fig.*) (*literally: change of wallpaper*)
die **Tasche, -n** bag (10)
der **Taschenrechner, -** calculator (6)
die **Tasse, -n** cup (41)
tastächlich in fact
die **Tastatur, -en** keyboard (6)
tauchen to dive
tauschen to swap (69)
das **Taxi, -s** cab (81)
das **Team, -s** team
die **Technik, -en** technique (86)
technisch technical (100)
der/das **Techno** techno
der **Teddybär, -en** teddy (65)
der **Teebeutel, -** tea bag (63)
der **Teelöffel, -** teaspoon (41)
der **Teig, -e** dough (34)
der/das **Teil, -e** part; piece
die **Teilnahme, -n** participation (90)
teils partly (17)
teils wolkig, teils heiter cloudy with sunny intervals
teilweise partial(ly)
der **Teilzeitjob, -s** part-time job
der **Teller, -** plate (41)
der **Tempel, -** temple (84)
die **Temperatur, -en** temperature
testen to test (57)
teuer expensive (33)
der **Text, -e** text
texten to text (46)
die **Textur, -en** texture
thailändisch Thai
das **Thanksgiving** Thanksgiving (21)
das **Theater, -** theater
der **Theaterregisseur, -e** theater director (*male*)
die **Theaterregisseurin, -nen** theater director (*female*)
das **Thema, Themen** topic (25)
thematisch thematic
die **Therme, -n** thermal bath
thermisch thermal
die **Thermosflasche, -n** thermos bottle (92)
die **These, -n** thesis
(das) **Thüringen** Thuringia (92)
die **Tierstimme, -n** voice of an animal
der **Tierwärter, -** animal keeper (*male*)
die **Tierwärterin, -nen** animal keeper (*female*)
der **Tiger, -** tiger
das **Tipi, -s** tipi
der **Tipp, -s** hint
das **Tiramisu, -s** tiramisu
der **Tisch, -e** table (10) (41)
der **Titel, -** title
der **Toast, -s** toast (46)
das **Toastbrot, -e** bread for toasting (35)
toasten to toast (46)
der **Toaster, -** toaster (35)
die **Tochter, -** daughter (8)
die **Toilette, -n** toilet (44)
tollkühn daredevil
der **Ton, -e** tone
die **Tonne, -n** bin (63)
der **Topf, -e** pot (37)
der **Tornado, -s** tornado
die **Torte, -n** rich, multilayered cake (88)
tot dead
töten to kill
der **Tourist, -en** tourist (*male*)
die **Touristin, -nen** tourist (*female*)
die **Tradition, -en** tradition
traditionell traditional (37)
tragen, trägt to wear; carry (16)

tragisch tragic
der **Trailer, -** trailer
trainieren to train; practice; exercise
die **Tram, -s** streetcar
transgender transgender (90)
die **Transkription, -en** transcription
der **Transport, -e** transport
transportieren to transport
das **Transportmittel, -** means of transportation (55)
der **Transportweg, -e** transportation route (55)
der **Traubenzucker, -** corn sugar; grape sugar
der **Traumberuf, -e** dream job (12)
das **Traumhaus, -er** dream house (44)
die **Traumwohnung, -en** dream apartment (40)
traurig sad
das **Treffen, -** meeting
treffen, trifft to meet
sich (*akk.*) (**mit** + *dat.*) **treffen** to meet (with) (47)
der **Treibstoff, -e** fuel (102)
der **Trend, -s** trend (22)
sich (*akk.*) **trennen** to separate (69)
die **Treppe, -n** stairs (45)
der **Trick, -s** trick; knack
trinken to drink
das **Trizepsdrücken** triceps press (49)
tropfen to drip
trotzdem nevertheless (46)
der/das **Tsatsiki, -s** tzatziki
(das) **Tschechien** Czech Republic
die **Tschechin, -nen** Czech (*female*)
die **Tschechische Republik** Czech Republic (78)
Tschüss! Bye! (*inform.*) (1)
das **T-Shirt, -s** T-shirt (16)
der **Tsunami, -s** tsunami
die **Tube, -n** tube (58)
das **Tuch, -er** cloth; towel (66)
tun to do
der **Turban, -e** turban (16)
der **Türgriff, -e** door handle (93)
die **Türkei** Turkey
türkis turquoise (16)
(das) **Türkisch** Turkish (*language*) (2)
der **Turm, -e** tower (73)
die **Tüte, -n** bag (*made out of plastic or cloth*) (58)
der **Typ, -en** type
typisch typical (6)

U

die **U-Bahn, -en** subway (81)
üben to practice
über over; above (41); about
überall everywhere (58)
überflüssig waste; unnecessary
überleben to survive
überlegen to deliberate; think about
die **Überproduktion, -en** overproduction
die **Überqualifikation, -en** overqualification
überqualifiziert overqualified
überraschen to surprise (71)
überraschend surprising
die **Übersetzung, -en** translation
überzeugen to convince
die **Übung, -en** exercise
Uf Wiederluege! Goodbye! (*Switzerland*) (1)
die **Uhr, -en** clock; watch (15)
im **Uhrzeigersinn** clockwise
die **Uhrzeit, -en** time (15)
die **Ukraine** Ukraine
um at (15)
um (+ *akk.*) around (30)
um halb sechs at five thirty (15)
um sechs (Uhr) at six o›clock (15)

um Viertel vor zehn at a quarter to ten (15)
Um wie viel Uhr ...? At what time ...? (15)
um zu in order to (93)
um·rechnen (rechnet ... um) to convert (17)
um·schreiben to rewrite
um·steigen (in + akk.), stieg ... um, ist ... umgestiegen to transfer; change (train, bus, etc.) (81)
sich (akk.) umarmen to hug
das Umfeld, -er environment; milieu (8)
die Umfrage, -n survey
die Umgangssprache, -n conversational language
umgekehrt reverse
der Umlaut, -e umlaut
die Umrechnungstabelle, -n conversion table
die Umwelt, -en environment
umweltbewusst environmentally aware
umweltfreundlich eco-friendly (62)
sich (akk.) um·ziehen to change clothes (46)
unbekannt unknown
unbestimmt indefinite
und and (1)
das UNESCO-Weltkulturerbe UNESCO World Heritage (72)
der Unfall, -e accident (45)
unfreundlich unfriendly (63)
(das) Ungarisch Hungarian
Ungarn Hungary (78)
ungefähr roughly (93)
die Ungerechtigkeit, -en injustice
ungesund unhealthy (31)
universell universal (86)
die Universität, -en university (2)
unkonventionell unconventional
unnötig unnecessary (47)
unsicher precarious (84)
unten below; down; downstairs (18)
unter under; underneath; below (41)
unterhalten (unterhält), unterhielt, hat ... unterhalten to entertain
sich (akk.) unterhalten (unterhält) (mit + dat.), unterhielt, hat ... unterhalten to chat (with) (88)
die Unterhitze bottom heat
der Unterkörper, - lower body
das Unternehmen, - company (52)
die Unterrichtsplattform, -en class platform
der Unterschied, -e difference
unterschiedlich different
im Unterschied zu ... in contrast to ...
unterstreichen to underline
unterstützen to support (57)
der Untertitel, - subheading
die Unterwäsche underwear
unterwegs on the road; on the way (81)
unvergleichlich unparalleled
unverpackt unpacked (60)
der Urlaub, -e vacation (96)
die USA (pl.) USA
usw. = und so weiter and so forth
das Utensil, -ien utensil
die Utopie, -n utopia
utopisch utopian

V

die Vanillesoße, -n vanilla custard
der Vanillezucker, - vanilla sugar (34)
variieren to vary
der Vater, - father (8)
der Vatertag, -e Father's Day (21)
vegan vegan (27)
der Veganer, - vegan (male) (27)
die Veganerin, -nen vegan (female) (27)
der Vegetarier, - vegetarian (male) (27)

die Vegetarierin, -nen vegetarian (female) (27)
vegetarisch vegetarian (27)
verabschieden to say goodbye (1)
verachten to despise
die Veränderung, -en change (71)
die Veranstaltung, -en event (90)
sich (akk.) verändern to change
verarbeiten to process (85)
verarbeitet processed
das Verb, -en verb
verbessern to improve
die Verbform, -en verb form
verbieten to ban; prohibit (57)
verbinden to connect
die Verbindung, -en compound (57)
das Verbot, -e ban; prohibition (57)
der Verbrauch consumption (93)
verbrauchen to consume (93)
der Verbraucherschützer, - consumer advocate (male)
die Verbraucherschützerin, -nen consumer advocate (female)
verbreiten to spread (66)
sich (akk.) verbrennen to burn oneself (45)
die Verbrennung, -en burn (45)
verbringen, verbrachte, hat ... verbracht to spend (96)
die Verdauung, -en digestion (31)
verdienen to earn
verdrängen to displace (93)
verflixt tricky
verfügen (über + akk.) to have available
die Vergangenheitsform, -en past tense
vergeben, vergibt, vergab, hat ... vergeben to award
vergehen, verging, ist ... vergangen to pass by (time) (90)
vergessen, vergisst to forget
sich (akk.) vergiften to poison oneself (45)
vergiftet poisoned (74)
die Vergiftung, -en poisoning (45)
der Vergleich, -e comparison (31)
vergleichen to compare (22)
im Vergleich zu ... compared to ...
vergrößern to enlarge (55)
das Verhalten behavior
verheiratet married (8)
verherrlichen to glorify (100)
verkaufen to sell (55)
der Verkäufer, - salesperson (male) (6)
die Verkäuferin, -nen salesperson (female) (6)
der Verkehr traffic (82)
das Verkehrsmittel, - means of transportation (81)
verlassen (verlässt), verließ, hat ... verlassen to leave
sich (akk.) verletzen to injure oneself (45)
sich (akk.) verlieben (in + akk.) to fall in love (with) (71)
verlieren to lose
verlinken to link
vermeiden to avoid (57)
die Vermeidung, -en avoidance (62)
veröffentlichen to publish (72)
verpackt packed (59)
die Verpackung, -en packaging (58)
verrückt crazy; displaced (42)
verschieden different (16)
verschneit snowy (17)
die Verschwendung, -en waste
die Versicherung, -en insurance (52)
die Version, -en version
versorgen to provide (85)
versprechen, verspricht to promise
verständlich comprehensible
verstehen (unter + dat.), verstand, hat ...

verstanden to understand; mean (by)
verstorben deceased (8)
versuchen to try
das Versuchsprotokoll, -e lab report
verteilen to distribute
der Vertrag, -e contract
der Vertreter, - representative (male) (68)
die Vertreterin, -nen representative (female) (68)
die Vertretung, -en representation (68)
der/die Verwandte, -n relative
verwitwet widowed (8)
verzichten (auf + akk.) to pass (on)
das Video, -s video (12)
die Videokassette, -n video cassette
das Videospiel, -e video game (5)
viel much
viel Spaß have fun
viele many
viele Grüße regards (concluding an email, letter, etc.) (65)
die Vielfalt diversity (90)
vielleicht maybe
der Vielvölkerstaat, -en multiethnic state
vier bis fünf four to five
das Viertel, - quarter (15)
vierzehn fourteen
vietnamesisch Vietnamese
viral viral
das/der Virus, Viren virus (66)
visualisieren to visualize
die Visualisierung, -en visualization
das Vitamin, -e vitamin (31)
die Vokabel, -n vocabulary
das Volksmärchen, - folk tale (71)
voll full
voll·kriegen to get to fill up
volljährig of (legal) age (68)
das Vollkornbrot, -e whole-grain bread (35)
das Volumen, - volume
die volumetrische Masse, -n mass density
von (+ dat.) by (authors/artists); from (event tied to location) (55)
von Beruf by trade (6)
von Meisterhand by master craftsman
vor before; in front of (41)
Vor langer Zeit ... A long, long time ago ...
vor·bereiten to prepare (47)
vor·kommen, kam ... vor, ist ... vorgekommen to occur (71)
vor·machen to show; demonstrate
vor·spielen to act (75)
vor·stellen to introduce
sich (dat.) (+ akk.) vor·stellen to imagine
vorbei·gehen (an + akk.), ging ... vorbei, ist ... vorbeigegangen to pass by (82)
die Vorbereitung, -en preparation
der Vordergrund, -e foreground (84)
voreinander face to face
vorgeheizt preheated
vorher before (54)
die Vorlage, -n template
der Vormittag, -e morning (15)
der Vorort, -e suburb (40)
die Vorschule, -n preschool
die Vorspeise, n appetizer (27)
der Vorsprung, -e advance; headstart
der Vorteil, -e advantage (38)
der Vortrag, -e presentation (96)
das Vorwissen previous knowledge
der Vulkanausbruch, -e volcanic eruption
der Vulkanismus volcanism

W

die **Waage, -n** scale (41)
wachsen, wächst to grow
der **Wagen, -** vehicle (65)
die **Wagentür, -en** car door (93)
wahlberechtigt eligible to vote (80)
wählen to pick; to vote; to choose;
wahr true (69)
während while
wahrscheinlich probably
die **Waldbeere, -n** wild berry
der **Waldbrand, -e** forest fire
die **Walnuss, -e** walnut
der **Walzer, -** waltz
die **Wand, -e** wall (44)
der **Wandel, -** transition; change
wandern to hike
wann when (15)
warm warm (20)
das **Warmwasser** hot water (85)
warnen to warn
warten (auf + *akk.*) to wait (for) (46)
die **Wartezeit, -en** waiting time
warum why (31)
was what
Was noch? What else? (95)
das **Waschbecken, -** sink (44)
waschen to wash (34)
das **Wasser** water
die **Wasserflasche, -n** water bottle (57)
der **Wasserhahn, -e** faucet (41)
der **Wasserkocher, -** electric kettle (41)
die **Wasserpistole, -n** water gun
der **Wasserstoff** hydrogen
das **Wattestäbchen, -** cotton swab
die **Webseite, -n** website
wechselhaft changeable (17)
wechseln to switch; to change (54)
die **Wechselpräposition, -en** two-way
preposition
der **Wecker, -** alarm clock
weg off; away; gone
der **Weg, -e** way
weg·werfen, wirft ... weg to discard; throw
away (60)
die **Wegbeschreibung, -en** directions (82)
weich soft (28)
das **Weihnachten, -** Christmas (21)
das **Weihnachtsgeschenk, -e** Christmas gift
der erste **Weihnachtstag** Christmas Day
weil because (31)
weiß white (16)
das **Weißbrot, e** white bread (35)
weit far (12)
**weiter·gehen, ging ... weiter, ist ...
weitergegangen** to proceed
die **Welt, -en** world (25)
der **Weltklimagipfel, -** United Nations Climate
Change Conference
die **Weltklimakonferenz, -en** United Nations
Climate Change Conference
der **Wohnort, -e** residence (2)
die **Wohnsiedlung, -en** housing complex
die **Wohnung, -en** apartment (40)

die **Wohnungseinweihung, -en** housewarming
party (54)
das **Wohnungsprojekt, -e** housing project
der **Wohnungstyp, -en** type of apartment (40)
das **Wohnzimmer, -** living room (42)
der **Wolf, -e** wolf (66)
die **Wolke, -n** cloud
wolkig cloudy
wollen, will to want to
womit with what (55)
woraus from what; of what (55)
das **Workout, -s** workout (49)
das **Wort, -er** word (10)
der **Wortakzent, -e** word accent; stress
das **Wörterbuch, -er** dictionary
die **Wortfrage, -n** w-question
wunderschön gorgeous (86)
würfeln to roll dice (75)
das **Würfelspiel, -e** dice game (75)
das **Würstchen, -** sausage (28)
die **Wurzel, -n** root

Z

die **Zahl, -en** number; figure (4)
zahlen to pay
zählen to count (4)
zählen (zu + *dat.*) to belong to
das **Zahlungsmittel, -** means of payment
die **Zahnbürste, -n** toothbrush (57)
Zähne putzen to brush teeth (15)
sich (*dat.*) die **Zähne putzen** to brush one›s
teeth
die **Zahnpasta, Zahnpasten** toothpaste
zauberhaft enchanting
das **Zeichen, -** sign; symbol
zeichnen to draw
die **Zeichnung, -en** drawing
zeigen to show (10)
zeigen (auf + *akk.*) to point (at)
die **Zeile, -n** line
die **Zeit, -en** time (15)
sich (*dat.*) **Zeit nehmen** to take one›s time (46)
der **Zeitpunkt, -e** moment; point in time
die **Zeitreisemaschine, -n** time travel machine
(95)
die **Zeitschrift, -en** magazine (71)
der **Zeitstrahl, -en** timeline
die **Zeitung, -en** newspaper (46)
die **Zeitverschwendung, -en** waste of time
die **Zentrifuge, -n** centrifuge
zerrissen torn
der **Zettelkatalog, -e** card catalogue
die **Ziege, -n** goat
ziehen, zog, ist ... gezogen to move (72)
das **Ziel, -e** goal (47)
sich (*akk.*) (für + *akk.*) **ziemen** to befit
ziemlich rather
die **Zigarettenkippe, -n** cigarette stub
das **Zimmer, -** room (40)
die **Zimmertemperatur, -en** room temperature
der **Zins, -en** interest
die **Zitadelle, -n** citadel
die **Zitrone, -n** lemon (28)
die **Zitrusfrucht, -e** citrus fruit

die **Zöliakie** celiac desease
der **Zoll, -e** tariff
der **Zombie, -s** zombie
der **Zoo, -s** zoo
zu too (15)
zu (+ *dat.*) to (55)
zu Abend essen to have dinner (15)
zu Beginn at the beginning (37)
zu Fuß on foot (86)
zu Hause at home (47)
zu Mittag essen to have lunch (15)
zu zweit in twos
zu·hören to listen
zu·ordnen to match
zu·stimmen to agree
zu·teilen to assign (92)
zu·weisen, wies ... zu, hat ... zugewiesen to
assign
die **Zucchini, -** zucchini
der **Zucker, -** sugar (31)
zuerst first
der **Zug, -e** train (15)
der **Zugfahrplan, -e** train timetable
die **Zukunft** future
zukünftig future
zuletzt last (41)
zum Beispiel for example (25)
zum Schluss at the end (37)
zumindest at least (66)
zur Erinnerung as a reminder
zur Sprache bringen to broach (68)
zur Toilette gehen to use the restroom (46)
zur Uni gehen to go to the university (15)
Zürich Zurich (27)
zurück·geben (gibt ... zurück), gab ... zurück,
hat ... zurückgegeben to return
zusammen together (33)
zusammen·arbeiten (arbeitet ...
zusammen) to work together
sich (*akk.*) **zusammen·setzen** (mit + *dat.*) to sit
down (with)
zusammen·stellen (stellt ... zusammen) to
compile; put together
zusammen·wohnen to live together (44)
die **Zusammenfassung, -en** summary (69)
zusätzlich additional(ly)
der **Zuschauer, -** spectator; member of the
audience (*male*)
die **Zuschauerin, -nen** spectator; member of
the audience (*female*)
die **Zutat, -en** ingredient (30)
zuverlässig reliable
der **Zweck, -e** purpose
zwei Euro zehn (2,10 €) two euros ten
zwei Paar Stiefel two pairs of boots (54)
der **Zweifachzucker, -** double sugar
zweimal pro Monat twice a month
der **zweite Weihnachtstag** day after Christmas
der **Zwerg, -e** dwarf (74)
die **Zwiebel, -n** onion (28)
die **Zwillingsschwester, -n** twin sister
zwischen between (41)
die **Zwischensohle, -n** midsole (55)
der **Zylinder, -** cylinder (93)

Englisch – Deutsch

The following list contains only words that are part of the chapter vocabulary lists (which you can find in the **LERNEN** workbok).

3D printing der 3D-Druck (96)

A

above oben; über (12)
absolute(ly) absolut (59)
abstract abstrakt (86)
to **accelerate** beschleunigen (93)
acceleration die Beschleunigung, -en (93)
accident der Unfall, -e (45)
to **act** vor·spielen (75)
active aktiv (71)
activist (*female*) die Aktivistin, -nen (57)
activist (*male*) der Aktivist, -en (57)
activity die Aktivität, -en (5)
actually eigentlich (57)
to **address** behandeln (100)
adhesive tape das Klebeband, -er (6)
to **admire** bewundern (86)
adolescent der/die Jugendliche, -n (63)
adopted daughter die Adoptivtochter, - (8)
adopted son der Adoptivsohn, -e (8)
advantage der Vorteil, -e (38)
adventure das Abenteuer, - (69)
advertisement die Werbung, -en (59)
advertising slogan der Werbeslogan, -s (59)
advice der Ratschlag, -e (31)
to be **afraid** (**of**) sich (*akk.*) fürchten (vor) (69)
to be **afraid** (**of**) Angst (vor + *dat.*) haben (98)
Africa (das) Afrika (55)
afternoon der Nachmittag, -e (15)
in the **afternoons** nachmittags (17)
afterwards danach (34)
against gegen (+ *akk.*) (30)
age das Alter (4)
aggressive aggressiv (25)
agriculture die Landwirtschaft, -en (63)
aircraft construction der Flugzeugbau (85)
airport der Flughafen, - (80)
alcohol der Alkohol, -e (68)
all alle (12)
allegorical allegorisch (86)
allergy die Allergie, -n (38)
to be **allowed to** dürfen, darf (46)
almost fast (17)
almost always fast immer (17)
alphabet das Alphabet, -e (2)
already schon (25); bereits (99)
also auch (18)
alternative alternativ (57)
always immer (17)
American amerikanisch (27)
and und (1)
Anglicism der Anglizismus, Anglizismen (99)
to be **annoyed** (**at**) sich (*akk.*) (über + *akk.*) ärgern (63)
anti-slip socks die Anti-Rutsch-Socken (*pl.*) (92)
apart from außer (+ *dat.*) (55)
apartment die Wohnung, -en (40)
shared **apartment** die Wohngemeinschaft, -en (WG, -s) (44)
app die App, -s (98)
appetizer die Vorspeise, n (27)
apple der Apfel, - (28)
appliance das Gerät, -e (41)
appropriate passend (20)
April (der) April (21)
argument das Argument, -e (44)

armchair der Sessel, - (44)
around um (+ *akk.*) (30)
to **arrive** an·kommen (kommt … an) (15)
arrogant arrogant (5)
art die Kunst, -e (18)
art movement die Kunstrichtung, -en (100)
artist (*male*) der Künstler, - (18)
artwork das Kunstwerk, -e (18)
as old as so alt wie (22)
as well auch (18)
to **ask** fragen (0)
to **ask questions** Fragen stellen (12)
to **assess** bewerten (59)
to **assign** zu·teilen (92)
at um (15); bei (+ *dat.*) (55)
athlete (*female*) die Sportlerin, -nen (49)
athlete (*male*) der Sportler, - (49)
athletic sportlich (5)
attitude towards life das Lebensgefühl, -e (88)
attractive attraktiv (84)
August (der) August (21)
aunt die Tante, -n (8)
Austrian (*female*) die Österreicherin, -nen (78)
Austrian (*male*) der Österreicher, - (78)
author (*female*) die Autorin, -nen (74)
author (*male*) der Autor, -en (74)
auto repair shop die Autowerkstatt, -en (60)
automatic transmission das Automatikgetriebe, - (93)
automobile das Automobil, -e (92)
automobile industry die Autoindustrie, -n (52)
autonomous autonom (96)
avant-garde die Avantgarde, -n (100); avantgardistisch (100)
(on) **average** durchschnittlich (22)
average der Durchschnitt, -e (22)
average size die Durchschnittsgröße, -n (22)
to **avoid** vermeiden (57)
avoidance die Vermeidung, -en (62)

B

back der Rücken, - (49)
background der Hintergrund, -e (84)
backpack der Rucksack, -e (12)
bacon der Speck, e (34)
bacterial bakteriell (66)
bad schlecht (25)
bag die Tasche, -n (10); der Sack, -e (63)
baguette das Baguette, -s (28)
to **bake** backen (30)
bakery die Bäckerei, -en (30)
baking dish die Backform, -en (41)
baking powder das Backpulver, - (34)
ball der Ball, -e (71)
to **ban** verbieten (57)
banana die Banane, -n (28)
banana peel die Bananenschale, -n (63)
granola **bar** der Müsliriegel, - (31)
barbell curl der Langhantel-Curl, -s (49)
barely kaum (66)
basketball der Basketball (5)
bathroom das Badezimmer, - (44)
bathtub die Badewanne, -n (44)
battle der Kampf, -e (69)
Bavaria (das) Bayern (68)
to **be** sein, ist (4)
to **be able** (**to**) können, kann (18)

bear der Bär, -en (69)
beautiful schön (25)
because weil (31)
bed das Bett, -en (44)
bedroom das Schlafzimmer, - (44)
bee die Biene, -n (59)
ground **beef** das Rinderhack (30)
beef das Rindfleisch (31)
beef roll die Rinderroulade, -n (33)
before vorher (54)
to **begin** an·fangen (fängt … an) (15)
beginner (*male*) der Anfänger, - (37)
at the **beginning** zu Beginn (37)
behind hinter (41)
bell pepper die Paprika, -s (28)
to **belong to** gehören (+ *dat.*) (59)
below unten (18); unter (41)
belt der Gürtel, - (16)
bench press das Bankdrücken (49)
best am liebsten (27)
better besser (22)
between zwischen (41)
beverage das Getränk, -e (27)
big groß, größer, am größten (22)
big city die Großstadt, -e (44)
bin die Tonne, -n (63)
biodegradable waste der Biomüll (62)
biogas das Biogas (96)
biology die Biologie (2)
birth region die Geburtsregion, -en (55)
birthday der Geburtstag, -e (21)
bitter bitter (28)
black schwarz (16)
Black Forest der Schwarzwald (55)
blanket die Decke, -n (42) (65)
blood formation die Blutbildung (31)
blouse die Bluse, -n (16)
blue blau (16)
board die Tafel, -n (10)
board game das Brettspiel, -e (54)
boat das Boot, -e (69)
body's defense die Abwehrkraft, -e (31)
bone der Knochen, - (31)
children's **book** das Kinderbuch, -er (69)
boot der Stiefel, - (16)
to **boot** hoch·fahren, fährt … hoch (47)
boring langweilig (5)
bowl die Schüssel, - (41)
small **box** die Schachtel, -n (58)
boyfriend der Freund, -e (8)
brain das Gehirn, -e (31)
brake die Bremse, -n (93)
brand die Marke, -n (52)
bread das Brot, -e (28)
dark rye **bread** das Schwarzbrot, -e (35)
white **bread** das Weißbrot, e (35)
whole-grain **bread** das Vollkornbrot, -e (35)
bread for toasting das Toastbrot, -e (35)
bread roll das Brötchen, - (35)
break die Pause, -n (98)
to have **breakfast** frühstücken (15)
bright hell (18)
bright; heiter (17)
to **bring** (**along**) mit·bringen, brachte … mit, hat … mitgebracht (66)
to **broach** zur Sprache bringen (68)
broccoli der Brokkoli, -s (31)
broken kaputt (45)

broth   die Brühe, n (34)
brother   der Bruder, - (8)
half brother   der Halbbruder, - (8)
brother-in-law   der Schwager, - (8)
brothers   die Gebrüder (pl.) (71)
brown   braun (16)
to brush teeth   Zähne putzen (15)
to build   auf·bauen (49)
bulk trash   der Sperrmüll (62)
bunch   das Bund, -e (30)
burn   die Verbrennung, -en (45)
to burn   brennen (45)
to burn oneself   sich (akk.) verbrennen (45)
to bury   begraben, begräbt, begrub, hat … begraben (84)
bus   der Bus, -se (47) (81)
bus stop   die Bushaltestelle, -n (47)
business   die Betriebswirtschaftslehre (BWL) (2)
butchery   die Metzgerei, -en (30)
butter   die Butter (34)
button   der Knopf, -e (66)
to buy   kaufen (28)
by (authors/artists)   von (+ dat.) (55)
by (means of transportation)   mit (+ dat.) (55)
Bye! (inform.)   Ciao!; Tschüss! (1)

C

cab   das Taxi, -s (81)
red cabbage   der Rotkohl (33)
cabinet   der Schrank, -e (41)
café   das Café, -s (88)
cake   der Kuchen, - (30)
rich, multilayered cake   die Torte, -n (88)
calcium   das Kalzium (31)
to calculate   kalkulieren (93)
calculator   der Taschenrechner, - (6)
to call someone   an·rufen (ruft … an) (15)
to be called   heißen (0)
calm   ruhig (18)
calorie   die Kalorie, -n (49)
camera   der Fotoapparat, -e (6)
can (verb)   können, kann (18)
can   die Dose, -n (58)
cap   die Kappe, -n (16)
capital   die Hauptstadt, -e (80)
caption   die Bildunterschrift, -en (98)
car door   die Wagentür, -en (93)
car make   die Automarke, -n (93)
car part   das Autoteil, -e (93)
car tax   die KFZ-Steuer, -n (93)
car wash   die Autowäsche, -n (54)
caravan   die Karawane, -n (100)
carbohydrate   das Kohlenhydrat, -e (31)
card game   das Kartenspiel, -e (75)
cardboard   die Pappe, -n (58)
cardboard box   der Karton, -s (58)
cardigan   die Strickjacke, -n (16)
to take care (of)   sich (um + akk.) kümmern (46)
carrot   die Möhre, -n (30)
to carry   tragen, trägt (16)
case   die Kiste, -n (58)
castle   das Schloss, -er (40)
cat   die Katze (12)
cathedral   der Dom, -e (82)
ceiling   die Decke, -n (42) (65)
to celebrate   feiern (21)
celery   der Staudensellerie, -s (30)
cell phone number   die Handynummer, -n (4)
cemetery   der Friedhof, -e (84)
century   das Jahrhundert, -e (66)
chair   der Stuhl, -e (42)
change   die Veränderung, -en (71)
to change   wechseln (54)
to change (train, bus, etc.)   um·steigen (in +

akk.), stieg … um, ist … umgestiegen (81)
to change clothes   sich (akk.) um·ziehen (46)
changeable   wechselhaft (17)
Chanukka   die Chanukka (21)
supporting character   die Nebenfigur, -en (71)
characteristic   die Eigenschaft, -en (71)
charming   bezaubernd (86)
charts   die Charts (pl.) (65)
chat   der Chat, -s (98)
to chat (instant messaging)   chatten (98)
to chat (with)   sich (akk.) (mit + dat.) unterhalten, unterhält, unterhielt, hat … unterhalten (88)
cheap   günstig (33)
to check   checken (46)
cheerful   fröhlich (18)
cheese   der Käse, - (28)
cheese spaetzle   die Käsespätzle (pl.) (27)
chef (male)   der Koch, -e (37)
chemical   die Chemikalie, -n (52)
chemistry   die Chemie (35)
chicken breast   die Hähnchenbrust, -e (30)
child   das Kind, -er (6)
childhood   die Kindheit, -en (65)
childlike   kindlich (74)
children's book   das Kinderbuch, -er (69)
children's room   das Kinderzimmer, - (44)
to chill   chillen (99)
China   (das) China (55)
Chinese (languages)   (das) Chinesisch (2)
chocolate   die Schokolade, -n (34)
chocolate bar   der Schokoriegel, - (31)
chocolates [in a box]   die Praline, -n (54)
to choose   aus·wählen (75)
Christmas   das Weihnachten, - (21)
Christmas Eve   der Heiligabend (21)
citizenship   die Staatsbürgerschaft, -en (80)
city   die Stadt, -e (27)
civil partnership   die Lebenspartnerschaft, -en (8)
classmate (male)   der Mitschüler, - (12)
to clean (up)   auf·räumen (räumt … auf) (15)
cleaner   das Putzmittel, - (45)
clever   clever (59)
clock   die Uhr, -en (15)
cloth   das Tuch, -er (66)
cloth bag   die Stofftasche, -n (60)
clothes   die Kleidung (16)
cloudy   bewölkt (17)
clutch   die Kupplung, -en (93)
coal   die Kohle, -n (85)
coat   der Mantel, - (16)
coffee   der Kaffee, -s (6)
coffee bean   die Kaffeebohne, -n (41)
coffee cup   die Kaffeetasse, -n (41)
coffee filter   der Kaffeefilter, - (41)
coffee grinder   die Kaffeemühle, -n (41)
coffee maker   die Kaffeemaschine, -n (41)
coffee mug   der Kaffeebecher, - (62)
coffee pot   die Kaffeekanne, -n (41)
coffee spoon   der Kaffeelöffel, - (41)
coffee with hot milk (Austria)   die Melange, -n (88)
coffeehouse   das Kaffeehaus, -er (88)
cold   kalt (20)
collage   die Collage, -n (9)
collapsable parachute   das Fallschirmpaket, -e (92)
colleague (female)   die Kollegin, -nen (55)
colleague (male)   der Kollege, -n (55)
color   die Farbe, -n (16)
to comb   sich (akk.) kämmen (46)
to combine   kombinieren (12)
to come (from)   kommen (aus + dat.) (2)
to communicate   kommunizieren (95)
communication   die Kommunikation, -en (51)

community   die Gemeinde, -n (84)
company   das Unternehmen, - (52)
to compare   vergleichen (22)
comparison   der Vergleich, -e (31)
composer (female)   die Komponistin, -nen (90)
composer (male)   der Komponist, -en (90)
to compost   kompostieren (60)
compost pile   der Komposthaufen, - (60)
compound   die Verbindung, -en (57)
compound word   das Kompositum, Komposita (99)
computer   der Computer, - (6)
computer science   die Informatik (2)
computer scientist (female)   die Informatikerin, nen (6)
computer scientist (male)   der Informatiker, - (6)
concentration   die Dichte, -n (57)
concert   das Konzert, -e (65)
to conduct   dirigieren (90)
conductor (female)   die Dirigentin, -nen (90)
conductor (male)   der Dirigent, -en (90)
to confront   konfrontieren (74)
connoisseur (male)   der Kenner, - (75)
conservative   konservativ (90)
construction   die Konstruktion, -en (102)
to consume   verbrauchen (93)
consumption   der Verbrauch, (93)
container   der Container, - (63)
to contribute (to)   bei·tragen (trägt … bei) (zu + dat.), trug … bei, hat … beigetragen (92)
control   die Steuerung, -en (95)
conventional(ly)   konventionell (62)
to convert   um·rechnen (rechnet … um) (17)
to cook   kochen (5)
cookbook   das Kochbuch, -er (34)
cool   cool (54)
cord   das Kabel, - (45)
corn   der Mais (28)
correct   korrekt (5); richtig (5)
to cost   kosten (30)
costume   das Kostüm, -e (5)
cotton   die Baumwolle (55)
couch   die Couch, -s (42)
to count   zählen (4)
countertop   die Arbeitsplatte, -n (45)
in the country   auf dem Land (40)
country of origin   das Herkunftsland, -er (55)
couple   das Paar, -e (54)
cousin (female)   die Cousine, -n (8)
cousin (male)   der Cousin, -s (8)
cozy   gemütlich (69)
crazy   verrückt (42)
crispbread   das Knäckebrot, e (35)
crispy   knusprig (35)
to criticize   kritisieren (65)
crooked   krumm (28)
crude oil   das Erdöl, -e (57)
crust   die Kruste, -n (35)
cucumber   die Gurke, -n (28)
cult status   der Kultstatus, - (88)
culture   die Kultur, -en (81)
cup   die Tasse, -n (41)
curb weight   das Leergewicht, -e (93)
currywurst   die Currywurst, -e (27)
customer (female)   die Kundin, -nen (30)
customer (male)   der Kunde, -n (30)
to cut   schneiden (34)
to cut oneself   sich (akk.) schneiden (45)
cylinder   der Zylinder, - (93)
Czech Republic   die Tschechische Republik (78)

D

daily newspaper die Tageszeitung, -en (88)
to **dance** tanzen (5)
dark düster (18); dunkel (25)
data die Daten (*pl.*) (80)
date das Datum, Daten (21)
daughter die Tochter, - (8)
day der Tag, -e (0)
to **deal with** sich (*akk.*) auseinander·setzen (mit + *dat.*) (100)
dear (in emails, letters, etc.) liebe(r, s) (65)
deceased verstorben (8)
December (der) Dezember (21)
to **declutter** aus·misten (60)
degree (*weather*) der Grad, -e (17)
degree program der Studiengang, -e (2)
delicious lecker (33)
democratic demokratisch (84)
to **depart** ab·fahren (fährt ... ab) (15)
to **describe** beschreiben (9)
desk der Schreibtisch, -e (44)
dessert der Nachtisch, -e (27)
to **determine** bestimmen (75)
diagram das Diagramm (80)
diary das Tagebuch, -er (58)
dice game das Würfelspiel, -e (75)
to **die** sterben, stirbt (18)
diesel der Diesel (96)
dietary habit die Ernährungsweise, -n (38)
different verschieden (16)
digestion die Verdauung, -en (31)
diner der Imbiss, -e (33)
dining room das Esszimmer, - (44)
to have **dinner** zu Abend essen (15)
dinner das Abendessen, - (30)
direct(ly) direkt (47)
direction (film) die Regie, -n (71)
direction die Richtung, -en (82)
directions die Wegbeschreibung, -en (82)
director (*male*) der Regisseur, -e (66)
disadvantage der Nachteil, -e (38)
to **disassociate oneself (from)** sich (*akk.*) (von + *dat.*) distanzieren (86)
to **discard** weg·werfen, wirft ... weg (60)
discovery die Entdeckung, -en (92)
to **discuss** diskutieren (12)
disease die Krankheit, -en (66)
dish das Gericht, -e (27)
dishwasher der Geschirrspüler, - (41)
to **displace** verdrängen (93)
disposable product das Einwegprodukt, -e (62)
to **dissolve** auf·lösen (37)
district der Bezirk, -e (80)
district heating die Fernwärme (85)
diversity die Vielfalt (90)
divided by (geteilt) durch (4)
divorced geschieden (8)
to **do** machen (5)
doctor (*male*) der Arzt, -e (6)
doll die Puppe, -n (65)
domino das Domino-Spiel, -e (65)
doner der Döner, - (27)
door handle der Türgriff, -e (93)
dormitory das Studentenwohnheim, -e (40)
dough der Teig, -e (34)
down(stairs) unten (18)
drag queen die Dragqueen, -s (90)
dragon der Drache, -n (69)
to **drain** ab·tropfen (37)
drawer die Schublade, -n (41)
dream house das Traumhaus, -er (44)
dream job der Traumberuf, -e (12)
dress das Kleid, -er (16)
driver's license der Führerschein, -e (93)
driving das Fahren (93)

drone die Drohne, -n (95)
dumpling der Knödel, - (33)
duplex das Doppelhaus, -er (40)
Dutch (language) (das) Niederländisch (2)
dwarf der Zwerg, -e (74)

E

earworm der Ohrwurm, -er (99)
east der Osten (17)
east (*adj.*) östlich (78)
East Germany (das) Ostdeutschland (65)
Easter das Ostern (21)
easy; easily leicht (57)
to **eat** essen, isst (27)
eco-friendly umweltfreundlich (62)
economics die Wirtschaftswissenschaft, en (2)
economy die Wirtschaft, -en (63)
education die Pädagogik (2)
effective effektiv (59)
efficient effizient (47)
egg das Ei, -er (34)
egg white das Eiweiß, - (31)
electric kettle der Wasserkocher, - (41)
electric shock der Stromschlag, -e (45)
to receive an **electric shock** einen Stromschlag bekommen (45)
electricity der Strom (85)
elegant elegant (74)
elementary school die Grundschule, -n (68)
elf (*female*) die Elfe, -n (69)
elf (*male*) der Elf, -en (69)
eligible to vote wahlberechtigt (80)
to **emit** aus·stoßen, stößt ... aus, stieß ... aus, hat ... ausgestoßen (93)
emotion die Emotion, -en (65)
at the end zum Schluss (37)
to **end** beenden (47)
end das Aus (57)
endurance die Ausdauer (49)
engine der Motor, -en (93)
piston **engine** der Kolbenmotor, -en (93)
engine displacement der Hubraum, -e (93)
engineer (*female*) die Ingenieurin, -nen (6)
engineer (*male*) der Ingenieur, -e (6)
English (language) (das) Englisch (2)
to **enlarge** vergrößern (55)
environment (*milieu*) das Umfeld, -er (8)
essential essentiell (57)
even sogar (57)
evening der Abend, -e (0)
in the **evening** am Abend (21)
in the **evenings** abends (17)
event die Veranstaltung, -en (90)
every alle (12)
every day jeden Tag (12)
everywhere überall (58)
evil böse (69)
Exactly! Genau! (5)
example das Beispiel, -e (0)
excellent ausgezeichnet (33)
except außer (+ *dat.*) (55)
exception die Ausnahme, -n (68)
exciting aufregend (69)
exhaust hood der Dunstabzug, -e (41)
expensive teuer (33)
to **experience** erleben (69)
export der Export, -e (63)
extreme extrem (59)
eye das Auge, -n (31)
eyeglass lens das Brillenglas, -er (92)

F

façade die Fassade, -n (85)
facility die Anlage, -n (85)
factory die Fabrik, -en (55)
fair der Jahrmarkt, -e (68)
fairy tale das Märchen, - (69)
fall (season) der Herbst, -e (17)
fall der Sturz, -e (45)
to **fall in love (with)** sich (*akk.*) verlieben (in + *akk.*) (71)
family die Familie, -n (8)
family tree der Stammbaum, -e (9)
fantastic fantastisch (69)
far weit (12)
farm house das Bauernhaus, -er (40)
farmer (*male*) der Bauer, -n (63)
farmers' market der Wochenmarkt, -e (28)
fascinated fasziniert (18)
fast schnell (20)
fat das Fett, -e (31)
father der Vater, - (8)
father-in-law der Schwiegervater, - (8)
Father's Day der Vatertag, -e (21)
faucet der Wasserhahn, -e (41)
favorite Lieblings- (25)
favorite dish das Lieblingsessen (27)
favorite picture das Lieblingsbild, -er (25)
February (der) Februar (21)
to **feed** füttern (65)
Ferris wheel das Riesenrad, -er (82)
fiber der Ballaststoff, -e (31)
to **fight** kämpfen (74)
fillet of herring with apples and onions das Matjesfilet, -s (33)
finances die Finanzen (*pl.*) (52)
fine fein (37)
first erst (100)
fish der Fisch, -e (12) (31)
fitting passend (20)
at five thirty um halb sechs (15)
to **flash** blitzen (17)
flatscreen der Flatscreen, -s (95)
flight der Flug, -e (80)
flip-flop der Flip-Flop, -s (16)
flour das Mehl (34)
flower die Blume, -n (41)
foam der Schaum, -e (55)
fog der Nebel, - (17)
foggy neblig (17)
folding map der Faltplan, -e (84)
folk tale das Volksmärchen, - (71)
fondue das/die Fondue, -s (27)
food das Essen, - (27); das Lebensmittel, - (28)
food truck der Imbisswagen, - (33)
for example zum Beispiel (25)
for it dafür (58)
for what wofür (55)
foreground der Vordergrund, -e (84)
foreign ausländisch (80)
foreign word das Fremdwort, -er (99)
fork die Gabel, -n (41)
to **format** formatieren (47)
founder (*female*) die Gründerin, -nen (60)
free kostenlos (88)
freedom die Freiheit, -en (86)
freezer der Gefrierschrank, -e (41)
French (*language*) (das) Französisch (2)
Friday (der) Freitag, -e (15)
friend (*female*) die Freundin, -nen (8)
friend (*male*) der Freund, -e (8)
friendly freundlich (5)
from (event tied to location) von (+ *dat.*) (55)
from (location, city, country) aus (+ *dat.*) (55)
from around the world aus aller Welt (25)
fruit das Obst (28)

frutarian frutarisch (38)
fuel der Treibstoff, -e (102)
fun der Spaß, -e (47)
to be/make **fun** Spaß machen (47)
funky abgefahren (99)
funny lustig (69)
furniture die Möbel (*pl.*) (44)
futurism der Futurismus (100)

G

card **game** das Kartenspiel, -e (75)
dice **game** das Würfelspiel, -e (75)
parlor **game** das Gesellschaftsspiel, -e (75)
tile-based **game** das Legespiel, -e (75)
gameboard der Spielplan, -e (75)
garage die Garage, -n (44)
garbage bin die Mülltonne, -n (60)
garbage separation die Mülltrennung (63)
garden der Garten, - (42)
garlic der Knoblauch (30)
natural **gas** das Gas (85)
gas pedal das Gaspedal, -e (93)
gasoline das Benzin (93); der Sprit (*inform.*) (93)
gay schwul (90)
GDR (German Democratic Republic) die DDR (Deutsche Demokratische Republik) (65)
gender role die Geschlechterrolle, -n (71)
general generell (45)
genre das Genre, -s (69)
gentleman; der Herr, -en (1)
geometric geometrisch (86)
German (*language*) (das) Deutsch (2)
to **get** bekommen (10)
to **get ready** sich (*akk.*) fertig machen (46)
to **get up** auf·stehen (steht ... auf) (15)
ghost der Geist, -er (42)
giant der Riese, -n (69)
gift das Geschenk, -e (21)
to give a **gift** schenken (54)
ginger der Ingwer (28)
girlfriend die Freundin, -nen (8)
gladly gern(e), lieber, am liebsten (27)
glass das Glas, -er (41)
glasses die Brille, -n (6)
glider das Gleitflugzeug, -e (92)
global(ly) global (25)
gloomy düster (18)
to **glorify** verherrlichen (100)
glove der Handschuh, -e (16)
a pair of **gloves** ein Paar Handschuhe (54)
gluten das Gluten, -e (28)
to **go** gehen (28)
to **go on** an·gehen (44)
to **go out** aus·gehen (geht ... aus) (15)
to **go to bed** ins Bett gehen (15)
to **go to the movies** ins Kino gehen (15)
to **go to the university** zur Uni gehen (15)
goal das Ziel, -e (47)
gold golden (82)
good gut, besser, am besten (22)
Good morning! Guten Morgen! (0)
to say **goodbye** verabschieden (1)
Goodbye! Auf Wiedersehen! (1); Wiederschauen! (1); Servus! (*inform.; Southern Germany, Austria*) (1); Uf Wiederluege! (*Switzerland*) (1)
to **google** googeln (99)
roast **goose** der Gänsebraten, - (33)
gorgeous wunderschön (86)
graduation der Studienabschluss, -e (54)
grain das Korn, -er (35)
gram das Gramm (31)
granddaughter die Enkeltochter, - (8)
grandfather der Großvater, - (8)

grandma die Oma, -s (8)
grandmother die Großmutter, - (8)
grandpa der Opa, -s (8)
grandson der Enkelsohn, -e (8)
granola bar der Müsliriegel, - (31)
grapefruit die Grapefruit, -s (28)
graph die Grafik, en (80)
to **grapple with** sich (*akk.*) auseinander·setzen (mit + *dat.*) (100)
to **grate** reiben (34)
gray grau (16)
Greek (*language*) (das) Griechisch (2)
green grün (16)
to **greet** begrüßen (1)
greeting der Gruß, -e (65)
groceries das Lebensmittel, - (28)
ground/first floor das Erdgeschoss, -e (44)
ground beef das Rinderhack (30)
ground meat das Hackfleisch (30)
to **grow up** auf·wachsen (wächst ... auf), wuchs ... auf, ist ... aufgewachsen (72)
grown up erwachsen (74)
guest der Gast, -e (33)
guided tour die Führung, -en (86)
guitar die Gitarre (12)

H

hair dryer der Fön, -e (45)
hairdresser (*female*) die Friseurin, -nen (6)
hairdresser (*male*) der Friseur, -e (6)
halal halal (27)
half halb (15)
half brother der Halbbruder, - (8)
half sister die Halbschwester, -n (8)
half-timbered das Fachwerkhaus, -er (40)
Halloween das Halloween (21)
hallway der Flur, -e (44)
hammer der Hammer. - (12)
hamster der Hamster, (12)
handball der Handball, -e (5)
handmade handgemacht (54)
to **hang** hängen (42)
to **hang out** rum·hängen, hing ... rum, hat ... rumgehangen (99)
happy fröhlich (18)
to be **happy (about)** sich (*akk.*) (über + *akk.*) freuen (63)
hard hart (28)
hat die Mütze, -n (16)
to **haunt** spuken (42)
to **have** haben (9)
I would like to **have ...** Ich hätte gern ... (30)
to **have to** müssen, muss (46)
hazard die Gefahr, -en (45)
he er (0)
headache der Kopfschmerz, -en (99)
headlight der Scheinwerfer, - (93)
headphone der Kopfhörer, - (6)
headquarters der Hauptsitz, -e (52)
headscarf das Kopftuch, -er (16)
health die Gesundheit (31)
healthy gesund (31)
heart das Herz, -en (49)
to **heat** erhitzen (46); heizen (85)
heater die Heizung, -en (47)
helicopter der Hubschrauber, - (92)
Hello! Hallo! (0); Grüß Gott! (*form.; Southern Germany, Austria*) (1); Servus! (*inform.; Southern Germany, Austria*) (1); Grüezi! (*Switzerland*) (1)
give **help to** helfen (+ *dat.*), hilft (59)
hematopoiesis die Blutbildung (31)
her ihr(e) (8)
here you go bitte schön (30)
Hesse (das) Hessen (92)
high hoch, höher, am höchsten (22)

high school (preparing for university) das Gymnasium, Gymnasien (85)
highrise building das Hochhaus, -er (40)
interstate **highway** die Autobahn, -en (85)
highway restaurant das Rasthaus, -er (85)
Hindi (language) (das) Hindi (2)
hipster der Hipster, - (33)
his sein(e) (8)
history die Geschichte, -n (71)
hobby das Hobby, -s (5)
holiday der Feiertag, -e (21)
single-family **home** das Einfamilienhaus, -er (40)
at **home** zu Hause (47)
home fries die Bratkartoffel, -n (33)
homemade selbstgemacht (54)
hometown die Heimatstadt, -e (81)
honey der Honig, -e (59)
to **honk** hupen (93)
hood die Motorhaube, -e (93)
horn die Hupe, -n (93)
horse das Pferd (12)
horse-drawn carriage die Pferdekutsche, -n (81); Fiaker, - (*Austria*) (81)
horsepower (HP) die Pferdestärke (PS)
hospital das Krankenhaus, -er (66)
hot heiß (20)
hot water das Warmwasser (85)
farm **house** das Bauernhaus, -er (40)
house das Haus, -er (40); das Fachwerkhaus, -e (40)
dream **house** das Traumhaus, -er (44)
houseboat das Hausboot, -e (40)
household waste der Haushaltsmüll (62)
housewarming party die Wohnungseinweihung, -en (54)
hoverboard das Hoverboard, -s (95)
how wie (0)
HP (horsepower) das PS, - (Pferdestärke) (93)
huge riesig (86)
human der Mensch, -en (5)
human (*adj.*) menschlich (86)
humorous humorvoll (5)
Hungary Ungarn (78)
hunger der Hunger (30)
to be **hungry** Hunger haben (30)
husband der (Ehe)mann, -er (8)
hydrocarbon der Kohlenwasserstoff, -e (57)

I

I ich (0)
icecold eiskalt (20)
idea for a gift die Geschenkidee, -n (54)
identical identisch (42)
ill krank (54)
immediately sofort (33); gleich (65)
important wichtig (12)
in in (41)
in exchange dafür (58)
in front of vor (41)
in order to um zu (93)
in there da drin (31)
in turn reihum (75)
incidental nebensächlich (93)
to **incorporate** ein·bauen (68)
India (das) Indien (55)
to **infect** infizieren (66)
infection die Infektion, -en (66)
influence der Einfluss, -e (86)
information die Information, -en (6)
information technology (IT) die Informationstechnik (IT) (52)
ingredient die Zutat, -en (30)
initiative die Initiative, -n (102)
to **injure oneself** sich (*akk.*) verletzen (45)

innovation die Innovation, -en (95)
inside drin (31)
insole die Innensohle, -n (55)
instead stattdessen (75)
instrument das Instrument, -e (37)
insurance die Versicherung, -en (52)
intelligence die Intelligenz, -en (71)
interdenominational interkonfessionell (84)
interest das Interesse, -n (12)
interesting interessant (25)
international international (27)
international relations Internationale Beziehungen (pl.) (2)
intersection die Kreuzung, -en (82)
interstate highway die Autobahn, -en (85)
into in (41)
to invent erfinden (37)
invention die Erfindung, -en (92)
inventor (female) die Erfinderin, -nen (66)
inventor (male) der Erfinder, - (92)
investor (female) die Investorin, -nen (98)
investor (male) der Investor, -en (98)
iron das Eisen, - (31)
it es (0)
Italian (language) (das) Italienisch (2)
Italy Italien (78)

J

jacket die Jacke, -n (16)
jam jar das Marmeladenglas, -er (63)
in January im Januar (21)
January (der) Januar (21)
Japanese (language) (das) Japanisch (2)
jeans die Jeans, - (16)
Jew (female) die Jüdin, -nen (84)
Jew (male) der Jude, -n (84)
Jewish jüdisch (84)
job der Arbeitsplatz, -e (5)
to jog joggen (5)
journal das Tagebuch, -er (58)
juice der Saft, -e (37)
juice carton der Saftkarton, -s (63)
juicy saftig (28)
July (der) Juli (21)
June (der) Juni (21)
junior Nachwuchs- (98)

K

keyboard die Tastatur, -en (6)
killing die Ermordung, -en (84)
kilo das Kilo, -s (30)
kiss der Kuss, -e (73)
to kiss küssen (74)
kiwi die Kiwi, -s (28)
to knead kneten (34)
knife das Messer, - (41)
to know kennen (6); wissen (ich weiß) (25)
knuckle of pork die Schweinshaxe, -n (33)
kosher koscher (27)

L

label das Label, -s (31)
laboratory das Labor, -e (47)
lace der Schnürsenkel, - (55)
lactose die Laktose, -n (38)
ladder die Leiter, -n (45)
lamp die Lampe, -n (10)
landscape die Landschaft, -en (18)
language die Sprache, -n (2)
laptop der Laptop, -s (6)
to last dauern (37)
last zuletzt (41)
late spät (15)

at the latest spätestens (46)
lawyer (female) die Anwältin, -nen (6)
lawyer (male) der Anwalt, -e (6)
lazy faul (5)
to learn lernen (12)
at least zumindest (66)
leather das Leder, - (55)
leather shoe der Lederschuh, -e (16)
to leave ab·fahren (fährt … ab) (15)
left links (82)
leftover food der Essensrest, -e (63)
lemon die Zitrone, -n (28)
length die Länge, -n (93)
lesbian lesbisch (90)
to let lassen, lässt (37)
letter der Brief, -e (63)
letterpress printing der Buchdruck, -e (92)
LGBTQ community die LGBTQ-Community, -s (90)
license plate das Nummernschild, -er (4)
lid der Deckel, - (41)
life das Leben, - (8)
lifeless leblos (74)
light hell (35)
lightweight leichtgewichtig (92)
to like mögen, mag (16)
I would like … Ich möchte gern … (30)
lining das Futter, - (55)
to listen to music Musik hören (15)
literature die Literatur (2)
livable lebenswert (80)
to live wohnen (2)
to live together zusammen·wohnen (44)
living room das Wohnzimmer, - (42)
loanword das Lehnwort, -er (99)
to be located liegen (18); sich (akk.) befinden, befand, hat … befunden (93)
location der Standort, -e (57)
to log onself in sich ein·loggen (47)
long lang (20)
long-sleeve shirt das Langarmshirt, -s (16)
to look for suchen (10)
to look up nach·schlagen (schlägt … nach), schlug … nach, hat … nachgeschlagen (98)
to apply lotion sich (akk.) ein·cremen (46)
love story die Liebesgeschichte, -n (74)
Lower Saxony (das) Niedersachsen (92)
lucky number die Glückszahl, -en (4)
luggage das Gepäck (60)
to have lunch zu Mittag essen (15)
lunch das Mittagessen, - (30)
to be lying liegen (42)

M

magazine die Zeitschrift, -en (71)
magic die Magie, -n (71)
magical magisch (69)
magnificent prachtvoll (86)
magnifying glass die Lupe, -n (6)
main character die Hauptfigur, -en (71)
main dish das Hauptgericht, -e (27)
mainly hauptsächlich (86)
to major in studieren (2)
to make machen (5)
to put on make-up sich (akk.) schminken (46)
man der Mann, -er (8)
manual die Anleitung, -en (75)
manual(ly) manuell (93)
manufacture die Manufaktur, -en (55)
to manufacture her·stellen (55)
manufacturer der Hersteller, - (55)
how many wie viel(e) (17)
March (der) März (21)
margarine die Margarine, -n (34)
to mark markieren (18)

farmers' market der Wochenmarkt, -e (28)
market der Markt, -e (28)
marketing das Marketing (59)
married verheiratet (8)
to mash pürieren (37)
mathematics die Mathematik (2)
mature erwachsen (74)
May (der) Mai (21)
mayo die Mayo, s (34)
meal das Essen, - (27)
to mean bedeuten (31)
means of transportation das Transportmittel, - (55)
ground meat das Hackfleisch (30)
meat das Fleisch (31)
meat ball das Hackbällchen, - (27)
mechanical engineer (female) die Maschinenbauingenieurin, -nen (6)
mechanical engineer (male) der Maschinenbauingenieur, -e (6)
mechanical engineering der Maschinenbau (2)
Mecklenburg-Western Pomerania (das) Mecklenburg-Vorpommern (92)
medicine die Medizin (2)
to meet (with) sich (akk.) (mit + dat.) treffen (47)
Nice to meet you. Nett, Sie kennenzulernen. (1)
melancholic melancholisch (86)
melon die Melone, -n (28)
memorial das Mahnmal, -e (84)
menu die Speisekarte, -n (27)
mess das Durcheinander (12)
message die Botschaft, -en (25)
metal das Metall, -e (58)
metaphorical(ly) metaphorisch (60)
square meter der Quadratmeter, - (40)
microplastic particle der/das/die Mikroplastikpartikel, - (57)
microwave die Mikrowelle, -n (41)
midsole die Zwischensohle, -n (55)
mild mild (20)
milk die Milch (34)
milk carton der Milchkarton, -s (63)
mineral der Mineralstoff, -e (31)
minus minus (4)
mirror der Spiegel, - (93)
side mirror der Außenspiegel, - (93)
mistake der Fehler, - (42)
to mix mischen (34)
mobile phone das Handy, -s (4)
mobility die Mobilität (96)
model das Modell, -e (93)
model year (year of manufacture) das Baujahr, -e (93)
molecular cuisine die Molekularküche, -n (37)
Monday (der) Montag, -e (15)
monopoly das Monopol, -e (71)
monotonous monoton (99)
month der Monat, -e (21)
monument das Denkmal, -er (82)
mood die Stimmung, -en (18)
morning der Morgen, - (0); der Vormittag, -e (15)
in the morning morgens (17)
morning routine die Morgenroutine, -n (46)
mostly meistens (17)
mother die Mutter, - (8)
mother-in-law die Schwiegermutter, - (8)
Mother's Day der Muttertag, -e (21)
motto das Motto, -s (90)
mountain cabin die Berghütte, -n (40)
mouse die Maus, -e (6)
mousepad das Mousepad, -s (6)
to move (location) ziehen, zog, ist … gezogen (72)
to move sich (akk.) bewegen (73)

movie ticket die Kinokarte, -n (54)
MP3 format das MP3-Format, -e (92)
how much wie viel(e) (17)
multi-family home das Mehrfamilienhaus, -er (40)
multi-family home das Mehrfamilienhaus, -er (40)
multi-grain roll das Mehrkornbrötchen, - (35)
Munich (das) München (92)
murder die Ermordung, -en (84)
muscle der Muskel, -n (31)
muscle training das Muskeltraining, -s (49)
music lessons der Musikunterricht (54)
musicology die Musikwissenschaft (2)
must (verb) müssen, muss (46)
my mein(e) (8)
My pleasure. Ganz meinerseits. (1)
mysterious mysteriös (74)
myth der Mythos, Mythen (69)

N

name der Name, -n (0)
name day der Namenstag, -e (54)
to be named heißen (0)
natural natürlich (35)
natural gas das Gas (85)
naturalism der Naturalismus (100)
near bei (+ dat.) (55)
necessary nötig (47)
to need brauchen (28)
negative negativ (74)
nephew der Neffe, -n (8)
nerve der Nerv, -en (31)
neutral neutral (71)
nevertheless trotzdem (46)
new neu (9)
New Year's Eve das Silvester (21)
newspaper die Zeitung, -en (46)
next to neben (41)
niece die Nichte, -n (8)
at night in der Nacht (17); nachts (17)
night die Nacht, -e (17)
no nein (5); kein(e) (10)
nobility der Adel (88)
none kein(e) (10)
nonsense der Quatsch (95)
north der Norden (17)
north (adj.) nördlich (78)
in the north (of) im Norden (von) (17)
North Rhine-Westphalia (das) Nordrhein-Westfalen (92)
North Sea shrimp die Nordseekrabbe, -n (33)
northeast der Nordosten (17)
northwest der Nordwesten (17)
not nicht (5)
not married ledig (8)
notepad der Notizzettel, - (6)
nothing nichts (47)
November (der) November (21)
nowhere nirgends (88)
number die Nummer, -n (4); die Zahl, -en (4)
nursing die Krankenpflege (2)
nut die Nuss, -e (31)

O

occasion der Anlass, -e (54)
occupation der Beruf, -e (5)
occupational field das Berufsfeld, -er (63)
to occur vor·kommen, kam … vor, ist … vorgekommen (71); geschehen, geschieht, geschah, ist … geschehen (72)
at six o'clock um sechs (Uhr) (15)
o'clock die Uhr, -en (15)
October (der) Oktober (21)

office das Arbeitszimmer, - (44)
often oft (17)
oil das Öl, -e (41)
oil-based paint die Ölfarbe, -n (86)
old alt (4)
years old Jahre alt (4)
omnivore (female) die Allesesserin, -nen (38)
omnivore (male) der Allesesser, - (38)
on foot zu Fuß (86)
on it darauf (58)
on Monday am Montag (15)
on top oben (12)
on top of (horizontal surface/area) auf (41)
once einmal (25)
Once upon a time … Es war einmal … (69)
onion die Zwiebel, -n (28)
only nur (18)
to open auf·machen (47); eröffnen (60)
to be of the opinion meinen (54)
opposite das Gegenteil, -e (90); der Gegensatz, -e (100)
optimize optimieren (40)
orange die Orange, -n (28)
orange juice der Orangensaft, -e (31)
orange peel die Orangenschale, -n (63)
orchestra das Orchester, - (90)
to order bestellen (33)
organic Bio- (60)
origin die Herkunft, -e (2)
ought to sollten, sollte (31)
out of aus (+ dat.) (55)
out of it daraus (58)
outbound flight der Hinflug, -e (80)
(electrical) outlet die Steckdose, -n (41)
output power die Leistung (93)
outsole die Außensohle, -n (55)
oval oval (28)
oven der Backofen, - (34)
over über (41)
over the weekend am Wochenende (15)
overcast bewölkt (17)
overweight dick (5)

P

small package das Päckchen, - (58)
packaging die Verpackung, -en (58)
packed verpackt (59)
packet die Packung, -en (58)
page die Seite, -n (1)
pain der Schmerz, -en (66)
to paint malen (18); streichen (44)
oil-based paint die Ölfarbe, -n (86)
painter (female) die Malerin, -nen (66)
painting das Gemälde, - (18)
pan die Pfanne, -n (41)
pancake der Pfannkuchen, - (35)
pants die Hose, -n (16)
paper das Papier, -e (6)
paralysis die Lähmung, -en (66)
parcel das Päckchen, - (58)
parent company das Mutterunternehmen, - (52)
parents die Eltern (pl.) (8)
park der Park, -s (73)
parlor game das Gesellschaftsspiel, -e (75)
parsley die Petersilie, -n (30)
to participate mit·machen (86)
participation die Teilnahme, -n (90)
particle der/das/die Partikel, - (57)
partly teils (17)
partner (female) die Partnerin, -nen (8)
partner (male) der Partner, - (8)
partner work die Partnerarbeit, -en (12)
party die Party, -s (5)
to pass by vorbei·gehen (an + akk.), ging …

vorbei, ist … vorbeigegangen (82)
to pass by [time] vergehen, verging, ist … vergangen (90)
Passover das Pessach (21)
pasta salad der Nudelsalat, -e (28)
pattern das Muster, - (16)
to pay bezahlen (33)
pea soup die Erbsensuppe, -n (33)
peaceful friedlich (18)
peak der Höhepunkt, -e (86)
orange peel die Orangenschale, -n (63)
pen der Stift, -e (6)
pepper der Pfeffer, - (41)
on a percentage basis prozentual (40)
to perform auf·treten (tritt … auf), trat … auf, ist … aufgetreten (65)
period die Periode, -n (86)
person who fled der/die Geflüchtete, -n (12)
pescetarian der Pescetarier, - (38)
petroleum das Rohbenzin, -e (57)
pharmacy die Pharmazie (2)
phenomenon das Phänomen, -e (25)
mobile phone das Handy, -s (4)
to pick aus·suchen (42)
pictorial bildlich (100)
pillar die Säule, -n (82)
pineapple die Ananas, -se (34)
pink pink (16)
pipette die Pipette, -n (37)
piston engine der Kolbenmotor, -en (93)
pizza die Pizza, -s (27)
to place stellen (42); legen (42)
plaid kariert (16)
to work out a plan sich (dat.) einen Plan machen (63)
plan for the day der Tagesplan, -e (47)
plane das Flugzeug, -e (55)
plant die Pflanze, -n (6)
plastic das Plastik (57); der Kunststoff, -e (57)
plate der Teller, - (41)
platform das Gleis, -e (15)
to play spielen (5)
please bitte (10)
to be pleasing to gefallen (+ dat.) (gefällt) (59)
plum die Pflaume, -n (28)
plus plus (4)
poem das Gedicht, -e (18)
poetry die Lyrik (100)
point of interest die Sehenswürdigkeit, -en (82)
poisened vergiftet (74)
to poison oneself sich (akk.) vergiften (45)
poisoning die Vergiftung, -en (45)
poisonous giftig (74)
police officer (female) die Polizistin, -nen (6)
police officer (male) der Polizist, -en (6)
polio die Kinderlähmung (66)
Polish (language) (das) Polnisch (2)
political politisch (84)
political science die Politikwissenschaft (2)
politician (female) die Politikerin, -nen (25)
politician (male) der Politiker, - (25)
polyester der Polyester, - (55)
poppy der Mohn (35)
population die Bevölkerung, -en (80)
knuckle of pork die Schweinshaxe, -n (33)
positive positiv (74)
to possess besitzen (96)
pot der Topf, -e (37)
potato die Kartoffel, -n (31)
potato salad der Kartoffelsalat, -e (28)
poultry das Geflügel (31)
pound das Pfund, -e (30)
power die Macht, -e (59)
output power die Leistung (93)
precarious unsicher (84)
prefer lieber (27)

to **prepare** vor·bereiten (47)
presentation der Vortrag, -e (96)
pretzel die/das Brezel, -n (27)
pretzel roll das Laugenbrötchen, - (35)
price der Preis, -e (33)
prince der Prinz, -en (71)
to **print out** aus·drucken (47)
letterpress **printing** der Buchdruck, -e (92)
valuable (*non-cash*) **prize** der Sachpreis, -e (98)
problem das Problem, -e (25)
process der Prozess, -e (37)
to **process** verarbeiten (85)
profession der Beruf, -e (5)
professor (*female*) die Professorin, -nen (6)
professor (*male*) der Professor, en (6)
to **program** programmieren (5)
progress der Fortschritt, -e (100)
to **prohibit** verbieten (57)
prohibition das Verbot, -e (57)
promotion die Beförderung, -en (54)
prose die Prosa (100)
protagonist (*female*) die Protagonistin, -nen (74)
protein das Eiweiß, - (31)
to **provide** versorgen (85)
public transportation öffentliche Verkehrsmittel (*pl.*) (81)
to **publish** veröffentlichen (72)
pull-up der Klimmzug, -e (49)
punishment die Strafe, -n (68)
pupil (*female*) die Schülerin, -nen (68)
pupil (*male*) der Schüler, - (68)
puppet die Puppe, -n (65)
purple lila (16)
to **push** drücken (65)
push-up der Liegestütz, -e (49)
to **put on** an·ziehen (zieht ... an) (15); auf·setzen (setzt ... auf) (20)

Q

quality die Qualität, -en (35)
quarter das Viertel, - (15)
at a **quarter to ten** um Viertel vor zehn (15)
quartet (*card game*) das Quartett, -e (65)
queen die Königin, -nen (74)
quickness die Schnelligkeit, -en (100)
quiet ruhig (18)
to **quiz** ab·fragen (98)

R

raclette das/die Raclette, -s (27)
railroad die Bahn, -en (55)
rain der Regen (17)
to **rain** regnen (17)
rainy regnerisch (17)
Ramadan der Ramadan (21)
rare(ly) selten (17)
rather lieber (27); eher (93)
to **rattle** rattern (100)
razor der Rasierer, - (58)
to **reach** erreichen (65)
to **read** lesen, liest (1)
real echt (66); real (69)
realistic realistisch (49)
reason der Grund, -e (38)
recipe das Rezept, -e (30)
to **recommend** empfehlen, empfiehlt (62)
recommendation die Empfehlung, -en (62)
recovery die Genesung, -en (54)
to **recycle** recyceln (58)
red rot (16)
red cabbage der Rotkohl (33)
to **reduce** reduzieren (60)
refrigerator der Kühlschrank, -e (41)

to **refuel** tanken (93)
regards (*concluding an email, letter, etc.*) viele Grüße (65)
religion die Religion, -en (84)
religious community die Religionsgemeinschaft, -en (84)
to **remember** sich (*dat.*) merken (63)
to **rent** mieten (96)
to **repair** reparieren (60)
repertoire das Repertoire, -s (100)
to **replace** ersetzen (58)
representation die Vertretung, -en (68)
representative (*female*) die Vertreterin, -nen (68)
representative (*male*) der Vertreter, - (68)
to do **research** forschen (98)
research project das Forschungsprojekt, -e (98)
researcher (*female*) die Forscherin, -nen (57)
researcher (*male*) der Forscher, - (57)
residence der Wohnort, -e (2)
resident (*female*) die Bewohnerin, -nen (73)
resident (*male*) der Bewohner, - (73)
residual waste der Restmüll (63)
rest der Rest, -e (37)
restaurant das Restaurant, -s (27)
highway **restaurant** das Rasthaus, -er (85)
restaurant die Gaststätte, -n (68)
to use the **restroom** zur Toilette gehen (46)
retirement der Ruhestand, -e (54)
return flight der Rückflug, -e (80)
reusable wiederverwendbar (62)
to **reuse** wieder·verwenden (60)
review die Bewertung, -en (86)
Rhineland-Palatinate (*das*) Rheinland-Pfalz (92)
rhubarb leather das Rhabarberleder, - (92)
right rechts (82)
right (correct) richtig (5)
to **rinse** ab·spülen (37)
to **rise** an·steigen, stieg ... an, ist ... angestiegen (81)
risk das Risiko, Risiken (37)
river der Fluss, -e (69)
roast goose der Gänsebraten, - (33)
robot der Roboter, - (55)
to **rock** schaukeln (65)
rocking horse das Schaukelpferd, -e (65)
multi-grain **roll** das Mehrkornbrötchen, - (35)
pretzel **roll** das Laugenbrötchen, - (35)
to **roll dice** würfeln (75)
romantic romantisch (54)
room das Zimmer, - (40)
living **room** das Wohnzimmer, - (42)
children's **room** das Kinderzimmer, - (44)
dining **room** das Esszimmer, - (44)
room der Raum, -e (44)
roommate (*female*) die Mitbewohnerin, -nen (8)
roommate (*male*) der Mitbewohner, - (8)
rose rosa (16)
rostbratwurst die Rostbratwurst, -e (33)
roughly ungefähr (93)
round (adj.) rund (28)
round die Runde, -n (75)
rubber der/das Gummi, -s (55)
to **run** laufen, läuft (20)
RV das Wohnmobil, -e (40)

S

sack der Sack, -e (30)
safe sicher (45)
salad der Salat, -e (28)
salesperson (*female*) die Verkäuferin, -nen (6)
salesperson (*male*) der Verkäufer, - (6)
salt das Salz, -e (31)

salty salzig (28)
Saturday (der) Samstag, -e (15)
sauerkraut das Sauerkraut (33)
sausage das Würstchen, - (28)
Saxony (das) Sachsen (92)
Saxony-Anhalt (das) Sachsen-Anhalt (92)
scale die Waage, -n (41)
scarf der Schal, -s (16)
Viennese **Schnitzel** das Wiener Schnitzel, - (27)
schnitzel das Schnitzel, - (33)
screwdriver der Schraubenzieher, - (12)
to **scroll** scrollen (99)
season die Jahreszeit, -en (17)
seasoning das Gewürz, -e (41)
seat der Sitz, -e (93)
seatbelt der Sicherheitsgurt, -e (93)
self-service die Selbstbedienung, -en (33)
to **sell** verkaufen (55)
sensible sinnvoll (62)
separate getrennt (33)
to **separate** sich (*akk.*) trennen (69)
to **separate waste** Müll trennen (63)
September (der) September (21)
service die Bedienung, -en (33)
serving die Portion, -en (31)
sesame der Sesam (35)
to **set down** setzen (42)
settler (*male*) der Siedler, - (75)
severe schlimm (66)
to **sew** nähen (65)
sewing machine die Nähmaschine, -n (66)
shadow der Schatten, - (73)
shared apartment die Wohngemeinschaft, -en (WG, -s) (44)
sharp scharf (28)
to **shave** sich (*akk.*) rasieren (46)
she sie (0)
shelf das Regal, -e (44)
to **shine** scheinen (17)
ship das Schiff, -e (55)
long-sleeve **shirt** das Langarmshirt, -s (16)
shirt das Hemd, -en (16)
Shoah die Schoah (84)
leather **shoe** der Lederschuh, -e (16)
shoe der Schuh, -e (16)
to **shoot a movie/film** einen Film drehen (100)
to **shop** shoppen (*inform.*) (5); ein·kaufen (kauft ... ein)
shop das Geschäft, -e (54)
shopping mall das Einkaufszentrum, -zentren (52)
short klein, kleiner, am kleinsten (22)
shorts die kurze Hose, -n (16)
should sollten, sollte (31)
to **show** zeigen (10)
to take a **shower** duschen (15)
shower die Dusche, -n (44)
siblings die Geschwister (*pl.*) (8)
sick krank (54)
side die Beilage, -n (27)
side mirror der Außenspiegel, - (93)
sieve das Sieb, -e (37)
(tourist) **sight** die Sehenswürdigkeit, -en (72) (82)
to visit for **sightseeing** besichtigen (82)
silicon tube das Silikonröhrchen, - (37)
silverware das Besteck (41)
simultaneous(ly) gleichzeitig (100)
since (*time*) seit (+ *dat.*) (55)
to **sing** singen (5)
to **sing about** besingen (90)
single alleinstehend (8)
single-family home das Einfamilienhaus, -er (40)
sink die Spüle, -n (41); das Waschbecken, - (44)
half **sister** die Halbschwester, -n (8)

sister   die Schwester, -n (8)
sister-in-law   die Schwägerin, nen (8)
to sit   sitzen (42)
to sit down   sich (akk.) setzen (46)
site   der Standort, -e (57)
size   die Größe, -n (4)
sketch   die Skizze, -n (25)
skirt   der Rock, -e (16)
to sleep   schlafen, schläft (5)
sleep   der Schlaf (73)
sleepless   schlaflos (98)
slice   die Scheibe, -n (35)
slim   schlank (5)
to slip   aus·rutschen (45)
Slovakia   die Slowakei (78)
Slovenia   (das) Slowenien (78)
small   klein, kleiner, am kleinsten (22)
small town   die Kleinstadt, -e (44)
smarthome   das Smarthome, -s (44)
to smoke   rauchen (68)
snack   der Snack, -s (31)
to have a snack   eine Kleinigkeit essen (88)
snow   der Schnee (17)
to snow   schneien (17)
snowy   verschneit (17)
so that   damit (93)
society   die Gesellschaft, -en (90)
sock   die Socke, -n (16)
sofa   das Sofa, -s (44)
soft   weich (28)
software   die Software, -s (52)
solar cell   die Solarzelle, -n (96)
solution   die Lösung, -en (37)
to solve   lösen (102)
someone   jemand (38)
something   etwas (28)
sometimes   manchmal (17)
son   der Sohn, -e (8)
to sound   klingen (63)
sound poem   das Lautgedicht, -e (100)
soup   die Suppe, -n (30)
sour   sauer (28)
south   der Süden (17); südlich (adj.) (78)
South America   (das) Südamerika (55)
southeast   der Südosten (17)
southwest   der Südwesten (17)
space   das Feld, -er (75)
Spanish (language)   (das) Spanisch (2)
sparkling water   das Mineralwasser, - (37)
to speak   sprechen (spricht) (2); reden (100)
specialty   die Besonderheit, -en (75); die Spezialität, -en (88)
speed   die Schnelligkeit, -en (100); die Geschwindigkeit, -en (93)
to spell   buchstabieren (2)
to spend   verbringen, verbrachte, hat ... verbracht (96)
spicy   scharf (28)
to spin   sich (akk.) drehen (65)
to split up   auf·splitten (57)
spoon   der Löffel, - (41)
sport   der Sport (49)
sports coat   das Sakko, -s (16)
to spread   verbreiten (66)
in the spring   im Frühling (17)
spring   der Frühling, -e (17)
square   das Quadrat, -e (25)
square meter   der Quadratmeter, - (40)
squat   die Kniebeuge, -n (49)
stable   stabil (45)
staff member (female)   die Mitarbeiterin, -nen (30)
staff member (male)   der Mitarbeiter, - (30)
stairs   die Treppe, -n (45)
to stand   stehen (42)
to go stand (at)   sich (akk.) (an + akk.) stellen (47)
stapler   der Tacker, - (6)
to start   an·fangen (fängt ... an) (15)
(federal) state   das Bundesland, -er (78)
state capital   die Landeshauptstadt, -e (78)
statistic(s)   die Statistik, -en (27)
steel   der Stahl (52)
steering wheel   das Lenkrad, -er (93)
step   der Schritt, -e (38)
stepdaughter   die Stieftochter, - (8)
stepfather   der Stiefvater, - (8)
stepmother   die Stiefmutter, - (8)
stepson   der Stiefsohn, -e (8)
stick shift   die Gangschaltung, -en (93)
still   noch (18)
to stir   rühren (34)
to stir in   ein·rühren (34)
store   der Laden, - (54)
storm   der Sturm, -e (17)
stormy   stürmisch (17)
story   die Geschichte, -n (71)
story   das Stockwerk, -e (44)
stove   der Ofen, - (73)
stove(top)   der Herd, -e (41)
straight   geradeaus (82)
strainer   das Sieb, -e (37)
straw (for drinking)   der Strohhalm, -e (57)
straw (on a farm)   das Stroh (73)
strawberry   die Erdbeere, -n (28)
striped   gestreift (16)
to study   lernen (12)
study   das Studium (2)
stuffed animal   das Stofftier, -e (66)
stupid   dumm (5)
style   der Stil, -e (86)
to submit   ab·geben, gibt ... ab (47)
suburb   der Vorort, -e (40)
subway   die U-Bahn, -en (81)
suffering   das Leiden, - (84)
sugar   der Zucker, - (31)
suit   der Anzug, -e (16)
summary   die Zusammenfassung, -en (69)
summer   der Sommer, - (17)
sun   die Sonne, -n (17)
Sunday   (der) Sonntag, -e (15)
sunglasses   die Sonnenbrille, -n (16)
sunny   sonnig (17)
sunshine   der Sonnenschein (17)
supermarket   der Supermarkt, -e (30)
supper   das Abendessen, - (30)
to support   unterstützen (57)
supporting character   die Nebenfigur, -en (71)
to be sure of   sich (dat.) sicher sein (63)
to surf the internet   im Internet surfen (46)
to surprise   überraschen (71)
to swap   tauschen (69)
sweater   der Pullover, - (16)
sweet   süß (28)
to swim   schwimmen (5)
swim trunks   die Badehose, -n (16)
Swiss hash browns   die Rösti, -s (27)
to switch   wechseln (54)
symbolic   symbolisch (71); symbolhaft (86)
symptom   das Symptom, -e (66)
synagogue   die Synagoge, -n (84)
synthetic leather   das Kunstleder, - (55)
synthetic material   der Kunststoff, -e (57)
syringe   die Spritze, -n (37)
systematic   systematisch (84)

T

table   der Tisch, -e (10); die Tabelle (80)
tablet   das Tablet, -s (6)
to take   nehmen, nimmt (25)
to take pictures   fotografieren (5)
to take place   statt·finden (findet ... statt) (25)
tall   groß, größer, am größten (22)
tally chart   die Strichliste, -n (85)
tap water   das Leitungswasser (88)
adhesive tape   das Klebeband, -er (6)
to taste   schmecken (+ dat.) (33)
taste   der Geschmack, -er (88)
tasty   lecker (33)
tea bag   der Teebeutel, - (63)
to teach   bei·bringen, brachte ... bei, hat ... beigebracht (93)
teacher (female)   die Lehrerin, -nen (6)
teacher (male)   der Lehrer, - (6)
teaspoon   der Teelöffel, - (41)
technical   technisch (100)
technique   die Technik, -en (86)
teddy   der Teddybär, -en (65)
temple   der Tempel, - (84)
to test   testen (57)
to text   texten (46)
give thanks to   danken (+ dat.) (59)
Thanksgiving   das Thanksgiving (21)
the most   am liebsten (27)
there   dort (17)
There is/are   Es gibt (28)
thermos bottle   die Thermosflasche, -n (92)
they   sie (0)
thrifty   sparsam (88)
thrilling   spannend (74)
through   durch (+ akk.) (30)
to throw away   weg·werfen, wirft ... weg (60)
thunder   der Donner (17)
to thunder   donnern (17)
thunderstorm   das Gewitter, - (17)
Thuringia   (das) Thüringen (92)
Thursday   (der) Donnerstag, -e (15)
tie   die Krawatte, -n (16)
tile-based game   das Legespiel, -e (75)
time   die Uhrzeit, -en (15); die Zeit, -en (15)
At what time ...?   Um wie viel Uhr ...? (15)
time travel machine   die Zeitreisemaschine, -n (95)
times   mal (4)
tire   der Reifen, - (93)
tired   müde (31)
to   zu (+ dat.) (55)
to (cities and countries without an article)   nach (+ dat.) (55)
toast   der Toast, -s (46)
toaster   der Toaster, - (35)
to toast   toasten (46)
together   zusammen (33)
toilet   die Toilette, -n (44)
tomcat   der Kater, - (73)
too bad   schade (86)
toothbrush   die Zahnbürste, -n (57)
topic   das Thema, Themen (25)
in total   insgesamt (102)
guided tour   die Führung, -en (86)
towards   in Richtung (82)
tower   der Turm, -e (73)
small town   die Kleinstadt, -e (44)
toy   das Spielzeug, -e (45)
by trade   von Beruf (6)
traditional   traditionell (37)
traffic   der Verkehr (82)
traffic light   die Ampel, -n (82)
trail mix   das Studentenfutter (31)
train   der Zug, -e (15); Bahn, -en (55); die Eisenbahn, -en (65)
train station   der Bahnhof, -e (82)
to transfer (train, bus, etc.)   um·steigen (in + akk.), stieg ... um, ist ... umgestiegen (81)
transgender   transgender (90)
automatic transmission   das Automatikgetriebe, - (93)

means of **transportation** das Transportmittel, - (55)

public **transportation** öffentliche Verkehrsmittel (pl.) (81)

transportation route der Transportweg, -e (55)

bulk **trash** der Sperrmüll (62)

to **travel** reisen (18)

travel route die Reiseroute, -n (72)

to **treat oneself to** sich (dat.) gönnen (88)

tree der Baum, -e (18)

trend der Trend, -s (22)

triceps press das Trizepsdrücken (49)

truck der Lastwagen, - (55)

true wahr (69)

trunk (of a car) der Kofferraum, -e (93)

t-shirt das T-Shirt, -s (16)

tube die Tube, -n (58)

Tuesday (der) Dienstag, -e (15)

turban der Turban, -e (16)

Turkish (language) (das) Türkisch (2)

to have a **turn** dran sein (75)

to **turn into** ab·biegen (in + akk.), bog … ab, ist … abgebogen (82)

to **turn on** an·machen (46)

to **turn up** höher stellen (47)

turquoise türkis (16)

to watch **TV** fern·sehen (sieht … fern) (15)

TV der Fernseher, - (42)

type of sport die Sportart, -en (49)

typical typisch (6)

U

uncle der Onkel, - (8)

undenominational konfessionslos (84)

under unter (41)

underneath unter (41)

to get **undressed** sich (akk.) aus·ziehen (46)

UNESCO World Heritage das UNESCO-Weltkulturerbe (72)

unfortunately leider (30)

unfriendly unfreundlich (63)

unhealthy ungesund (31)

unicorn das Einhorn, -er (69)

universal universell (86)

university die Universität, -en (2)

at the **university** an der Uni (47)

unnecessary unnötig (47)

unpacked unverpackt (60)

to **upload** hoch·laden, lädt … hoch (47)

upper (of a shoe) das Obermaterial, -ien (55)

upper leather das Oberleder, - (55)

usually meistens (17); normalerweise (37)

V

vacation der Urlaub, -e (96)

to **vaccinate** impfen (66)

vaccine der Impfstoff, -e (66)

vanilla sugar der Vanillezucker, - (34)

vegan vegan (27)

vegan (female) die Veganerin, -nen (27)

vegan (male) der Veganer, - (27)

vegetable das Gemüse, - (28)

vegetarian vegetarisch (27)

vegetarian (female) die Vegetarierin, -nen (27)

vegetarian (male) der Vegetarier, - (27)

vehicle der Wagen, - (65); Fahrzeug, -e (96)

vest die Weste, -n (16)

victim das Opfer, - (84)

video das Video, -s (12)

video game das Videospiel, -e (5)

Vienna Wien (27)

Vienna Philharmonic Orchestra die Wiener Philharmoniker (90)

Viennese Schnitzel das Wiener Schnitzel, - (27)

virus das/der Virus, Viren (66)

to **visit** besuchen (18)

visitor (female) die Besucherin, -nen (25)

visitor (male) der Besucher, - (25)

vitamin das Vitamin, -e (31)

vivid lebhaft (84)

vocals der Gesang (65)

voice control die Sprachsteuerung, -en (95)

to **vote** ab·stimmen (59)

W

to **wait (for)** warten (auf + akk.) (46); ab·warten (99)

waiter der Ober, - (88)

Waiter! Herr Ober! (88)

to **wake up** auf·wachen (wacht … auf) (15)

to **walk** gehen (28)

to **walk along** entlang·gehen, ging … entlang, ist … entlanggegangen (82)

wall die Wand, -e (44)

wallet das Portemonnaie, -s (6)

wardrobe der Kleiderschrank, -e (44)

warm warm (20)

to **wash** waschen (34)

biodegradable **waste** der Biomüll (62)

household **waste** der Haushaltsmüll (62)

waste der Abfall, -e (62)

residual **waste** der Restmüll (63)

waste incineration die Müllverbrennung (85)

waste treatment/management die Abfallbehandlung, -en (85)

watch die Uhr, -en (15)

Watch out! Achtung! (8)

tap **water** das Leitungswasser (88)

water bottle die Wasserflasche, -n (57)

to **wear** tragen, trägt (16)

weather das Wetter, - (17)

Wednesday (der) Mittwoch, -e (15)

week die Woche, -n (15)

weekend das Wochenende, -n (15)

to **weigh** wiegen, wog, hat … gewogen (93)

curb **weight** das Leergewicht, -e (93)

weightlifting das Gewichtheben (49)

west der Westen (17)

west (adj.) westlich (78)

wheel das Rad, -er (93)

wheelchair user (female) die Rollstuhlfahrerin, -nen (45)

wheelchair user (male) der Rollstuhlfahrer, - (45)

when wann (15)

from **where** woher (2)

where wo (2)

to **whip** schlagen (schlägt) (34)

white weiß (16)

white bread das Weißbrot, e (35)

who wer (6)

whole-grain bread das Vollkornbrot, -e (35)

why warum (31)

widowed verwitwet (8)

wife die (Ehe)frau, -en (8)

wifi das WLAN, -s (88)

will werden (96)

windshield die Windschutzscheibe, -n (93)

windy windig (17)

winter der Winter, - (17)

witch die Hexe, -n (73)

with mit (+ dat.) (55)

without ohne (+ akk.) (30)

wolf der Wolf, -e (66)

woman die Frau, -en (1)

wood das Holz (85)

wooden cooking spoon der Kochlöffel, - (41)

word das Wort, -er (10)

work das Werk, -e (86)

to **work** arbeiten (6)

to **work (as a)** (als + Nom.) arbeiten (6)

to **work out (to exercise)** Sport machen (49)

worker (female) die Arbeiterin, -nen (55)

worker (male) der Arbeiter, - (55)

workout das Workout, -s (49)

workshop die Werkstatt, -en (59)

workspace der Arbeitsplatz, -e (5)

world die Welt, -en (25)

to **wrap** wickeln (66)

to **write** schreiben (1)

in **writing** schriftlich (102)

written schriftlich (102)

X

X-rays die Röntgenstrahlen (pl.) (92)

Y

years old Jahre alt (4)

yellow gelb (16)

yes ja (5)

yes (on the contrary)! doch! (5)

to **yodel** jodeln (90)

yogurt der/das Joghurt, -s (34)

you (inform. sg.) du (0)

youth die Jugend (98)

yo-yo das Jo-Jo, -s (65)

Z

Zurich Zürich (27)

Authentic texts and copyrights

Audio material

Aufnahmeleitung: Katharina Theml, Büro Z, Wiesbaden
Produktion: Andreas Nesic, custom music, Stuttgart
Sprecher: Robert Atzlinger, Dorothea Baltzer, Irene Baumann, Dominik Eisele, Johannes Lange,
Stephan Moos, Mary-Ann Poerner, Elisa Taggert

Video material

Produktion: Ernst Klett Sprachen GmbH
Redaktion & Regie: Steffen Kaupp
Kamera: Jan W. Müller, Stuttgart
Ton & Postproduktion: Ernst Klett Sprachen GmbH
Musik: Marcel Schechter
Mitwirkende: Mahdi Ghalandari, Hassan Kazemi, Ehsan Sadr